밀레니얼
386시대를 전복하라

백경훈 외 10인 지음

밀레니얼
386시대를 전복하라

백경훈 외 10인 지음

큰통

목차

프롤로그 · 11
저자소개 · 22

1부 : 선(善)과 악(惡), 대결의 역사를 넘어 ● 35

역사의 이유

386세대가 지나온 역사

선과 악의 개념만 남은 역사인식

새 세대에게도 아른거리는 386의 역사인식

깨진 거울

2부 : 386 컴퓨터로 돌리는 한국경제 ● 59

386, Are you ready?

풀어야 하는 것은 경제, 할 줄 아는 것은 투쟁

386 경제관의 뿌리를 찾아서

386, 업그레이드된 적이 없다

글로벌 DNA가 없다

좌표 찍었으니 따라와

386의 파트너, 괴물노조

새로운 이야기

불편하지만 필요한 이야기

3부 : 386의 절대반지 '민주주의' 그 이후 • 87

386, 그들만의 민주화

386표 민주주의 "국민만능주의"

386표 민주주의 "민주절대주의"

무능한 민주주의

집단지성의 함정

위선적 꼰대민주주의

민주주의도 채찍이 필요하다.

대의민주주의와 자유주의 재조명

CVID 자유주의의 새 시대

4부 386 정치세력은 왜 희망을 주지 못하는가? • 117

386세대의 부상, 왜 지금인가.

집권세력으로 등장한 386

독과점 386

386세대가 헬조선을 만들었다? 동의하지 않는다!

빛바랜 영광, 386세대의 무능함

밀레니얼, 386세대와 다를까?

무엇이 달라야 하는가?

5부 : '우리 민족끼리' 통일? ● 137

우리의 소원은 통일

386의 낭만적 북한관

386의 민족주의적 통일관

현실에 눈감는 가짜 진보

통일은 수단이다

시대착오를 넘어

6부 : 386세대의 안보, "민족"과 "한반도"에 갇히다 ● 159

태어나서는 안 될 나라

김대중 · 노무현 정부의 외교·안보정책

이명박 · 박근혜 정부의 외교·안보정책

문재인 정부의 외교·안보정책

김대중· 노무현과 문재인의 차이

'인식'이 '상식'이 될 때

한국은 소멸될 잠정 국가

전면전, 그 기억의 포로

현재와 현실

7부 미래와 386의 충돌 • 187

오래 전의 미래

그들만 모르는 위기

짓밟힌 꿈과 비전

386세대는 모든 걸 알고 있다?

찾아온 미래를 쫓아내는 386 정부

규제를 삭제하라

갈까 말까 할 때는 가라

8부 노동, 좌절이 아닌 희망으로 • 211

땀은 처절하다

최저임금의 현황

적당한 수준인가?

'쉬운 일자리 파괴'의 주범

인력수급 불균형을 낳은 최저임금 인상

2.87%, 작살을 내고서야 인정한 결과

산업별 차등적용 & 기업의 지급능력 향상

중소기업은 절대 '善'?

노력의 배신

중소기업이면 다 무죄?

공공 일자리 줄어야 중소기업이 산다

먹고 사는 문제의 중심, 중소기업 현안에 집중해야

9부 386 정규직, 그들만의 노동시장 • 237

시대별 현재를 살고 있는 '우리'

복지인식, 386 vs 밀레니얼

두 얼굴의 노동시장

불평등의 교차로

정규직, 386의 카르텔

386 최후의 책무

10부 386 자사고 폐지? 사람이 먼저다! • 263

너 귀족학교 출신이라며?

집권 386의 '자사고 죽이기'

폐지, 그 빈약한 근거

선택의 이유

폐지의 이중성

자사고 폐지, 강남 집값 상승?

비뚤어진 시선

11부 386 문화독재, 자유의 힘 ● 287

그림자의 엄습

M 세대, 못 배워먹은 비정상?

386 인터넷 검열로 통제되는 사회

386이 두려워하는 M 세대의 문화

M 세대의 숙제, 문화주권

12부 달팽이가 부러운 우리들의 이야기 ● 303

장막을 세우는 사람들

'사는(buying) 것'에서 '사는(living) 곳'으로

3기 신도시 지정 논란

도시재생은 선이고 재건축은 악?

21세기 촌락공동체? SMART한 도시?

주거사다리

시장은 국민이다

에필로그 · 325

[부록] - 설문조사 문항지 · 333

이제 밀레니얼의 시간이다

집권 386에 던지는 밀레니얼의 도전장

20살부터 39살까지 세대와 시대에 대한 혜안을 가진 밀레니얼이 모였다. 본진을 이룬 11명의 필진과 수십 명의 대학생·대학원생 지원군이 원팀이 되어 집권 386을 겨누었다. 최근 386을 다룬 책들이 주로 진단과 비판까지였다면, 그래서 이제 우리는 어디로 나아가야 하는지 밀레니얼 세대의 비전과 방략을 담았다. 기존의 좌우, 진보·보수 프레임으로 정치 '썰전'을 벌이자는 것이 아니다. 집권 386과 그 식자층들을 진영이 아닌 미래의 기준과 좌표로 진단하고 비판해 보자는 것이다.

우리가 조국사태로 에너지를 낭비하고 있는 동안에도, 미국의 실리콘 밸리와 중국의 중관춘, 선전을 비롯한 기술과 산업의 최전선에서는 AI를 필두로 한 기술혁명이 일어나고 있다. 이 기술혁명은 세계 문명의 흐름을 이끌어 가고 있다. 우리도 어서 그 흐름에 올라타 그들과 동행해야 한다. 국정운영도 여기에 기준과 좌표를 두어야 할 것이다. 우리에게 어떤 미래가 펼쳐질지는 전적으로 우리의 대응 능력에 달려있다. 새것에 민감하고, 습득하는 속도가 빠른 밀레니얼 세대는 이 변화를 온몸으로 소화해 내고 있다. 우리가 마주하게 될 경험해 보지 않은 미래는 밀레니얼과 많은 부분에서 닮아있다.

밀레니얼이 본 집권 386의 진짜 문제는 무능력함이다. AI를 필두로한 이 혁명적인 변화를 집권 386은 이해하고 준비하고 대비하고 있을까. 이들은 경제, 노동, 교육, 사회, 문화, 정치 모든 영역에서 영원한 운동권의 모습으로 진화되지 못한 채 기득권을 쥐고 있다. 기득권 자체보다 이 기득권을 가지고 잘못된 방향으로 국정을 이끌어가고 있다는 것이 문제이다. 이들이 자꾸 뭘 하려고 하면 할수록 전 세계 문명의 흐름과는 반대의 방향으로 향하고 있다. 대변혁기의 최전선에 서 있는 지금 우리는 이것을 더이상 두고 볼 수 없는 절박한 상황에 놓여있다.

집권 386의 준비되지 않은 무능함은 충분히 검증되었다. 이들에게 양보하고 희생하라는 그런 한가한 이야기나 하고 있을 때가 아니다. 실력을 갖춘 준비된 다음 세력이 쟁취해야 한다. 그런 의미에서 이 책은 집권386에 던지는 도전장이다. 밀레니얼 세대의 언어와 dj젠다, 비전과 콘텐츠를 무기로 집권 386을 정면으로 겨누고자 한다. 386의 시대를 극복하고 전복하고자 한다.

서울지역 대학생 500명에게 물었다

이 책의 첫 번째 콘텐츠는 조국 사태를 전후하여 요동치고 있는 20대, 특히 서울대, 고려대, 연세대를 비롯한 서울지역 캠퍼스의 민심을 담은 설문조사의 결과이다. 이들이 현재 정부와 집권 386과 조국 사태를 어떻게 보는지 알아보고, 여기에 담겨있는 밀레니얼 세대의 특징을 함께 짚어보았다.

2019년 10월 1일(화)부터 6일간 서울지역 10개 대학 대학생 500명 (건국대·경희대·고려대·국민대·서울대·성균관대·연세대·중앙대·한양대·홍익대, 남성 250명·여성 250명)을 대상으로 대면 설문지 직접 기입 방식에 따라 무작위적으로 진행하였다. 설문 문항은 여론조사 전문가의 자문에 따랐고, 설문조사는 우리 '플랫폼 밀레니얼'의 여론조사팀이 직접 진행하였다. 그 결과는 다음과 같다.

-정치성향 [진보 18% : 보수 17.8% : 중도 64.2%]

[귀하의 성향은 어디에 가까우신가요?]라는 질문에 진보 18%, 보수 17.8%, 중도 64.2%라고 답했다.

도표1] 대학생 정치성향

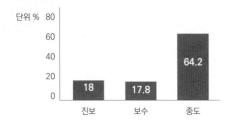

-2017년 대통령 선거 당시 지지·호감 후보

[문재인 33.4%, 유승민 14.8%, 없다 37.6%]

[귀하가 2017년 대통령 선거 당시 지지했거나, 호감을 느꼈던 후보는 누구입니까?]라는 질문에 문재인 33.4%, 유승민 14.8%, 심상정 5.6%, 안철수 4.2%, 홍준표 4%, 기타 0.4%, 없다 37.6%라고 답했다. (※당시 투표권이 없던 현재 대학교 1-2학년 그룹도 이번 설문에 참가하였다.)

이 두 문항의 답변을 토대로 후보 중심으로 단순하게 분류했을 경우 지난 2년 4개월 동안 현 대학생들의 의식에 뚜렷한 변화가 있었음을 알 수 있다. 홍준표와 유승민 지지층을 보수로 가정하면 보수는 18.8%에서 17.8%로 약간 줄었다고 볼 수 있다. 그런데 문재인과 심상정 지지층을 진보로 인정하면 이 층은 39%에서 18%로 급감했다. 그리고 중도를 안철수와 지지후보 없음을 기준으로 한다면 중도층은 41.6%에서 64.2%로 약 21.6% 늘어났다.

도표2] 문재인 대통령에 대한 대학생 지지율

-문재인 대통령 지지율 [부정적 57.6% : 긍정적 42.4%]

[귀하는 현재 문재인 대통령에 대해 어떻게 생각하고 계십니까?]라는 질문에 '매우 긍정적으로 생각한다.' 1.8%, '대체로 긍정적으로 생각한다.' 40.6%, '대체로 부정적으로 생각한다.' 44.6%, '매우 부정적으로 생각한다.' 13%라고 답했다. 문재인 대통령에 대한 긍·부정평가를 주관식으로 물었는데, 부정적으로 평가한 이유로는 [경제(50개) · 외교(28개) · 내로남불(26개) · 일자리(22개)] 관련한 답변이 가장 많이 나왔다. 그리고 긍정적으로 평가한 이유로는 [전 정권보다 낫다(21개) · 무난하다(18개) · 문제 해결 의지(11개)] 관련한 답변이 가장 많이 나왔다.

부정평가의 이유는 매우 구체적인데 긍정평가의 근거는 추상적이거나 상대적이라는 특징도 보였다.

-386세대에 대한 생각 [부정적 60.8% : 긍정적 39.2%]

　[귀하는 386세대에 대해 어떻게 생각하고 계십니까?]라는 질문에 '매우 긍정적으로 생각한다.' 1.6%, '대체로 긍정적으로 생각한다.' 37.6%, '대체로 부정적으로 생각한다.' 49.8%, '매우 부정적으로 생각한다.' 11%라고 답했다. ['386' 하면 떠오르는 단어는 무엇입니까?]라는 질문에 가장 많이 나온 답변은 [꼰대(203개)·민주화(122개)·권위적(90개)·내로남불(86개)]이었다.

도표3] 386에 대한 생각

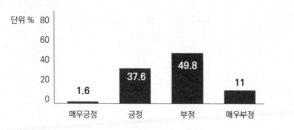

도표4] 386하면 떠오르는 단어

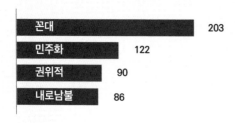

-조국 사태에 대한 감정 [분노, 안타까움, 기회 박탈]

[귀하는 최근 '조국 법무장관을 둘러싼 사태'를 바라보며 어떠한 감정을 느끼셨습니까?]라는 질문에 [안타까움(185개) · 분노(182개) · 짜증남(22개)]이라는 키워드의 답변이 많았다. 여기서의 안타까움은 조국 당사자에 대한 안타까움이 아니라 현 상황에 대한 부정적 인식을 담은 안타까움이었다.

-한국 사회 당면 과제
[기본적인 상식과 도덕이 지켜지지 않는 사회(지도층의 편법/범법 행위 등) 34.8%]

[귀하는 한국 사회 문제 중 가장 우선적으로 해결되어야 할 문제가 무엇이라고 생각하십니까?]라는 질문에 ① 기본적인 상식과 도덕이 지켜지지 않는 사회(지도층의 편법/범법행위 등) 34.8% ② 정의롭지 않고 불공정한 사회 구조(교육 기회, 입시/취업 특혜 등) 26.4% ③ 노력해도 극복되지 않는 사회적 격차(부모 자산 대물림 등) 15.8% ④ 자유롭지 못하고 권위적인 위계구조 (갑질, 직장 문화 등) 12.6% ⑤ 특정 세대, 계층의 권력 독점 현상(386세대, 엘리트주의) 10.4% 순으로 답했다.

- 남성과 여성의 문재인 대통령에 대한 지지율 차이

남성의 경우 문재인 대통령에 대해 [부정적 64.8% (매우 부정 17.6%, 부정 47.2%) : 긍정적 35.2% (긍정 33.6%, 매우 긍정 1.6%)]라고 답했다. 여성의 경우 문재인 대통령에 대해 [부정 50.4% (매우 부정 8.4%, 부정 42.0%) : 긍정 49.6% (긍정 47.6%, 매우 긍정 2.0%)]라고 답했다.
남성이 여성에 비해 문재인 대통령에 대한 부정적인 평가가 14.4% 더 높았다.

-남성과 여성의 386세대에 대한 생각 [부정 60.8% 동률]

남성의 경우 386세대에 대해 [부정 60.8% (매우 부정 12.8%, 부정 48.0%) : 긍정 39.2% (긍정 38.0%, 매우 긍정 1.2%)]라고 답했다. 여성의 경우 386세대에 대해 [부정 60.8% (매우 부정 9.2%, 부정 51.6%) : 긍정 39.2% (긍정 37.2%, 매우 긍정 2.0%)]라고 답했다. 386세대에 대한 부정적 평가는 남성과 여성 모두 60.8%로 동률을 보였다.

- 진보 성향 답변자 90명(남학생 39명. 여학생 51명)의 문재인 대통령과 386세대에 대한 생각

전체 답변자의 18%인 진보 성향 답변자 90명은 문재인 대통령에 대해

[부정적 40%(매우 부정 6.7%, 부정 33.3%) : 긍정적 60% (긍정 55.6%, 매우 긍정 4.4%)]라고 답했다.

또한 386세대에 대해서는 [부정적 55.5% (매우 부정 12.2%, 부정 43.3%) : 긍정적 44.4% (긍정 42.2%, 매우 긍정 2.2%)]라고 답했다.

문재인 대통령에 대해서는 긍정적인 평가가 더 높았던 반면, 386세대에 대해서는 부정적인 평가가 더 높은 것으로 나타났다.

-설문조사 결과 요약

설문조사 결과를 세 가지로 요약해보면, '① 진보·보수 한쪽으로 치우치지 않고, 중도로 쏠림 ② 조국 사태를 전후하여 나타난 집권 지도층에 대한 분노와 실망감 ③ 386에 대한 모호함과 이질감' 정도라고 할 수 있다.

이 세 가지는 모두 같은 맥락에서 해석해볼 수 있다. '기회 평등, 과정 공정, 결과 정의'라는 문재인 대통령의 취임사에 밀레니얼 세대는 환호했다. 하지만 집권 이후 보여준 편협함과 무능력함, 최근 조국 사태를 통해 드러난 집권 386의 위선적 민낯, 무너진 정의와 공정함을 목도하며 이들이 밀레니얼 세대를 정면으로 배신하고 있음을 체감하고 있는 것이다.

설문조사 당시 '이 설문지 2장에 저의 모든 분노를 담아냈습니다.'라고 표현할 만큼, 남학생들이 비교직 더 강한 불만을 표출했다. 정치 전반에 대해 관심이 없다는 대학생들도 많이 있었지만, 문재인 대통령과 조국 사태에 대한 나름의 의견은 다들 가지고 있었다.

밀레니얼, 386시대를 유쾌하게 전복하라

집권 386과 밀레니얼 세대가 최전선에서 대치하고 있다. 그동안은 잘 보이지 않았지만, 조국 사태를 계기로 전선은 더욱 뚜렷해졌다. 누군가는 세대 전쟁이라며 우려하기도 하지만, 미래를 위해서라면 계속 부딪히면서 다음 대안을 만들어 가야 한다. 미래로 나아가려는 이들과 오늘을 과거로 퇴행시키려 하는 세력 간 피할 수 없는 시대의 전쟁이다. 이러다간 밀레니얼의 꽃이 펴 보기도 전에 회복 불가능한 나라를 만들 것 같다. 집권 386이 '먹튀 386'이 될 것 같다.

우리는 집권 386에 분노하고, 단순히 비판하는 것에만 그쳐서는 안 된다. 집권 386을 무너뜨릴 수 있는 이들의 가장 취약한 곳, 회생할 수 없는 부분을 찾아 집중 공격해야 한다. 허울 좋은 대의나 어설픈 접근 방식만으로는 이들을 상대할 수 없다. 우리나라에서 가장 조직화되고 훈련된 세력이 바로 집권 386이다. 이들을 극복하지 못하면 밀레니얼 세대와 그다음 세대는 또다시 집권 386이 만든 세상에 종속된 삶을 살아갈 수밖에 없다. 현재 일어나고 있는 이 분노의 에너지는 집권 386을 극복하고, 더나은 사회와 세상을 만들어 가는 데 쓰여야 한다.

결국 미래는 밀레니얼의 시간이다. 밀레니얼, 386세대를 유쾌하게 전복하자.

함께 한 벗들에게 깊은 우정을 드리며 도와주신 모든 분들에게 다함 없는 감사를 드린다.

2019년 10월

플랫폼 밀레니얼

(박도현 김동민 임승호 나보배 함동수 이준형 김진우 송보희 백경훈 김형중 이윤진)

선(善)과 악(惡), 대결의 역사를 넘어

김진우

1991년 경기도 시흥 출생. 군포에 살고 있는 29세의 청년으로 서울대학교에서 역사교육을 전공하였다. 대학에 와서 역사 공부를 하면서 얼마나 노예와 같은 역사인식을 갖고 살았는지에 대해 스스로 자문했다. 그 과정에서 학교 현장의 교육 이외에도 386세대가 우리에게 끼치고 있는 역사인식의 영향이 상당하다는 것을 깨닫고 운동권 386이 더 이상은 한국 사회에서 주도적 위치를 차지해서는 안 된다는 확신을 갖게 된 지극히 평범한 사람이다.

주로 역사와 교육 문제에 관심이 많은 편이며 국제정치 문제에도 흥미를 갖고 있다. 386세대의 가식과 그들이 끼치고 있는 해악에 대해 적나라하게 폭로하는 책들과 청년들이 많이 나오기를 희망한다.

386 컴퓨터로 돌리는 한국경제

백경훈

1984년생. 북쪽에 84년생 김정은이 있다면, 남쪽에 백경훈이 있다. 22살, 최연소로 전북대학교 총학생회장에 당선된다. 학교에서는 운동권 학생회와 대치했고, 군대(의경) 가서는 주로 민주노총과 대치했다. 현재는 (주)청사진의 공동대표를 맡고 있으며, 주로 노동·일자리 문제와 관련하여 칼럼과 방송, 해당 부처와 위원회 위원 등 활발한 활동을 하고 있다.

2019년 8월 24일 조국 장관 임명을 반대하는 집회에 연사로 올랐다가, YTN 변상욱 앵커에게 '수꼴 청년'으로 낙인찍혔다. 이 일로 본의 아니게 지상파 뉴스, 신문을 비롯해 주요 언론 TOP 뉴스를 장식하게 되었다. 자연스럽게 집권 386과 밀레니얼 세대가 대치하고 있는 최전선에 서게 되었다.

조국 사태 몇 개월 전부터 벗들과 함께 이 책을 준비하였다. 집권 386이 정치, 경제, 사회 각 분야를 망가뜨리고 있다고 보고 이들을 극복하는 것이 다음 세대, 그리고 본인의 1번 사명이라 여기고 있다. 미래와 문명이라는 좌표를 쫓아가고 있다. 미래세대에게 더 많은 선택의 자유와 기회를 주는 길이 현 세대, 책임 있는 사람들의 기준이 되어야 한다고 보고 발걸음을 내딛고 있다.

386의 절대반지 '민주주의' 그 이후

김동민

1997년생. 경기도 포천에서 나고 자랐으며, 중학교 시절부터 '정치' 분야에 대한 관심을 가지고 건국대학교 정치외교학과에 진학하였다. 청소년 시절부터 미래세대의 정치 참여와 권익 대변을 위해 활동해왔고, 2016년 8월 15일 미래세대 중심 단체인 나비미래회의에 창단 멤버로 참여하였다. 2017년 5월부터 나비미래회의의 대표로 활동하고 있다. 청소년과 청년, 미래세대의 발전을 위해 정당의 정책 연구에 참여했었으며, 미래지향 정당을 만들고자 노력한 바 있다. 최근 저출산 고령화에 따른 한국의 인구구조 변화와 민주주의 위기를 연구하고 극복 방안을 모색했다. 4차 산업혁명과 미래 한국의 발전방향에 대해서 공부하고 있다.

386 정치세력은 왜 희망을 주지 못하는가?

송보희

1987년 가을 경기도 안양에서 태어났다. 9살 때부터 배운 태권도는 강인한 정신력과 지구력을 기르게 해주었고, 어렸을 적 겨루기 선수로 뛰었으며 태권도 4단 유단자이다. 청소년기를 지나 청년이 된 지금 글 쓰는 것과 데이터 분석, 국가 미래전략과 정책에 관심이 많다.

23세부터 전공을 살려 복지부 산하 기관에서 일하며 정책을 처음 접했다. 그 이후 청와대, 여의도연구원 선임연구원으로 일하며 역할을 해왔다. 사소한 일부터 중요한 업무까지, 무엇이든지 최선을 다해왔다. 여의도연구원 청년정책연구센터를 설립하고 운영하며 전국 권역의 대학생들을 만나왔고, 2013년부터 대학생 실태조사를 기반으로 한 정책 연구와 정책 세미나를 운영해왔다.

'더 이상 과로하지 말라'는 의사선생님의 말을 들으며 20대를 보냈다. 자다가 코피를 쏟아가며 축적한 역량을 기반으로 30세 이후부터는 그 어느 때보다 자유롭고 나답게, 뜻을 함께하는 동료들과 정책 벤처 인토피아에서 Policy-LAB으로 '데이터, 미래, 정책' 키워드를 중심으로 새로운 것을 만들어 보러 한다.

이제는 내면의 소리에 귀 기울이고 자유롭게 날아가고 싶다. 그리고 60대에는 편안한 할머니로, 젊은이들에게 좋은 멘토가 되고 싶다. 대한민국에서 억울하고, 슬퍼서 우는 사람이 없기를 바란다. 후배들이, 미래세대가 대한민국 국민임을 자랑스럽게 여기며 올바른 제도 안에서 자기답게 살아갈 수 있기를 바란다. 그러한 바램 속에 조금이나마 역할을 해내고 후배들에게 부끄럽지 않도록, 오늘도 열심히 정진하고 나를 성찰하며 살아가고 있다.

'우리 민족끼리' 통일? | 달팽이가 부러운 우리들의 이야기
이준형

1992년 생. 법학을 공부했다. 고3 시절, 우리 사회를 발칵 뒤집어 놓은 천안함 폭침 사건과 연평도 포격사건을 목도하며 사회문제에 관심을 갖게 되었다. 시퍼런 대낮에 우리 국민이 적국의 도발로 인해 피해를 입었다는 사실은 도저히 납득할 수 없었다. 그리하여 스무 살이 되자마자 찾아간 한 시민단체. 그 발걸음이 내 20대의 삶을 새롭게 이끌었다.

나의 첫 사회생활은 북한 인권 문제를 다루는 NGO였다. 북한은 김정일에서 김정은으로 3대 세습을 진행하는 혼란스러운 단계였고, 우리 사회 안에서도 끊임없이 이슈화된 사건들이 터져 나왔다. 그리고 북한 내부에 존재하는 정치범 수용소는 국제사회에서도 경악할 수밖에 없는 큰 이슈였다. 이런 북한의 참혹한 현실 속에서 마이크를 잡을 수밖에 없었고, 전국을 돌며 북한의 현실을 알리는 것이 나의 첫 목소리였다.

북한이라는 대상을 보면서 과연 국가는 무엇이며 국가와 국민의 관계는 무엇인가를 고민하는 청년이 돼버렸다. 서울 한복판, 종로에 살면서 뜻하지 않게 최루탄까지 맛본 특별한 경험을 하며 성장하였다. 2002월 드컵을 보며 함께 기뻐했고, 잘못된 정치를 보며 함께 분노했던 그 무대가 우리 동네였다는 경험이 대한민국의 민주주의에 대한 더 깊은 고민으로 이어지게 한 것이다.

나의 시선이 나와 같은 또래를 대표한다고 보지 않는다. 하지만 대한민국의 2010년대를 무대로 삼아 20대를 보내고 있는 우리의 다양성 중 한 줄기에 서 있다는 마음으로 참여한 이 프로젝트. 우리 사회의 '건강하고 선진화된' 민주주의의 정착의 작은 밑거름이 될 수 있기를 바란다.

386세대의 안보, "민족"과 "한반도"에 갇히다

김형중

1982년생. 시민단체 활동가. 서울 변두리에서 태어나 그 일대에서 머물러 왔다. 연세대학교에서 정치외교학을 전공했다. 어려서부터 '밀덕'이었던 터라 뒤늦게 군대에 가서는 대학 시절 곁눈질로 배운 정치외교학과 어쩔 수 없이(?) 살짝 발 담그게 된 군사 부문의 접점에 관심을 두게 되었고, 노무현 정부 시절의 전시작전권 전환 작업을 "멀지만 가까운 곳에서"지켜보기도 했다.

아마도 대학 시절 "해방전후사의 인식"을 동기들과 함께 읽은 마지막 세대일 것이며 6.15 공동선언과 미군 장갑차 여중생 압사 사고를 경험하였다. 노무현 정부 시절 외교·안보 정책 결정에 관여한 학자들에게 수업을 들은 대학생이자 군인 신분으로 두 차례의 6자 회담 합의와 독도 근해에서의 한일 군사 분쟁, 그리고 1차 핵실험을 경험한 몇 안 되는 사람 중 하나이다.

"한순간이라도 전쟁 없이는 살 수가 없는", 여전히 정신적으로 제대하지 못한, 사실은 아직도 예비역으로 군적을 유지해야 할 날이 많이 남아 있는 현역 같은 예비역 '밀덕'...

미래와 386의 충돌

함동수

1993년생으로 미국 보스턴대학교에서 정치학과 국제관계학을 복수 전공하고 커뮤니케이션 PR(Public Relation)을 부전공 하였다. 학내에서 정치외교 동아리를 뜻있는 동기들과 힘을 합쳐 만들어 운영하였다. 보스턴에서 그 몸집을 키워 토론뿐만 아니라 카드 뉴스, 매거진, 보고서 등 다양한 외부 활동을 펼치며 민주평화통일자문위원회와 총영사관과 함께 대학생으로서 다양한 활동을 하였다.

본래는 UN에서 일하고 싶다는 꿈을 갖고 국제관계학 공부를 시작하게 되었으나, 국제적 관계란 본디 다양한 국가들의 정치 현황에 따른 변화라는 것을 느끼게 되었다. 그리고 그 핵심에 선거가 있다고 생각하여 커뮤니케이션 PR까지 공부하게 되었다.

하지만 예상외로, 군 복무의 의무를 다 한 뒤 블록체인 스타트업 일을 도우며 4차 산업혁명에 대한 관심을 키워나가게 되었고 기술이 가져오는 혁신과 변화에 대한 관심을 키워나가게 되었다. 2018년에는 거대 정당의 블록체인 TF 팀에 핵심 인물로 참여하여 기술로 민주주의를 발전시키는 데에 노력을 쏟아 보았다.

신기술 분야에서 문과의 한계가 보이기 시작해 스스로의 역할을 찾던 도중 "내일을 위한 오늘"에서 정책에 대한 고민을 하게 되며 현재 정책 연구위원장을 맡고 있다. 밀려오는 4차 산업혁명의 파도 앞에서 정책으로 제 역할을 할 수 있겠다고 생각하여 서울대 행정대학원에 진학하여 ICT 정책과 전자정부 및 신기술 정책 관련한 많은 프로젝트에 참여하며 공부하고 있다.

노동, 좌절이 아닌 희망으로

나보배

1993년, 광주 출신. 부유함이 무엇인지는 몰라도 궁핍함 정도는 아는 20대 청년. 기자가 되어 힘없는 사람들을 지키고 싶었으나, 너무 힘이 없어 현실과 타협했다. 고등학교부터 부산으로 유학 생활을 했다. 고3이 되어 부산 사하구 하단동의 한 고시원에 살면서 사회에 첫발을 디뎠다.

그렇게 4년간의 분투 끝에 돈을 모아 인천에서 대학 생활을 했다. 이와 동시에 시민단체와 정당 활동을 약 2년 거치면서 숱한 모순에 직면했다. 정의를 외치는 사람들의 위선, 평등이 야기하는 불평등, 약자들을 그저 정치적 도구로 여기는 태도들을 보며 나는 등을 돌렸다.

현재는 지방에서 기술직으로 종사 중이다. 586 정치인의 꽁무니나 쫓으면서 그들의 언어와 행동을 그대로 답습하는 청년팔이들과 같은 부류가 되기 싫어서 자급자족에 최선을 다하는 중이다. 꿈이 있다면 소신대로 행동하는 테크노크라트가 되고 싶다.

386 정규직, 그들만의 노동시장

이윤진

이윤진. 1981년생. 밀레니얼세대의 막차를 타고 있다. 막연히 정의로운 사회를 꿈꾸며 법과대학에 진학하였으나 법과 현실 사이의 괴리라는 어린 시절의 치기로 현실에 대해 더욱 경험하고 싶어 전공을 바꾼다. 늘 나만의 방식으로 실천하는 삶을 살고자 몸부림치고 있다. 이대 뒤 벌집촌 공부방에서의 자원봉사 시간이 가슴 한편에 자리 잡아 실천하는 학문에 대한 욕심과 관심을 가지고 사회복지의 세계로 들어오게 된다. 그 후 고용보험을 주제로 박사학위를 받았다. 현재는 국책연구기관에서 정책 연구를 하고 있으며 기득권 386과 비 386간의 보이지 않는 세대 간 전쟁에 때로는 분노하며 사회정책 전반에 다각적으로 관심을 가지고 있다. 실천하는 연구자의 삶을 살고자 하는 소박한 꿈을 실현하기 위해 오늘도 하루하루 고군분투 중이다.

386 자사고 폐지? 사람이 먼저다!

임승호

    1994년생. 대구 출생. 2010년에 서울 은평구에 위치한 하나고등학교 1기 학생으로 입학하여 서울 생활을 시작하였고 약 10년째 서울 생활 중이다. 고등학교 시절 친구와 함께 교내에 정치외교 동아리를 최초로 설립하면서 정치에 관심을 붙이기 시작했고 현재는, 고려대학교에서 정치외교학을 전공하고 있다.

    2016년, 군대에서 탄핵 정국을 지켜보며 평소 믿어왔던 보수의 가치가 무너져 정치외교학도임에도 정치에 대한 싫증을 느끼기 시작했다. 그러나 군 전역 이후 새롭게 창당한 바른정당에 보수 재건의 희망을 가지고 처음으로 정당 가입을 하였다. 이후 바른정당 정치학교 수료, 바른정당 청년대변인 활동, 바른정당 산하 바른정책연구소 청년정책위원 등 활발한 활동을 했으나 국민의당과의 통합 이후 당의 행보에 염증을 느끼고 탈당하였다.

    어린 나이에 정당 생활을 하며 얻은 두 가지 교훈은 '꼰대만큼이나 청년 꼰대들도 많다는 것'과 '보수 진보할 것 없이 586 기득권 정치인들을 갈아치워야 한국 정치에 희망이 있다는 것'. 현재는 정치 평론을 하는 유튜브 채널을 개설하여 당적 없이 자유롭게 활동하는 중이다.

386 문화 독재, 자유의 힘

박도현

2000년. 서울 출생. 취미는 험한 세상에 과감히 도전장을 던지는 것이다. 중학교에 다닐 때, 다양한 철학 책을 탐독하고 열심히 권투와 무에타이 수련을 했던 것이 현재의 취미생활을 원만하게 이어나갈 수 있는 심신의 기초체력이 되었다. 고등학생이 되어서는 뜻맞는 친구들과 교내에 최초로 설립한 융합정책 연구동아리에서의 적극적인 활동으로 다양한 분야에 대해 인문학적 소양을 쌓을 수 있었다. 발명활동에 매진하여 창의력과 이과적 소양을 기르는 것 또한 게을리하지 않았다. 고등학교 졸업 이후에는, 든든한 학우들과 창업의 꿈을 가지고 다양한 실험을 과감하게 진행하는데 매진하고 있는데 다행히도 올해 안에 그 꿈을 이룰 수 있게 되었다.

그 이외에도 포럼, 발제, 토론회 등의 대외활동을 활발히 하던 중, 좋은 인연을 가지게 되어 이번에 집필 기회를 얻게 되었고, 현재 대한민국과 386세대, 그리고 밀레니얼 세대에 대한 나의 생각을 진솔하게 적었다. 이번 기회에 나의 인생을 되돌아보니 흥미진진한 모험의 연속이었다. 그리고 이 넓은 세상은 아직 나의 호기심을 자극하는 것들로 가득하다. 그것들을 끊임없이 모험하는 것이 나의 꿈이다, 나에게 허락된 시간까지.

밀레니얼

386시대를 전복하라

1부

선(善)과 악(惡),
대결의 역사를 넘어

언제까지 깨진 거울로 나를 바라볼 것인가?

역사의 다채로운 면들을 자신의 시각으로 살펴보는 역사인식을 스스로 정립할 수만 있다면 386운동권 세력이 우리에게 악영향을 끼치고 있는 선악의 대결구도라는 사고의 제한을 풀어헤칠 수 있을 것이다. 또한 사안마다 자신의 견해를 합리화하기 위해 과거를 소환해오는 나쁜 습관도 어느 정도 교정될 것으로 기대된다. 즉, 386운동권 세력의 역사인식에서 벗어나는 순간이야말로 진정한 의미의 '이성의 해방'을 달성하는 순간일 것이고 그때부터 진정한 밀레니얼 세대의 세상이 시작될 것이다.

———
김진우

1부.
선(善)과 악(惡),
대결의 역사를 넘어

김진우

역사의 이유

　역사를 배우기도 하고 가르치기도 하는 내게 보통 사람이 제기하는 질문 중 가장 흔한 것은 "역사를 배워야 하는 이유는 무엇인가요?"이다. 사실 이 질문은 대학자들도 답할 때 심사숙고를 하는 참으로 어려운 질문이지만 한편으로는 역사를 배우거나 주변에서 "역사를 모르면 안 되는 거야"식의 강요를 받게 되는 사람의 입장에선 도대체 왜 역사를 배워야 하는지에 대해 충분히 질문을 가질 만하다.

　필자의 경우 역사를 알아야 하는 이유에 대해 질문을 받으면 대개 '타산지석'이라는 유명한 사자성어를 활용하여 상대를 이해시키고자 노력한다. 우리의 역사든 나른 나라의 역사든 과거를 하나의 반면교사로 삼아 자신을 연마하는 데에 있어 이만큼 좋은 수단이 없다는 식이다. 이때 자주 쓰이는 예시는 21세기 동북아 질서와 19세기 조선이 처했던 국제적 환경 사이의 유사성이고 가끔씩 역사 속 인물의 사례를 들어 교훈으로 삼는 내용을 예시로 들기도 한다.

이처럼 답변을 제시하면 질문은 현실적인 문제로 금방 옮겨간다. (질문자 스스로 역사를 배울 필요성을 무의식적으로 알아가는 셈이다) "왜 신라가 아니라 고구려가 통일을 했을까요? 고구려가 통일했다면 더 낫지 않았을까요?" "조선보다는 고려가 더 나은 거 같지요?" "왜 조선은 일본처럼 근대화에 성공하지 못했나요?" 등 정말 수없이 많은 질문들이 쏟아진다. 필자는 이와 같은 과정을 여러 차례 거치면서 흥미로운 지점을 확인했다. 대체로 일반 사람들이 역사와 관련하여 던지는 질문들이 갖는 성격이 '비교'와 '분류'라는 점이다. 역사적 사건 자체나 인과 관계에 대한 이해보다는 결과에 초점을 맞추고 '내 편'과 '내 편이 아닌 존재'를 빠르게 구분한다. 그 후에 선과 악의 개념을 활용하여 자신만의 역사적 평가를 내리기에 이른다.

물론 역사를 통해 무언가를 배우기 위해선 일정 수준의 결론은 필요하다. 문제는 역사를 이해하는 방식에 있어 선과 악의 개념을 구분하는 것은 상당한 주의를 따른다는 점이다. 역사학자나 역사교사들은 역사적 사건에 대한 자신의 입장을 노골적으로 표출하거나 확정적으로 말하는 것에 대해 상당히 경계한다. 역사라는 학문의 특성상 논평은 불가피하지만 이는 사실에 근거해야 하고 사회를 이해하는 것도 포함되기 때문에 입체적인 관찰은 필수적이다. 즉, 다각도에서 과거에 접근해야 하는데 선과 악처럼 뚜렷하게 구분되는 이분법적 이해방식은 입체적 이해를 크게 방해하며 이는 실재하는 과거에서 무언가를 배우는 것이 아니라 자기 멋대로 과거를 재단하여 현재를 정당화하는 방식이 될 위험이 크기 때문이다.

　대체 그렇다면 역사학자와 역사교사들이 피하기 위해 사력을 다하는 선과 악의 개념으로 역사를 재단하는 방식은 어디서 출현한 것인가? 이는 단순히 민족주의 사관의 문제라고 보이지는 않는다. 민족적 감정과 전혀 상관없는 이슈에 대해서도 선과 악의 개념은 확고하게 작동하고 있기 때문이다. 이 문제의 원인에 대해 필자는 선과 악으로만 세계를 바라보는 세계관을 가진 세대의 영향이 지배적인 것이라고 판단한다. 그렇다면 현재 한국 사회에서 선과 악의 개념이 확고하며 자라나는 세대에게 영향을 끼치고 있는 세대는 누구일까? 바로 21세기 한국 사회의 주류로 자리매김하고 있는 50대 즉, 386세대라고 생각한다. 특히 정치 영역에서 활동하고 있는 집권 계층으로서의 386운동권은 자신들이 생각하는 이상(자신들이 지키고자 했었던 평등, 민주 등의 보편적 가치)과 현재 자신들이 처한 현실(자신들이 이룩한 특권으로 점철된 두꺼운 성벽 안의 세계)에서의 괴리감을 애써 무시한 채 오로지 자신들만을 위한 합리적 선택을 하기 위해 역사인식에서도 선과 악, 동지와 적의 개념을 철저히 노골화하며 다른 세대에게도 이를 투영시키고 있다.

이를 확인하기 위해 386세대가 지나온 한국의 현대사를 간략하게 살펴보면서 왜 그들의 역사인식에서는 선과 악의 이분법적 분리 개념이 명확한지에 대해 설명하고 그들의 역사인식이 현재 한국의 주류 역사 인식에 어떻게 영향을 끼치고 있는지에 대해 몇 가지 사례를 들어 확인할 것이며 그들의 강고하고 단호한 역사인식이 386세대의 후대에도 어떠한 악영향을 끼치고 있는지에 대해 확인해볼 것이다. 이러한 과정을 통해 현대를 되돌아보기 위해 사용하게 되는 거울로서의 역사를 어떻게 이해해야 하는지에 대해 필자 나름의 견해를 피력할 것이다.

386세대가 지나온 역사

386세대가 사회의 새로운 구성원으로서 출발한 시점은 1980년대로 한국 정치사에서 가장 역동적인 시기였다. 박정희 정부는 10.26사태로 갑자기 붕괴했고 이로 인해 발생한 권력의 공백을 채우기 위해 정치권, 군부, 민간 영역 모두에서 활발한 움직임을 보였다. 특히 새롭게 성인이 되어 대한민국 사회에 발을 디딘 386세대에게 이 순간만큼은 기회의 때였던 것이다. 그러나 이들의 진출을 강력하게 제어한 집단이 있었으니 바로 새로운 정치 지배세력으로 떠오른 신군부 세력이었다.

당시 전두환 보안 사령관은 발 빠르게 군권을 접수하고 정치까지 장악하기 위한 준비에 착수하고 있었다. 반면에 당시 야당은 신군부에 대한 오판으로 자신들의 집권에 대해 낙관하고 있었고 실제로 신군부의 대적 세력이 되기엔 한참 부족한 상태였다. 그러나 신군부의 정권 접수를 막아 세운 이들이 있었으니 바로 서울의 봄을 이끈 386세대였다. 그들을 지도하고 있었던 선배들은 1970년대 박정희 정권과 군부를 '적'으로 삼고 결집력을 높이고 있었는데 새롭게 유입된 386세대들에게 이러한 '아군'과 '동지'의 개념은 신군부에 대한 접근법으로 자연스럽게 이어졌다. 선배들의 적이 사라지는 그 순간 386세대에게 신군부가 강력한 적으로서 나타났고 그들은 당연히 '거대한 적'으로서 여겨졌고 악의 세력이었다. 어찌 보면 훨씬 강한 상대를 대하는 과정에서 자연스럽게 나타나는 현상일 수도 있었다.

386세대는 신군부를 대하는 과정에서 또 다른 '악'의 대상을 마주하였으니 신군부의 행위를 묵인한 미국이었다. 1970년대까지만 해도 한국은 전 세계에서 거의 유일하게 노골적인 친미국가로서 미국이 가장 믿을 수 있는 파트너 중 하나였다. 그러나 한국의 전시작전권을 갖고 있는 미국이 신군부의 12.12사태와 광주 민주화운동 유혈 진압에 대해 별다른 움직임을 보이지 않게 되면서 처음으로 미국에 대해 반발하는 집단이 나타났고 그들은 미국 문화원을 불태우는 데까지 나아갔다.

그 이후로도 386세대에겐 항상 그들의 진군을 막아서는 '적'들이 만들어졌고 차례차례 적들을 무찌르면서 오늘날 사회 전 영역에 걸쳐 자신들만의 제국을 완성하였다. 그럼에도 불구하고 아직까지도 그들은 '적'들을 만들어내고 있다. 이제는 386세대보다 거대한 집단도 없는데 대체 그렇다면 누구 '적'으로 상정되고 있는 것인가? 바로 386세대에게 반대하는 모든 대상이 '적'이다. 그들은 대한민국의 역사를 이끌면서 항상 '선'의 입장에 서서 '악'을 물리쳐왔다. 이미 가장 거대한 세력이 되어버린 그들은 이제 한국 사회에서 '절대 선'의 위치에 스스로들을 위치시키고 있다. 그러한 과정에서 역사는 386세대의 역사인식 방식에 의해 재단되어 그들의 정당화를 위한 효과적인 제물로써 활용당하고 있다.

이처럼 386세대는 사회의 변화를 이끌던 원동력도, 자신들의 기득권을 수호하기 위한 프레임도 전부 '선'과 '악'의 구도에서 나타나고 있다. 그들의 선과 악에 대한 뚜렷한 이분법적 이해방식은 그들의 역사의식 속에서도 뚜렷하게 나타나고 있으며 그들의 생각과 역사인식은 우리가 상상하는 것 이상으로 386세대 이후의 세대에게도 강력한 영향을 끼치고 있다.

선과 악의 개념만 남은 역사인식

그렇다면 386세대가 뿜어내는 이분법적 역사인식이 가장 쉽게 적용될 수 있는 영역은 어디일까? 역사가 다루고 있는 다양한 영역 중에서도 가장 편 가르기가 쉬운 부분은 정치 영역이다. 그러다 보니 자연스럽게 한국에서 역사를 배울 때에는 정치가 항상 먼저 등장하고 다른 분야보다 정치 영역을 배우는 것에 집중한다. 심지어 교육과정상에서 문화나 사회 부분은 필수 학습 영역에서 배제되어있기 일쑤다.

물론 역사의 흐름을 이해하는 데에 있어 정치가 중요하다는 사실은 분명히 인정한다. 그러나 한 나라의 전반을 살펴보기 위해선 정치만으로 판단해서는 상당히 곤란하다. 예컨대 19세기 조선에 대해 평가할 때 대체적으로 세도정치와 위정척사운동을 언급하며 형편없는 국가였던 것처럼 묘사하는 경우가 많은데 이는 19세기 조선의 경제, 사회, 문화상의 발전에 대해 모르고 있거나 이해하지 못한 데에서 나오는 무지의 소치다. 정치는 역사의 한 부분이지 전체가 될 수 없다. 그러나 386세대에게 편이 갈라지지 않는 경제, 사회, 문화 부분은 자신들의 역사인식에 도움이 되지도 않고 뚜렷한 역사적 인간관계가 형성되지도 않기 때문에 중요하게 취급되지 않는다.

서구 세계의 경우 사회사와 문화사의 발전 양태가 뚜렷하고 거시적인 지배층, 사회집단에 대한 연구에서 미시적인 것에도 주목하는 미시사에 대한 연구로 관심이 이동해가고 있는 상황이다. 우리 학계 역시 다양한 분야를 역사로서 다루기 위해 노력 중이지만 여전히 역사적 사실을 좌지우지하고 있는 것은 정치 분야이다. 또한 정치 분야를 다룸에 있어 역사적 평가를 내리는 것은 상당히 중요한 절차적 과정이다. 우리 역사 속에서도 이를 '포폄'이라 하여 기록을 남기는 사관이 반드시 갖추어야 하는 중요한 역량 중 하나였다. 그럼에도 불구하고 현재 우리의 국사

는 정치 분야에 과도하게 집중되어 있다. 심지어 평가 방식 또한 다면적
이고 입체적이거나 상대의 입장을 이해하는 방식이 아니라 완벽한 선과
악의 구도로써 이해하는 방식이 주로 쓰이기 때문에 더 큰 문제를 야기
하고 있는 것이다.

몇 가지 역사적 실제 사례를 갖고 좀 더 논의를 전개하고자 한다. 첫
번째 사례는 '삼국의 통일' 부분이다. 신라가 주도하여 이뤄진 삼국의 통
일에 대해 배울 때 우리는 항상 의의와 함께 '한계'를 배운다. 한계점으
로 지적되는 내용은 두 가지로 '1) 대동강 이북의 영토를 상실하였다. 2)
당나라와 같은 외세를 끌어들여 동족끼리 싸움을 벌였다'는 것이다. 대
부분 당연하게 여기고 넘어가는 부분이지만 좀 더 생각해봐야 할 지점
들이 있다.

첫째, 과연 신라의 입장에서는 자신들이 이룩한 통일신라의 영토는 '
상실'로 받아들여졌을 것인가 '확장'으로 여겨졌을 것인가의 문제이다.
신라는 통일 이후에 '9주 5소경'이라는 새로운 지방제도를 확립하여 수
도 경주가 동남쪽에 치우친 것을 방지하는 조치를 취했다. 또한 중앙군
과 지방군을 개편하여 넓어진 영토를 방비하기 위해 새로운 국방계획을
수립하였다. 통일을 완수한 신라의 입장에서는 결코 영토의 상실이 아니
었고 대동강 이남의 고구려 영토와 백제의 영토를 확보했었던 것이다.
그러나 우리는 마치 당연한 것처럼 고구려가 통일을 주도하였으면 지

금도 만주 벌판이 우리의 땅이었던 것처럼 착각하는 경우를 쉽게 찾아볼 수 있다. 이 문제는 자연스럽게 두 번째 한계로 이어진다. 만약 현재의 대한민국이 신라의 입장이었다면 과연 어떠했을까? 21세기 동북아시아 정세에서 상대적으로 가장 레버리지가 취약한 국가는 대한민국이다. 그래서 미국과의 동맹을 통해 국력 간 불균형 해소를 위해 노력하고 있고 미래를 위한 한-미-일 군사협력 방안의 정착을 위해 노력하고 있다. 그렇다면 이와 같은 한국의 노력 또한 신라가 당을 끌어들였던 배신의 행위와 동일선상에서 이해해야 하는 것인가?

좀 더 깊은 고민을 한다면 왜 신라가 통일을 주도할 수 있었는가도 생각해볼 수 있다. 고구려의 경우 중국과의 대결을 두려워하지 않았기 때문에 중국과의 연대가 어려운 상황이었지만 백제의 경우 신라 못지않게 상당 수준으로 중국과의 외교 관계 수립에 열을 올렸고 실제로 수나라를 움직이기도 할 수 있을 정도로 신뢰받는 국가였다. 그럼에도 불구하고 왜 가장 변방에 치우쳐 있었던 신라가 통일의 주역이 될 수 있었는가의 문제는 특히 지금의 한국에게 가장 고민해봐야 할 지점 중 하나이다. 그러나 외세를 끌어들인 신라는 이미 '악'으로 규정되어버렸고 신라를 중심으로 하는 관점으로 바라보는 것은 쉽게 용납되지도, 시도되지도 않는다.

두 번째 사례는 조선 시대 붕당 정치에 대한 이해 방식이다. 특히 붕당 정치를 현대 정당 정치와 똑같은 방식으로 이해해서 특정 붕당에 감정의 혼을 실어 이해하는 방식은 상당히 비역사적 이해방식이라고 평할 수 있다. 방송에 자주 초청을 받는 모 선생은 마치 서인과 서인에서 갈라져 온 노론 때문에 조선이 망한 것처럼 설명을 하고 실제로 학교 수업을 성실히 들은 학생들은 조선을 망친 집단은 전부 서인 집단이라고 많이들 생각한다.

이러한 이유에는 서인만을 '기득권'이자 조선 민중의 '적'으로서 상정해 놓고 있는 이해 방식 이 자리하고 있다. 서인이 분명 다른 붕당에 비해 집권 기간이 길었던 편인 것은 사실이다. 특히 인조반정을 통해 권력을 쟁취한 이후엔 예송논쟁과 환국을 거치며 잠시 위축되기도 했지만 17세기 이후부터는 확실한 세력을 구축하고 있었다. 그렇지만 단순히 지배층이라는 이유만으로 서인이 조선 멸망의 결정적 책임이 있는 집단인 것처럼 매도하는 것은 곤란한 일이다. 붕당 간의 정쟁은 서인 혼자서 벌일 수 있는 일도 아니었으며 숙종 때 환국과 같은 정쟁의 경우에는 신하들이 주도했다기보다 국왕이 직접 일으켰기 때문이다. 그럼에도 불구하고 서인들이 386세대의 역사인식을 가진 사람들에게 나쁜 집단으로 자주 회자되는 이유는 조선 후기의 주요 지배층으로 군림했었다는 이유이며 다른 붕당을 탄압한 것처럼 비추어졌기 때문이다. 결정적으로 실학자들의 각종 개혁을 서인들이 막아섰다는 것을 강조하면서 386세대 본인들을 당대 시대의 개혁 사명을 띠었던 사람들처럼 실학자들에게 감정이입하여 서인들을 신군부를 포함한 자신들의 적인 '악의 세력'으로 규정한다. 그러나 실학자들의 학문의 바탕이 되는 것은 서인들과 똑같은 '유학'으로 당대 사대부들 사이의 붕당들은 지배계급으로서의 성격 면에선 큰 차이가 없다. 그들이 자주 쓰는 방식을 빌리자면 백성의 입장에선 실학자든 서인이든 그 이외의 붕당이든 똑같이 지주로써 군림하는 무서운 지배계급이었을 뿐인 셈이다.

세 번째 사례는 광해군의 중립외교정책에 대한 평가를 꼽을 수 있겠다. 광해군의 중립외교정책은 분명 왜란의 참화 이후에 조선을 안정시키는 데에 큰 도움이 된 것은 사실이다. 전후 복구 사업이 한창인 상황에서 무리한 전쟁은 국가를 되돌릴 수 없는 지경에 빠뜨릴 수 있었기 때문이다. 문제는 광해군을 평가하는 과정에서 광해군을 폐위시킨 인조와 서인과의 비교하는 방식이다. 이때 또다시 이분법이 등장한다. 즉, 광해군은 현명한 외교 전략을 통해 후금과의 전쟁을 막았지만 인조와 서인 정권은 친명배금 정책을 펼친 탓에 두 번의 호란을 겪게 만들었다는 것이다. 얼핏 보기에는 분명 맞는 평가인듯싶지만 이는 현대인의 관점에서 당대 동아시아의 국제정치적, 문화적 속성을 무시한 채 내린 판단이다.

조선왕조실록을 보면 인조 역시 즉위 당시엔 후금과 사신단을 교환하고 조선에 찾아온 후금 사신단에게 후한 예물을 건네준다. 그러나 곧이어 정묘호란이 발생하게 되는데 이는 엄밀히 따진다면 친명배금 정책에서 기인하는 것이 아니라 인조반정의 공신이었던 이괄이 자신이 받은 보상에 불만을 품고 난을 일으키는 과정에서 후금 측에 일련의 명분을 제공했기 때문이고 후금 또한 명과의 일전을 벌이기 위해선 조선으로부터 각종 물자를 가져와야 하는 상황이었다. 특히 이 시기는 전 지구적으로 소빙기의 시기로 만주지역이 근거지였던 후금은 식량 확보와 말에게 먹일 풀이 크게 부족한 상태였다. 이처럼 정묘호란은 외교 정책상의 문제라기보다 조선의 국내 정치변동과 기후 상의 문제 및 후금의 전략적 판단 속에서 시작되었다.

정묘호란이 끝난 직후부터 인조와 서인 정권은 친명배금 정책을 본격화하게 되는 계기를 맞이하게 되는데 바로 후금을 세운 누르하치의 뒤를 이은 홍타이지가 대청제국을 선포하면서이다. 그저 왕국이 제국이 된 것뿐인데 큰 변화가 있겠느냐 할 수 있겠으나 당대 동아시아 질서가 철저한 위계질서에 입각한 조공 책봉질서라는 것을 알고 있다면 후금이 청 제국이 되는 것이 갖는 의미를 이해할 수 있다. 세계에는 오직 황제가 1명만이 존재해야 하는 것인데 조선의 입장에서는 황제의 나라가 2개가 되어버린 것이다. 이 상황도 조선으로서는 쉽사리 납득하기 어려웠는데 제국을 선포한 청나라에서 왕국인 조선을 향해 군신관계를 요구함에 따라 조선과 청 사이의 외교관계는 사실상 끝장난 상황에 이르게 된다.

상황을 정리하자면 광해군 때처럼 조선과 후금 즉, 왕국과 왕국 사이에서는 어떠한 외교적 스탠스를 취하는 것도 가능했지만 후금이 황제의 나라를 자처하며 조선에게 군신관계를 요구하는 상황이 되는 것은 조선으로 하여금 받아들일 수 없는 상황을 야기한 셈이다. 더욱이 한족도 아니고 변방 이민족이라 여겼던 여진족이, 조선에게 조공을 바치던 그 여진족이 이젠 조선에게 군신관계를 요구했던 것이다. 이처럼 광해군과 인조가 처했던 국제정치적 상황이 판이하게 달랐고 당대 조공 책봉 질서를 신성시하는 유교문화권에서 인조가 선택할 수 있는 방안은 몇 가지 없었던 것이다.

'광해군 vs 인조'라는 단순한 이분법은 위험하다. 앞서 언급한 신라를 다시 보자. 신라는 고구려와 백제의 협동 공격 속에서 생존을 위해 당과 동맹을 체결하였다. 그들은 분명 광해군과 같은 방식의 외교노선을 취한 것이다. 그런데도 신라는 외세 의존적이고 영토를 잃은 형편없는 국가로 폄훼하고 광해군은 현명 군주로 인식한다. 이것이 바로 역사를 대결 국면이나 이분법적으로 이해해서는 안 되는 중요한 이유 중 하나이기도 하다.

386세대의 역사인식의 최종판은 근현대사의 서사 방식에 잘 녹아들어 있다. 근대사에서는 바로 '조선 vs 외세' 구도가 두드러진다. 물론 근현대사 역사의 출발이 외국의 침략적 의도에 대해 대응하는 데에서 출발하는 것은 틀림없는 사실이다. 그러나 외국과의 대결구도로만 이해하다 보니 19세기 조선이 대체 어떤 나라였는지, 어떤 지점에서 현대와 비교해서 배울 점이 있는지를 잡아내기가 상당히 어렵다. '무언가 침략에 대응해서 이것저것 엄청 열심히 한 것 같기는 한데 결국 나라는 망해버렸다'는 식으로 결말을 맺는 것이 다반사다. 조선은 분명 정치 영역에선 근대로 빠르게 넘어가지 못하고 있었지만 그 외의 영역에서 새로운 세계에 대응해가는 모습들을 충분히 선보였다. 그 속에선 분명 배척과 대결도 있었지만 새로운 문화를 수용하고 배워가는 과정도 풍부했는데 대결 국면으로 이해하다 보니 조금이라도 외국과 관련이 있는 것은 전부 싸우고 갈등하는 모습으로만 그려졌다. 그러한 탓에 사람들에게 남은 인식은 '1) 대체 조선은 뭘 했던 거야? 2) 서양과 일본 세력은 진짜 나쁘기 짝이 없구나'하는 정도이며 더 큰 문제는 조선의 노력을 설명할 때마다 또다시 선과 악의 정치구도를 만들어놓는다는 점이다. 갑신정변을 설명하면서 온건개화파에게 '수구사대당'이라 부르며 무능의 아이콘처럼 희화화하고 대원군부터 이어지는 위정척사운동의 실제 주장은 다루지 않고 그저 시대에 뒤처진 쇄국주의자들 정도로 취급한다. 지면상 일일이 반박하기는 어려우나 이것은 크게 잘못된 역사인식이자 평가이다.

현대사로 넘어와서도 선과 악의 구도는 유효하다. 서사 체계 방식을 '민주화'와 '남북평화'로 잡고 있기 때문이다. 특히 다른 것은 몰라도 민주화의 과정은 386세대에게 근본 그 자체이다. 그들은 광복 때부터 남북의 통일과 친일청산을 방해한 이승만 정부에서 군부의 마지막 후신 노태우 정부까지의 역사를 오로지 거악에 맞서 싸운 선한 사람들의 민주투쟁 과정으로만 설명한다. 우선, 그들을 거악으로 묘사하는 것 자체가 몰

역사적인 이해방식이기도 하지만 진짜 20-21세기 한국의 역사는 그렇게 설명해야만 하는 것일까? 꼭 세대의 주체는 386이어야 하고 이에 반대하고 주저하고 애써 피하고 제동을 걸려고 했었던 사람들은 전부 악의 화신인 것일까?

민주화라는 한 축 이외의 축은 남북평화이다. 한국과 북한 사이에 평화가 정착되어가는 과정을 중심으로 남북 관계를 다루게 되는데 그러다 보니 북한 정권의 실상, 도발, 북한 주민들의 인권과 같이 현재 386세대가 사회 교과에서 그리 강조하는 민주시민과 인권 개념에 정면으로 배치되는 문제들은 역사 속에서 빠져나간다. 중요한 모순점이 빠져나가버린 역사인식에 과연 알맹이는 남아 있다고 할 수 있는 것인지 의문스러울 따름이다.

새 세대에게도 아른거리는 386의 역사인식

30년을 넘게 자신들의 '적'들과 맞서 싸워온 그들에게 뚜렷한 변화를 기대하는 것은 참으로 어려운 일이다. 최근 일본과의 갈등 국면에서도 한편으로는 일본을 적으로 규정하여 내부 결속을 강조하면서도 자신들을 비판하거나 그러한 입장에 있던 사람들에게 적폐, 친일파, 심지어 어원과 의미조차 알 수 없는 '토착 왜구'라고 부르며 또다시 '악'의 프레임을 씌우고 있다. 그리고 이러한 프레임을 정당화시키는 과정에서 자연스럽게 자신들만의 선악구도 중심의 역사인식 속에서 그 근거를 찾아오고 있다. (이렇게 보면 참으로 삶을 간단하고 편하게 살아오고 있다고 해도 과언이 아닐 것이다) 이미 386세대는 역사 속에서도 '악'이라고 규정될 수 있는 조건을 갖춘 수많은 대상들을 마련해두고 있고 필요에 따라 가져와서 활용하기만 하면 된다.

이와 같은 의식구조와 사고 체계가 오랫동안 고정되어 왔고 그러한 선악의 프레임이 자신들의 정당성과 존재 의의 자체를 지탱해오는 상황에서, 또한 어떠한 것에도 유혹되지 않는다는 불혹의 나이를 이미 지나간 세대에게 엄청나게 큰 변화를 기대하거나 요구하는 것은 공허한 메아리로 그칠 가능성이 농후하다.

이에 필자는 사실상 바꾸기 어려운 386세대보다도 그 뒤를 이어서 살아가고 있는 세대에게 우려 섞인 당부의 말을 전하면서 글을 맺고자 한다. 사실 서언부터 결어까지 진행되는 필자의 서술 체계 속에도 386세대의 사고체계 방식과 유사한 측면들이 자주 노출되어 있다. "나는 다르다고 하는 것이고 그들은 우리보고 틀렸다고 하는 것이다!"식의 항변도 가능할 수는 있겠지만 사실상 상대방이 틀렸다고 표현하는 데에 있어서는 큰 차이를 보이지 않는 듯하다. 이는 필자에게도 386세대의 역사인식 체계가 어딘가 모르게 깊게 드리워져 있기 때문일 것이다. 다만 차이가 있다면 그들과 같은 선상에 있는 것이 아니라 그 반대 선상에 서 있을 뿐이다. 마치 니체가 "내가 심연을 들여다보면 심연도 나를 들여다본다"라는 말처럼 그들의 역사인식 체계를 비판적으로 접근하는 과정에서 그들과 비슷한 사유체계를 일정 부분 수용하게 되어버린 것이다.

이러한 문제는 386세대에 반대하고 있는 다양한 사람들에게서 꽤 자주 보인다. 특히 최근에는 386세대에서 선악 개념으로 어떤 정책이나 입장을 취하기만 하면 거세게 반발하며 이에 정반대의 입장에서 서서 똑같은 패턴을 보인다. 특히 특정 정치색을 노골적으로 비치면서 자신들의 의견을 피력하는 젊은 세대가 많아지고 있는데 그들은 바라보는 방향만 다를 뿐 386세대가 자신에게 반대하는 모두를 '악'으로 규정했듯이 그들에게 반대하는 모두를 '악'으로 규정하며 한발 더 나아가 입에 담지도 못할 조롱과 비난을 일삼고 있다. 아직은 소수라고 생각할 수도 있겠지만 그들의 영향력은 마치 젊은 시절 386세대가 점점 사회의 주류로 나아가던 것과 마찬가지로 점증되어 가고 있다. 특히 온라인 매체의 영향력 확대를 발판 삼아 그들은 점점 사회의 적을 착실히 만드는 중에 있다. 과연 이렇게 해서 적들이 사라지게 되면 어떠한 세상을 마주하게 될 것인가? 또 다른 386의 탄생을 암시하는 것은 아닐까 상당히 우려된다.

이러한 상황을 타개하기 위해서는 지금까지 우리의 역사를 단정적으로 이해하던 방식에서 탈피할 필요가 있다. 특히 정치색을 가릴 것 없이 현대의 일을 정당화하는 과정에서 과거를 끌어오는 방식은 누구에게나 나타나는 모습이기 때문에 더더욱 역사의식의 개선은 시급한 문제이다.

　　예컨대 명성황후라는 묘호가 분명히 있는데도 민비라는 표현을 써가면서 격하게 비하하지만 막상 명성황후의 비판점에 대해선 모호하게 말하는 경우가 많다. 종종 명성황후를 민비로 표현하는 사람들은 드라마 속에서 너무 미화되었을 뿐 조선의 악과 같은 존재라고들 언급하는데 드라마에서 과장되었다는 것은 사실이다. 그러나 당시 조선을 자신의 세력권으로 포함시키고 싶어 하던 일본이 궁궐까지 침범해서 죽여야 할 대상이었다면 과연 '민비'라고 폄훼를 당해야 할 정도로 형편없는 존재였을까? 명성황후는 일찍이 청의 지원을 받으면서도 청의 세력을 견제하기 위해 러시아와의 밀약을 준비했었고 그것이 여의치 않자 일본과 협력하면서 갑오개혁을 진행시켰다. 그러나 제2차 갑오개혁이 출발하는 과정에서 일본의 영향력이 지나치게 확대되자 이를 견제하기 위해 다시 러시아와 접촉을 가졌고 심각하게 위기의식을 가진 일본이 낭인들을 기용하고 군인 출신의 미우라 고로를 공사에 취임시켜 명성황후를 시해하게 만든 것이다. 물론 명성황후는 외척들을 정치에 참여시켜 조선의 내정에 혼란을 야기한 부분도 분명 있지만 모든 민씨가 나라를 어렵게 만든 것도 아니며 적어도 그렇게 나라를 멸망시키는 데 한몫했다던 흥선대원군의 대척점에 서 있던 인물들이 또 명성황후와 그녀를 따르는 세력들이었다. 이러한 명성황후를 현재 대통령의 외교와 동급 수준이라며 거침없이 민비라고 폄훼하고 국제정치에 무감각한 존재처럼 그려내는 것은 386세대가 급진

개화파나 일제강점기 실력양성운동을 주도했던 우파에게 적개심을 갖고 있는 것과 하등 다를 바가 없다.

　가장 큰 걱정은 이러한 암운이 드리워지는 것을 대수롭게 여기지 않는 사람들이다. 그들은 상대방도 그리 해왔으니 나도 그리해도 문제없는 것 아니냐는 식의 입장에 서서 다른 유형의 386세대로 거듭나려고 하고 있기 때문이다. 가짜 뉴스를 거침없이 퍼뜨리고 잘못된 역사적 사실에 기인하여 대한민국 이전의 국사에 대한 왜곡을 일삼으며 심지어 자신의 논지를 확고히 하고자 편을 가르고 상대방을 모두 '악'으로 규정하고 그들의 방식과 똑같은 방식을 채택하고 있음에도 불구하고 목적이 유의미하기 때문에 자신들의 행위를 '선'으로 규정하기까지 한다. 똑같이 목적을 위해 수단을 정당화하고 그 수단이 선과 악의 이분법적 역사인식이라면 과연 386세대와 그들을 비난하는 집단 간의 차이를 대다수의 일반 대중은 잡아낼 수 있을까?

　물론 이러한 역사인식의 형성에는 386세대의 책임이 크다. 그들의 방식에 피로를 느끼고 그들의 방식에 질려버린 사람들이 나서서 싸움에 임하고 있고 이제는 거대해진 그 세대를 이기기 위해선 결집할 수 있는 요소가 필요한 것이다. 결국 386세대가 걸은 길을 똑같은 방식으로 걷고 있는 셈이며 이러한 싸움의 바탕에는 이분법적 역사인식이 뿌리 깊게 무의식적으로 박혀있다고 볼 수 있겠다.

깨진 거울

잠깐만 시간을 내어 이 책의 목차가 있는 맨 앞장으로 다시 돌아가 보자. 목차에는 정말 다양한 분야들이 적혀있을 것이다. 역사라는 것도 시기만 과거일 뿐 바라보아야 하는 대상은 이 책의 목차처럼 다양하게 바라보고 분석하고 배워가야 한다. 왕조나 지배세력이나 또는 마르크스 사학에서 강조하는 경제적 관계나 민중의식만 역사의 전부가 아니라 우리가 전혀 접해보고 있지도 못한 역사들이 많이 남아 있다는 것이다.

대표적인 사례로는 일제강점기에 대한 역사인식의 변화를 꼽을 수 있다. 일제강점기를 단순히 조선과 일본 사이의 문제로만 두고 보면 시대상을 전혀 제대로 이해할 수가 없다. 최근에는 의학사에서 일제강점기의 신문 부고에 실린 신체 사이즈를 통해 조선인들의 영양상태가 19세기에 비해 나아지고 있었다는 점을 증명한 연구나 조선인들이 철도와 전차 그 외에 발전하는 교통수단을 통해 공간 개념이 완전히 달라지고 있었다는 연구, 일제강점기 여성들의 활발한 사회운동 및 사회 개선 작업 등의 연구들은 일제강점기에 대한 우리의 전통적인 시각과 이해 방식에 대해 새로운 이해를 요구하고 있다. 이러한 새로운 역사인식이 비단 일제강점기에서만 이뤄져야 하는 것일까? 필자는 한반도에 국가가 세워진 시점부터 현대 시기에 이르기까지의 모든 역사인식에 대한 각자의 재점검과 성찰이 필요하며 앞으로도 역사를 현대의 반면교사로 삼아 얘기를 해야 할 때 좀 더 주의를 기울여야 하는 작업이 반드시 필요하다고 확신한다.

　물론 그렇다고 역사를 모르면 아예 말도 꺼내지 말라는 소리는 결코 아니다. 다만 우리가 우리 주변의 사회를 인식할 때 다양한 기준과 척도로 이해를 하듯이 과거 우리의 역사에 대해 인식할 때에도 단순하게 분류하고 편을 가르지 말고 다양한 기준에서 바라보고 평가해보고 궁금한 것이 생긴다면 스스로 알아본 뒤에 판단하는 것도 꽤 역사를 재미있게 받아들이는 방법 중 하나라는 것이다. 실제로 학교에서 역사 수업을 받을 때 대부분 정치사 중심으로 수업을 진행하다 보니 자연스럽게 시대를 뭉뚱그려서 흐름만 파악하라는 얘기를 많이 들었을 것이다. 그러나 어떻게 한 사회를 설명하는 데 있어서 몇 가지만의 키워드로 이해할 수 있겠는가? 그런 작은 부분에서부터 의심하고 되돌아보고 성찰하는 과정을 거친다면 분명 386세대가 유산으로 남긴 이분법적 역사인식에서 탈피하여 진정한 사고 이성의 자유를 만끽할 수 있을 것이라 생각한다. 언제까지 깨진 거울로 나를 바라볼 수는 없을 테니 말이다.

　역사의 다채로운 면들을 자신의 시각으로 살펴보는 역사인식을 스스로 정립할 수만 있다면 386운동권 세력이 우리에게 악영향을 끼치고 있는 절대 선과 절대 악의 대결구도라는 사고 상의 제한 상태를 풀어헤칠 수 있을 것이다. 또한 모든 사안마다 자신의 견해(정치적이든 아니든)를 의도적으로 합리화하기 위해 과거를 소환해오는 나쁜 습관도 어느 정도

교정될 것으로 기대된다. 즉, 386운동권 세력의 역사인식에서 벗어나는 순간이야말로 진정한 의미의 '이성의 해방'을 달성하는 순간일 것이고 그 때부터 진정한 밀레니얼 세대의 세상이 시작될 것이다.

밀레니얼
386시대를 전복하라

2부

386 컴퓨터로
돌리는 한국경제

종합해 보면 집권 386에게는 글로벌 DNA가 없다. 그
들의 대표 브랜드인 소득주도성장이 그 단적인 사례이
다. 소득주도성장이 그나마 의미가 있으려면 폐쇄경제
여야 한다. 그러면 소득이 늘어난 만큼 소비가 늘어나
선순환을 일으킬 수 있다. 그런데 대한민국은 가장 세
계화된 통상강국이다. 임금이 높아지면 수출상품의 가
격이 상승하고, 소득이 높아지면 그 소비가 국내에 한
정되지도 않는다. 글로벌 DNA는 한 점도 없는 80년대
식 자립경제이론에 사로잡힌 대표적인 것이 소득주도
성장이라 할 것이다.

———
백경훈

2부.
386 컴퓨터로
돌리는 한국경제

백경훈

386, Are you ready?

우리는 지나온 모든 역사와 에너지의 총합 위에 서 있다. 젊은 세대가
이만큼 풍요로운 땅 위에서 발 딛고 꿈꾸며 살아갈 수 있는 것도, 굉장한
행복이자 행운이다. 전 세계적으로 연구와 벤치마킹의 대상이 될 만큼,
지난 70여 년간 경제번영의 과정은 실로 놀라운 것이었다. 건국 이후 역
대 지도자들과 1-3세대의 노력이 있었기 때문에 가능했던 일이다. 그 과
정에서의 진통과 상처도 여전히 남아있지만, 더 나은 방향으로 꾸준히 진
보해온 것만은 사실이다. 연속된 역사의 흐름 위에서 우리는 이제 다음
페이지를 써 내려가야 한다.

집권 386이 광장에서 외쳤던 민주주의도, 산업이라고 할 만한 것들이
생겨나고, 번영의 흐름에 올라탄 기업과 중산층이라는 토대를 딛고 일어

선 것이다. 70~80년대를 기점으로 한 폭발적인 성장과 발전의 선순환, 축적된 번영의 결과물로 오늘까지 잘 해쳐왔다. 우리는 지난 70여 년간의 번영을 앞으로의 70여 년 동안에도 재현할 수 있을까. 그것은 누구도 장담할 수 없다.

세계시장을 통해 성장해 온 나라지만, 미국과 중국과 일본 등 경제 강국들의 견제와 이들과의 경쟁 속에서 제자리걸음도 쉽지 않다. 수축 사회라 명명할 만큼 경제 상황이 좋지 않으며, 취약계층의 삶이 가장 큰 타격을 받고 있다. 저출산 고령화로 생산인구의 급속한 감소를 목도하고 있다. AI를 필두로 한 4차 산업혁명의 파고 위에서 우리 산업은 어디를 향해 가야 하는지 아직 뚜렷한 답을 찾지 못했다. 언제까지 삼성과 현대, 대기업 얼굴만 쳐다보고 있을 수도 없다. 대격변의 시대, 그들도 생존을 위해 몸부림치고 있는 중이다.

AI를 필두로 한 기술의 진보는 모든 산업 분야를 혁명적으로 바꾸어 갈 것이다. 우리가 실생활에서 체감하기는 어렵지만, 첨단 기술 개발의 최전선에서는 오늘도 피 튀기는 세계대전이 이어지고 있다. 미국 애리조나에서는 2019년 8만 대 이상의 자율 주행 택시를 운행할 계획이다. 징둥닷컴을 비롯한 중국 물류 회사들은 드론 택배 상용화를 앞두고 있다. 드론 택시로도 진화할 계획이다. 이는 100여 년 전, 마차에서 자동차로 바뀌었던 것 이상의 충격이다.

지금까지 우리가 경험해보지 못한 과제들이 쏟아져 나올 것이다. 전 세계 모든 기업과 나라에 닥친 공통의 당면 과제이다. 경험해보지 못한 변곡점 위에 선 우리는 준비되어 있는가. 오늘날 집권 386은 이 변화를 감당할 준비가 되어 있는가. 이들은 국정의 책임자로서 전 세계 부의 흐름, 기술의 발전과 산업의 변화를 읽어내고, 한국경제가 어디로 나아가야 하는지 선명하게 이야기해야 한다. 하지만 30년 넘게 기승전 '민주주의'만 외친 그들에게 기대보다는 우려가 큰 것이 사실이다.

풀어야 하는 것은 경제, 할 줄 아는 것은 투쟁

최근 방영 중인 JTBC '뭉쳐야 찬다'는 다양한 운동 종목의 전직 국가대표들이 나와 축구하며 예능 하는 프로그램이다. 농구의 허재, 야구의 양준혁, 마라톤의 이봉주, 레슬링의 심권호, 씨름의 이만기 등 이름만 대면 알만한 전직 국가대표이자 그 분야 최고의 스타들이 나오지만, 축구 실력은 동네 조기축구 턱밑도 못 따라간다. 축구를 못하기 때문에 예능이 된다. 사람이 모든 걸 다 잘 할 수는 없다는 것을 왕년 스타들의 헛발질을 보며 체감한다.

집권386은 민주화 운동의 상징 같은 존재이다. 조직하고 투쟁하는, 나름 그 분야의 전문가이다. 하지만 그들이 반대를 넘어 대안을 제시할 수 있다고, 국정 운영에 대한 비전과 방략을 가지고 있다고 보기는 어려울 것 같다. 지난 20여 년간의 경험을 통해 확인할 수 있었다. 그들은 준비되지 않은 권력이었다. 특히 경제·산업 분야에 있어서는 더욱 그렇다. '뭉쳐야 찬다'멤버들이 지금 축구를 배운다고 잘 할 수 있는 것이 아니듯, 이들이 신기술과 4차 산업혁명, 그리고 경제를 배운다고 알 수 있는 것도 아니다. 문제는 이 경제 아마추어들이 현재의 청와대를 에워싸고 있다는 것이다.

> 세상은 현 청와대에 '운동권 청와대'라는 타이틀을 만들어 주었다.
> 청와대 비서실과 정책실, 안보실의 비서관급 이상 참모 중 전국대학생대표자협의회(전대협)나 대학 총학생회장 등 운동권 출신이나 각종 시민단체 출신은 전체 64명 중 23명(36%) 이었다. 임종석 비서실장이 관장하는 비서관급 이상 31명만 대상으로 좁히면 운동권·시민단체 출신은 전체의 61%(19명)에 달한다. 작년 연말(17명)보다 비중이 더 늘었다.
>
> 서울대 삼민투 부위원장 출신의 정태호 일자리수석, 국민대 총학생회장 출신인 윤건영 국정기획상황실장, 부산·울산 지역 총학생회협의회 의장 출신인 송인배 정무비서관과 함께 조한기 제1부속 비서관, 유송화 제2부속 비서관 등이 모두 학생 운동권 출신이다. 특히 대통령 비서실의 경우 전대협 3기 의장 출신인 임종석 실장을 중심으로 '전대협 세대'가 주축을 이루고 있다.
> ─「'운동권 청와대'… 비서관급 이상 36%가 운동권·시민단체 출신」
>   (조선일보 2018.08.08.)

  문재인 대통령이 일자리, 경제, 4차 산업혁명, 혁신성장도 중요하다고 이야기하지만, 이 문제를 제대로 이해하고 실행할 수 있는 참모들이 얼마나 있을까. 대통령이 앞에서는 시장이 중요하다고 이야기해도, 뒤를 보좌하는 참모들은 시장을 잘 모르는 사람들로 채워져 있으니 앞으로 나아갈 수가 없는 것이다. 현 여당과 좌파 시민사회를 주도해온, 정치하는 386운동권들이 주류이다. 시장 감수성이 너무도 부족한 사람들이다. 급변하는 시대의 흐름을 읽고, 시장과 발맞추어 나갈 수 있는 책임자들은 잘 보이지 않는다.

운동권 참모들은 경제 문제를 도덕, 윤리, 이념을 앞세워 정치적으로 해결하려 한다. 이들은 딱히 도덕적이지는 않으나, 도덕 지향적인 성향을 가지고 있다. 우리가 도덕적으로 정당성을 가지고 있으니, 정권을 쥐고 특권을 독과점 하겠다는 자만적인 태도를 보인다. 우리가 선과 정의의 기준이니 적폐 청산도 계속 해나가겠다는 것이다. 이런 도덕과 정의를 이야기하는 군자님들이 국정을 운영하는 것이 뭐가 어떠냐고 할지 모르지만. 그들이 답으로 찾는 '민주주의'로는 우리의 먹고사는 문제를 해결할 수 없다. 틈만 나면 시장과 기업을 손보려는 이들을 믿고 어떻게 규제 혁신을 하고, 산업 발전을 도모해 갈 수 있을까. 이들이 청와대와 정부, 여당의 주류를 장악하고 있다는 것, 이들이 가진 우물 안 개구리 경제관으로 국가 경제를 운영하고 있다는 것이 문제라는 것이다.

대체 누가 기업의 파트너가 되어 대격변의 시기, 산업과 경제를 견인할 것인가.

경제 관료라도 시장과 현장을 잘 아는 사람들로 채우고, 그들에게 권한을 주면 될 일이지만 실제 이들이 설자리가 없다. 청와대의 주류도 아니고, 권력의 변두리에 위치해 있다. 경제부총리, 경제수석 등 책임 있는 경제 관료들의 소신 있는 메시지를 들어본 적이 없다. 그나마 문재인 정부 초기, 소득 주도 성장을 외치던 장하성 정책실장과 대척점에 있던 김동연 경제부총리가 있었다. 혁신인 듯 혁신 아닌 혁신 같은 혁신을 담아 국정운영을 하겠다고 했지만, 그래서 무얼 했는지 결과로 증명된 것이 없다. 수세적 입장에 있었던 것을 부인하기는 어려울 것이다. 그를 포함해 경제 관료들마저 정치 관료화되었다는 평가가 이어지고 있다. 우리 국정운영 전략에 효율성, 경제성, 합리성 같은 단어가 보이지 않는다.

산업분야에 유능한 인재들을 모셔오기도 했으나, 구색 내기에 지나지 않았다. 이재웅 쏘카 대표에게 김동연 당시 경제부총리와 기획재정부에서 야심 차게 진행한 혁신성장본부의 민간공동본부장을 맡겼다. 하지만 하고자 하는 것과 할 수 있는 것의 괴리를 느낀다며 4개월 만에 사퇴했다. 이 후 공유 차량과 관련하여 주요 정부 관료들과 SNS, 언론을 통해 설전을 벌이기도 했다.

이재웅 쏘카 대표는 홍남기 경제부총리의 이해관계자들과의 대타협이 필요하다는 발언에 대해 "어느 시대 부총리인지 잘 모르겠다"라고 직격탄을 날렸다. "공유경제, 원격진료에 대해 이해관계자 대타협이 우선이라고 한 말은 너무나 비상식적"이라고 비판했다. "혁신을 하겠다고 하는 이해관계자와 혁신을 저지하겠다고 하는 이해관계자를 모아놓고 어떤 대타협이 이루어지기를 기다리느냐"라며 "가장 중요한 모빌리티 이용자(국민)가 빠진 기구를 사회적 대타협 기구라고 명명한 것부터 말도 안 되는 일"이라고 했다. 이어 "이해관계자들끼리 타협을 하면 정부가 추진하겠다고 하는 것은 국민 편익보다 공무원들의 편익만 생각한 무책임한 정책 추진 방식"이라고 메시지를 남겼다.

4차 산업혁명 위원회는 배틀 그라운드로 유명한 블루홀의 장병규 대표가 맡고 있다. 하지만 아쉽게도 세미나 위원회로 전락했다는 평가, 어디서 뭘 하고 있는지 모르겠다는 평가가 대부분이다. 실제 입법, 사법, 행정 영역에서의 역할을 주도할 수 없는 포지션이었다. 청와대에서 힘과 권한을 몰아주는 것도 아니었다. 그렇게 기존 위원회가 가진 한계를 반복했다.

386 경제관의 뿌리를 찾아서

그래서 집권 386이 그리는 경제 청사진은 어떤 모습인가. 알만한 운동권 출신 정치인 중에 제대로 이야기하는 이를 보지 못했다. 당시에는 체제에 반하는 이념과 가치를 가지고 투쟁해 왔지만, 이제는 어떤 입장에 서 있는지 뚜렷이 알 수 없다.

이들이 어떤 기준과 방향을 가지고 현실 정치에 뛰어들었는지 운동권들의 '사상의 은사'라 불렸던 리영희의 책을 통해 확인해볼 수 있다. 리영희가 쓴 '전환시대의 논리'는 당시 운동권들에게는 필독서였다. 최근 문재인 대통령이 좋아하는 책으로 꼽으며 다시 회자가 되기도 했다.

리영희는 386운동권 입문서 여러 권을 집필했는데 그때마다 중국의 문화대혁명을 칭송했다. 그런데 문화대혁명이 대참사로 확실하게 드러난 90년대 들어서도 이에 대한 비판적 성찰은 전혀 없이 여전히 사회주의가 정당하고 자본주의는 문제라는 주장을 반복했다. 그렇다고 현실은 현실이니 사회주의적 가치와 자본주의적 현실성을 5:5로 하자는 주장을 했다. 이것이 현재 집권 386의 정신세계라고 보인다.

현재 진행되는 소득 주도 성장류의 정책들이 같은 맥락에 있다. 국가주의적인 복지국가를 그린다. 경제적 성장이 담보되고, 충분한 국민적 논의와 동의가 이루어졌다면 모르겠지만, 우리가 체감하듯 그런 이상적인 담론을 그려갈 상황인지 우려가 크다. 2%대 성장률 위에 선 우리는 앞으로도 경제 상황이 나아지리란 희망이 보이지 않는다. 국가부채와 가계부채는 매년 확연한 상승곡선을 그리고 있다. 국민연금은 향후 40년을 전후로 고갈될 것으로 예상되고 있다. 위태로운 가계경제와 양극화로 인해 국민들은 국가에 더 많은 것을 요구하게 된다. 매년 역대 최대 예산을 책정해 대응하려고 하지만, 늘어난 빚은 결국 미래세대의 부담으로 다가온다.

리영희가 그렸던 이상 사회의 현실 버전은 유럽의 사회민주주의(또는 민주 사회주의) 제도이다. 하지만 그들이 유럽의 체제 또한 변해가고 있다. 그리스, 이탈리아는 말기 복지병에서 쉽사리 헤어 나오지 못하고 있다. 독일은 일부 국민들의 강렬한 반대에도 노동시장 개혁을 이루어 냈고, 그 힘으로 인더스트리 4.0 전략을 성공적으로 추진해가고 있다. 프랑스 또한 노동개혁을 포함한 과감한 개혁 패키지를 추진해가고 있다. 공통적으로 복지 비용은 줄이고, 기업이 살아 숨 쉬고, 투자가 넘실대는 경제 환경을 만드는 방향으로 진화해 가는 중이다. 그들도 먹고사는 문제 해결을 위해 나아가는 중이다. 이 상황에서 집권 386이 주도하는 국정은 어느 경제 좌표를 향해 가는 것인가. 여전히 물음표다.

386, 업그레이드 된 적이 없다

집권 386, 지난날의 이념과 가치는 어떻게 극복하고 진화시켜 왔을까. 누구 하나 용기 있게 이야기해 주는 이가 없다.

"혁신 창업은 국가 경제를 도약시키는 길입니다. 경제가 어렵다고 많이 말하는데 지금도 어려움이 있지만 미래에 대한 걱정이 더 큽니다. 우리 경제의 활력을 높이고 좋은 일자리를 만들기 위해서 활발한 혁신 창업이 반드시 필요합니다. 혁신을 통해서 신기술과 신산업을 창출해야만 우리 경제의 경쟁력을 키울 수 있습니다. (…) 정부는 혁신 창업을 통해 새로운 미래 동력을 발굴하려고 노력하고 있습니다. 혁신 창업의 길을 앞서서 걷는 여러분의 역할이 매우 중요합니다."

문재인 대통령이 '메이커 스페이스'라는 곳에서 청년 창업가와 스타트업 종사자들을 앞에 두고 한 말이다. 국가 경제의 활력과 좋은 일자리 창출을 위해서는 당신들의 혁신창업이 있어야 한다는 '국가를 위한 창업과 혁신'을 강조한 이 발언이 젊은 창업가들에게 어떤 감동과 감화를 줄 수 있었을까. 중앙일보 이상언 논설위원은 사설을 통해 이 발언이 1970년대 산업 역군론과 다를 바 없다며, 당시 공단에 가서나 어울릴 법한 이야기가 4차 산업혁명 한복판에서 다시 재생되고 있다고 지적했다. 그리고 이 대통령의 발언을 준비한 청와대 참모는 시대 변화와 혁신의 가치를 제대로 이해하지 못하고 있다는 것도 이야기했다.

현재 대통령 연설을 담당하는 두 명의 비서관은 모두 386으로 80년대 투쟁의 한복판에 서 있던 사람들이다. 신동호 대통령 비서실 연설비서관은 65년생으로 전대협 문화국장 출신이다. 오종식 대통령 비서실 연설기획비서관은 69년생으로 고려대학교 총학생회 조국통일위원장 등을 맡으며 학생운동에 참여했다. 문재인 대통령의 메시지에서 묻어 나오는 정의 실현에 대한 의지, 도덕·이념 지향적 성향은 이 386운동권의 80년대 사회관과 세계관이 투영되어 나오는 것이다. 이런 성향이 뭐 어떠냐고 할 수도 있지만, 국정의 각 분야에 모든 메시지와 정책과 제도를 이 기준에 따라 설계하고 있다면 이야기가 달라진다. 그동안 세상은 너무나 많이 바뀌었고, 앞으로의 변화 속도는 갈수록 더 빨라질 것이다. 국정 책임자의 입장에서 학창시절 꿈꾸던 사회와 세상만 쫓아가려는 것은 그들만의 세상에 국민을 가두는 것이다. 386운동권들이 청와대의 주요 요직을 차지하고 있기에 그 우려가 더욱 크다.

집권 386의 오늘날 현실 인식을 엿볼 수 있는 대표적인 사례가 택시와 타다의 갈등이다. 기존 산업과 신산업 간의 불편한 갈등 또한 '사회적 대타협'이라는 집권 386의 만능키로 해결하고자 하였다. 지리멸렬한 대타협 끝에 국토교통부는 사실상 택시업계의 손을 들어줬다. 택시 산업의 영역 안에서만 공유 차량 운행을 할 수 있도록 한 것이다. 4차 산업혁명 전문가들은 이 결정은 쇄국정책이고, 경제 문명의 흐름에 역행하는 것이라며 강하게 비판했다.

故 이민화 KAIST 교수는 "한국의 4차 산업혁명은 종언을 고했다."라며 "'타다'와 같은 공유 경제 모델은 더 이상 한국에 발을 붙이기 어렵게 되었다."라고 했다. 베스트셀러 [포노 사피엔스]의 저자인 최재붕 성균관대 교수는 "대한민국은 명백하게 대원군의 나라입니다."라며 세계 문명과는 반대 방향으로 나아가고 있음을 강하게 지적했다.

공유경제는 전 세계적인 거대한 흐름이다. 이미 공유 차량은 물론이고 공유 주거, 공유 사무실, 공유 주방, 공유 배달 등 실생활에서 각자의 모습으로 진화하고 있다. ICT를 비롯한 기술의 발전과 생활 양태의 변화로 더욱 확대될 것이다. 4차 산업혁명의 또 다른 이름이자 내용이자 형태이다. 특히 공유 차량 산업은 자율주행차와 함께 스마트 시티 건설로도 영역이 확대된다. 다른 기술, 산업과 융합된 형태로 진화할 것이다. 기존 택시산업이 이만큼 버틸 수 있도록 만들어 준 것이 총선과 대선 등 이들의 집권에 얼마나 도움이 될지는 모르겠으나, 미래를 팔아 권력을 지키고자 한 것이다.

이들은 공유 차량, 4차 산업혁명을 이해하지 못했다. 착한 노동자와 나쁜 기업이라는 프레임에서 벗어나지 못했다. 현재의 산업을 잘 지켜냈는지는 모르겠지만, 피 튀기는 기술과 산업의 글로벌 전선에서 우리 기업과 기업인들이 제대로 한 번 뛰어보지도 못하게 만들어 버렸다. 미래 먹을거리를 걷어차 버렸다. 이것이 현대판 대원군의 쇄국정책이 아니면 무엇인가. 집권 386의 경제적 무지와 무능, 선악 프레임이 투영된 결과이다. 정치적으로도 정작 필요한 것들을 해낼 용기가 없음을, 권력 유지에만 눈먼 무능한 세력임을 확인할 수 있었다.

글로벌 DNA가 없다

종합해 보면 집권 386에게는 글로벌 DNA가 없다. 그들의 대표 브랜드인 소득 주도 성장이 그 단적인 사례이다. 소득 주도 성장이 그나마 의미가 있으려면 폐쇄경제여야 한다. 그러면 소득이 늘어난 만큼 소비가 늘어나 선순환을 일으킬 수 있다. 그런데 대한민국은 가장 세계화된 통상강국이다. 임금이 높아지면 수출상품의 가격이 상승하고, 소득이 높아지면 그 소비가 국내에 한정되지도 않는다. 글로벌 DNA는 한 점도 없는 80년대식 자립경제이론에 사로잡힌 대표적인 것이 소득 주도 성장이라 할 것이다.

국가 경제에 대한 그들의 전략은 무엇인가. 그들이 사는 세상은 여전히 노동자, 농민 모두가 평등하게 사는 세상인가. 한강의 기적은 수출로 이루어진 것이다. 지금도 대외무역이 한국경제를 견인하는 핵심 축이다. 경제는 기업과 시장과 정부, 사용자와 근로자, 기술과 산업의 혁신, 경제 부흥을 위한 제도와 정책, 정부와 국회의 경제 감각 등 다양한 요소들이 복합적으로 어우러져 이루어지는 것이다. 최저임금 급속 인상, 경직된 노동시간 단축, 비정규직의 정규직화, 기업의 사회적 책임 의무화, 법인세 인상 등으로 경제 DNA가 왜곡되어가고 있다. 국가 경제의 운전자가 되어야 할 기업들이 자꾸 해외로 빠져나간다. 기업은 생존을 위한 소극적 경영만으로 버티고 있다. 경제를 회복 불가능한 상황으로 몰아가고 있다.

중국은 공산당의 중앙집권적 리더십을 기반으로 AI를 필두로 한 기술과 산업의 진보가 이루어지고 있다. 대륙의 에너지를 집결시켜 무서우리만큼 집중적인 투자를 하고 있다. 트럼프의 미국은 세계 1등 국가의 책임감은 제쳐두고 'America First'를 외치며 투자하고, 일자리를 만드는 기업에 전 세계 최고의 대우를 해주고 있다. 아베의 일본은 잠자던 경제 거인을 다시 일으켜 세우고 있다. 영국은 지난 영광을 재현하기 위해 브렉시트라는 초강수를 두었다. 모두 자국의 이익을 위한 선택과 집중에 나선 모습이다. 산업과 경제를 살리기 위한 처절한 몸부림을 엿볼 수 있다. 이 변화의 흐름 위에서 현상 유지는 곧 사망선고다. 끊임없이 혁신해야 한다. 우물 안 개구리처럼 우리 경제, 우리 상황만 보고 국정을 운영할 수 있는 시대와 상황이 아니라는 것이다.

이러한 상황에서 여당은 올해 초 국정운영의 슬로건으로 '평화가 경제다.'를 내세웠다. 김정은 위원장은 북한도 번영의 길에 나서겠다고 했지만, 아직까지도 실질적으로 변화된 결과를 확인할 수 없다. 미사일은 태평양이 있는 동쪽을 향해 잊을 만하면 한 번씩 발사되고 있다. 남한에게는 온갖 험한 소리를 해가며 협상 테이블에서 제외하려 하고 있다.

설사 북한의 김정은 위원장이 실제로 교류와 협력을 이어간다고 해도, 이것이 어떻게 남한의 경제 번영으로 이어질 수 있다는 것일까. 통일 이후를 말하는 것인가. 북한이 정상적인 번영의 길에서 남한과 적극적 교류 협력을 이루어 내는 것은 필요하지만. 그것이 당장 남한의 경제적 번영을 이루어줄 수 있는 것은 아니다. 오히려 그 과정에서 상당한 부담과 고통을 국민과 국가가 함께 분담해야 할 것이다. '평화가 경제다'같은 386 운동권의 민족주의가 녹아있는 뜨뜻미지근한 말로는 경제문제와 대북문제 모두 풀어갈 수 없다.

기업 vs 노동자, 자본 vs 노동, 선과 악의 이분법적 프레임과 글로벌 DNA가 결핍된 그들에게 나온 대표적인 정책이 법인세 인상이다. 많은 나라에서는 기업과 인재를 유치하기 위해 세금을 낮추는 추세이다. 세계화 된 시장 속, 세계 12위의 경제대국으로 성장해온 것도 그 경제 문명이 이동하는 흐름에 올라탔기 때문이다. 앞으로의 번영을 위해서도 세계 자유 시장 경제를 영리하게 활용해야 한다. 기업과 투자는 더 많은 이윤을 창출하기 좋은 방향으로 흘러간다. 나라 간 경제 장벽이 무의미한 오늘, 우리가 세계 경제 흐름을 거스른다면, 기업과 투자가 해외로 빠져나가는 현상을 지켜보고만 있어야 할 것이다.

과거 인식의 차이에서부터 시작된 일본과의 경제 마찰에 대응하는 모습에서도 글로벌 DNA가 결핍되어 있음을 확인할 수 있다. 대통령은 "평화가 경제다"에 이어 일본발 경제 위기를 북한과의 "평화경제"로 극복해갈 수 있다고 말했다. 386 참모들과 여당 의원들은 반일 감정 부추기는 대학교 운동권 수준의 대응만 보이고 있다. 그들의 민족주의적 성향이 가장 잘 드러나는 것이 바로 일본이슈이다.

죽창 들고 반일하자, 의병 일으켜 제2의 독립운동을 하자는 말의 정치 말고는 청와대가 문제를 풀어갈 어떤 외교적, 정치적, 경제적 해법도 제시하지 못하고 있다. 세계로 통하는 문을 꽁꽁 걸어 잠그고, 쇄국 정신으로 무장했던 100여 년 전 조선시대 선비들과 다를 바 없는 모습이다. 아베의 일본도 극복해야겠지만, 죽창 들고 반일하자는 386 선비들도 극복해야 할 대상이다.

좌표 찍었으니 따라와

집권 386의 대표적인 특징은 목적성이 강하다는 것이다. 정치 자체가 목적성을 쫓아가는 측면이 크지만, 선명히 타도해야 할 목표를 두고 조직적으로 훈련되어왔던 그들은 특히 그런 경향이 강하다. 대표적인 것이 최저임금 1만 원 공약이었고, 이를 위한 급속한 인상 정책이었다.

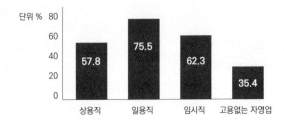

최저임금이 (종사상 지위별) 고용감소에 끼친 영향
자료 – 2018년 최저임금 인상의 고용효과(김대일·이정민 서울대 교수)

최저임금 인상, 필요하면 해야 한다. 그것이 서민들의 지갑을 채워주고, 양극화를 극복하게 하고, 경제 활력을 보장하는 길이라면 할 수 있다. 하지만 그런 정부의 의도도 시장이 소화할 수 있는 환경이 되어야 현실화될 수 있는 것이다. 정부는 최저임금 올려서 노동자들의 소득이 올라가면, 소비가 늘어나고, 그것이 경제 활력으로 이어질 것이라 믿었다. 하지만 현실은 그렇게 단순한 덧셈 뺄셈 공식으로 움직이지 않았다.

최저임금이 오르면 일하는 사람들의 임금 자체는 오른다. 대신 여력이 안 되는 기업, 회사, 자영업자들은 해고, 구조조정을 피할 수 없게 된다. 정부나 여당에서는 이로 인한 어려움을 정부가 세금으로 좀 메꿔줄 테니 견뎌보자고 한다. 길게 봤을 때 임금이 오르면 사람들이 소비를 많이 할 것이고, 이것이 경기 활성화로 이어질 수 있을 것이라고 이야기한다. 이것이 소득 주도 성장이다.

그 정책과 제도가 예상하는, 혹은 예상치 못한 결과를 낼 수 있을지 종합적이고 객관적으로 바라볼 수 있어야 한다. 특히 경제정책을 펼 때에는 한 손에는 목적성, 한 손에는 합리성을 쥐고 그 사이에서 황금 균형을 찾아나가는 것이 책임자의 과제일 것이다. 그들의 강한 목적성은 이 너무도 당연한 이야기가 들리지 않게 한다. 아이러니하게도 이 정책의 최대 피해자는 노동시장 언저리나 바깥에 있는 사회적 최약자들이 되었다. 좋은 의도가 결코 좋은 결과를 내는 것은 아니라는 대표적인 사례를 만들어 냈다.

386의 파트너, 괴물노조

집권 386은 먼 길을 걸어왔고, 앞으로도 먼 길을 가고자 한다. 그 길에 동행하고자 함께 커온 강력한 파트너, 괴물 노조가 있다. 이철승 서강대 교수는 [불평등의 세대]라는 책에서 이러한 연대 체계를 '네트워크 위계'라고 정의했다. 내부의 위계로 수취 체제를 구축하고, 외부의 네트워크로 자원 동원·정보 공유·협력을 함께함으로써 기득권을 더욱 공고히 만들어 왔다는 것이다.

이들은 여전히 세상을 '자본 vs 노동, 기업 vs 노동자', 선과 악의 이분법 구도로 보고 있다. 70-80년대 노동시장과 현재 노동시장은 절대 같지 않다. 물론 여전히 개선되어야 할 부분은 많지만, 일방적으로 노동권을 강화하는 정책은 산업·노동 생태계를 망가뜨리는 일이다. 경제는 다양한 요소들이 복합적으로 작용하여 결과물을 내는 생태계이다. 국정 책임자에게는 이를 관리하고 조정하는 황금 균형 감각이 필요하다.

정부에서는 이미 일하는 사람들을 위해 노동권을 강화하기 위한 정책을 계속 편다. 일하는 사람과 안 하는 사람으로 나눠본다면. 일자리 재난 상황에서 긴급 구호 대상자는 이미 일을 하고 있는 일자리 시장 안에 있는 사람들이 아니라, 아직 일자리 시장에 진입하지 못한 사람들이다. 현재 일하는 사람들을 위한다는 정책들이 일자리 시장 밖에 있는 사람들에게는 일자리 장벽을 쌓는 일이 되는 것이다. 일자리가 갖춰야 할 옵션이 많아지고 레벨이 높아지면서, 뽑는 입장에서는 일자리 하나 만드는 것이 더 부담스러워진다. 노동시장 밖에 있는 사람들에게는 진입할 기회 자체가 없어지는 것이다. 특히 취업 준비생, 청년들이 그 피해자다.

집권 386의 노동계 편향적인 입장과 태도가 노동시장을 왜곡하고 훼손하는 괴물 노조를 키워냈다.

한국경제의 구조개혁은 노동시장 개혁이 핵심이다. 대기업과 공공부문 특권 노조가 중심이 된 민주노총은 오히려 노동시장의 경직성을 더하는 탄력근로 확대 반대, 노조 전임자 타임오프제 폐지 등을 요구하며 기득권 강화에만 몰두하고 있다. 우리나라는 전 세계 최하위권의 노동경직성을 보여주고 있다. 아직 노동시장에 진입하지 못한 청년과 저숙련노동자들은 최악의 상황이다. 민주노총을 비롯한 기득권 노조가 자꾸 뭘 하려고 하면 할수록 사회적 약자들은 사지로 내몰리고 있다. 이들은 기술의 진보가 주도하는 산업 시장의 변화 또한 따라가지 못하고 있고, 여전히 70-80년대에 머물러 있으며 기업과 정부를 향해 투쟁하고 있다.

그럼에도 불구하고 일관되게 노동권을 강화하는 정책을 펴고 있는 것은 80년대의 이념적 유산(경제현상을 노동과 자본의 대결로만 보는 세계관)인지, 현실 경제에 대한 무지인지, 아니면 알면서도 기득권 노조와 결탁하겠다는 정치적 계산인지 모르겠다. 집권 386이 기득권 노조에 기생하고 있는 것인지, 기득권 노조가 집권 386에 기생하고 있는 것인지, 이들은 70-80년대 이후 생애 주기를 함께하며 공생하고 있다.

새로운 이야기

지금까지 없던 변화이면, 지금까지 없던 방향과 대안을 갖고 움직여야 한다. 앞으로의 시장은 정보과 기술과 통신이 결합한 새롭고 다양한 경제 플랫폼 경연의 장이 될 것이다. 이 급변하는 대전환기, 경제 문명의 축은 미래세대를 중심으로 형성되고 있다. 특히 스마트폰의 등장은 세상의 주인을 기성세대에서 밀레니얼세대, Z세대로 바꾸어 버렸다. 이들에게 길을 열어주지는 못할망정, 80년대 사회관과 경제관으로 이들을 가두려 해서야 되겠는가. 결국, 이제는 미래시대의 시간이다. 지난 70여 년과 마찬가지로 세계 경제 문명의 흐름에 올라타야 한다. 더 영리하게 이용해야 한다.

AI와 정치의 융합을 주도할 '퍼스트 무버'가 되어야 한다. AI를 필두로 한 기술의 변화가 이끄는 사회 변화에 발맞춘 법과 제도, 정책을 만들어가야 한다.

지금과 같은 속도로는 기술과 제도의 간극이 더 벌어질 수밖에 없다. 법과 제도, 정책을 만들어가는 데에도 AI와 Big Data 활용이 필요하다. 이 융합을 주도하는 것이 차세대 정치 지도자의 역할이다. 기존의 민주주의만으로는 한계가 있다. 이념, 여론 등을 기준으로 책임자 몇몇의 개인적 판단에 의지하기보다 가장 효율적이고, 효과적인 정책과 시스템을 설계하자는 것이다. 이를 통해 시행착오를 줄여가야 한다. 기술 변화의 속도에 발맞춰 가야 한다.

AI와 빅데이터를 활용한 경제정책개발모듈이 필요하다. 우리가 현재 누리는 국가와 사회, 이를 떠받치는 시스템은 수많은 시행착오 끝에 완성된 것이다. 기술의 발전이 급속한 사회 변화를 추동하고 있다. 이를 뒤따르기 위한 법과 제도, 정책이 신속히 마련되어야 한다. 하지만 지금과 같은 속도로는 기술과 제도의 간극이 더 벌어질 수밖에 없다. AI와 빅데이터를 활용해 시행착오를 현격히 줄여내고, 이를 통해 기술 변화의 속도에 발맞출 수 있는 시스템이 필요하다. 책임자 몇몇의 개인적 판단에 의지하기보다 가장 효율적이고, 효과적인 정책과 시스템을 설계하는 것이다.

기술의 진보는 우리를 기다려 주지 않는다. 산업, 노동, 사회, 문화 각 분야의 변화로도 이어지고 있다. 이런 전방위적인 대격변의 파고 위에서 과도기의 혼란을 최대한 짧게, 최소화하는 데 정치 지도자의 역할이 있다. 기술과 산업의 발전을 기업과 시장의 역할로 본다면, 이를 소화할 노동과 산업 시장을 만들어가는 것은 정부의 당면 과제라고 할 수 있다. 일자리를 만들겠다는 정부의 할 일도 여기서 찾을 수 있을 것이다.

제일 우려되는 것은 기존 일자리의 소멸이다. 이러한 변화에 적응하지 못하고 도태되는 다수가 생겨날 수 있다. 기술이 발전하는 만큼 적응하는 사람과 하지 못하는 사람의 차이는 더욱 벌어질 것이다. 도태된 이들의 일과 삶을 보호·보장하는 장치들이 필요하다. 양극화된 공동체를 하나로 묶어줄 수 있는 밴드가 필요하다.

기술과 산업 변화에 발맞춘 노동의 패러다임 전환이 필요하다. 그동안 경제발전을 끌어온 대량생산 포맷의 거대한 기업과 공장, 정형화된 노동력은 오히려 시대 적응과 혁신의 걸림돌이 될 수 있다. 앞으로 기업과 노동의 형태는 갈수록 세포화되어갈 것이다. 작고 가볍고 효율적으로 움직이려고 할 것이다. 필요에 따라 네트워크를 활용하고 협업해 갈 것이다. 시장 상황에 유연하게 대응하기 위해 끊임없이 변화할 것이다. 이것은 시장경제가 진화된 형태로 긱경제(Gig Economy), 공유경제라는 이름으로도 나타난다. 상대적이고 지속적으로 노동의 비중은 줄어들 수밖에 없다. 고용 없는 성장이 예상된다. 이를 인정하고 대책을 마련해야 한다.

'In&Out'이 자유로운, 유연한 노동시장이 필요하다. 일자리의 선순환이 이루어져야 한다. 다양한 일자리 형태가 등장해야 한다. 정규직, 비정규직 이분법적 사고를 극복해야 한다. 시간선택제 일자리도 활성화될 필요가 있다. 답 안 나오는 청년과 여성들의 실업문제 해결책도 여기서 찾을 수 있다. 우리나라는 그동안 다양한 고용 형태를 비정규직, 열악한 일자리, 나쁜 일자리 등으로 규정해 사라져야 할 일자리로 취급해 왔다.

불편하지만 필요한 이야기

기술과 산업의 발전을 가장 큰 장애물이 규제이다. 짧은 시간 동안 산업 발전을 이뤄오며 만들어진 기존의 산업 프레임이 존재하는 것이 사실이다. 분명한 것은 이것이 이제 새로운 기술과 산업의 발전을 가로막고 있다는 것도 사실이다. 생계가 얽혀있는 국민들도 있기에 제 개혁을 이뤄내기가 말처럼 쉽지는 않다. 그럼에도 불구하고 당면한 가장 중요하고 긴급한 과제이다. 전 세계 기술과 기업은 우리를 절대 기다려 주지 않는다. 동전의 양면처럼 지금이 우리에게는 위기이자 기회이다. 중요한 것은 국정 책임자들은 이만큼 절실하게 이 문제를 인식하고 있나 하는 것이다. 문재인 정부 규제 개혁 1호 법안인 은산분리 완화에 강하게 반대했던 것은 운동권 출신 우상호, 우원식, 박용진, 제윤경 의원이었다. 여전히 대안 없는 반대 전문가의 모습을 보여주었다.

경제가 중요하다는 것은 누구나 알지만, 이것이 정권, 권력 교체로까지 쉽게 이어지지는 않는다. 베네수엘라의 사례처럼 정권만 유지할 수 있다면 더 강하게 세금 풀고, 공짜 푸는 포퓰리즘이 나오지 말란 법이 없다. 우리 국민들이 이런 망국적 주장을 걸러낼 수 있다고 누구도 장담할 수 없다.

미래세대의 입장과 관점에서 국가 재정을 지키는 '파수꾼'의 역할이 필요하다. 집권 386이 만드는 변종 된 포퓰리즘에 맞서야 한다. 이들은 국민들에게 '무얼 더 해줄까?' 하는 눈앞의 고민만 있지, 미래에 대한 통찰력과 균형감각은 보이지 않는다.

연금, 보험, 보조금 등 복지는 계속 확대되어 가지만, 증세는 없다는 마법 같은 주장을 되풀이하고 있다. 사회주의의 이상을 좇던 이들이 돌연변이 같은 주장을 만들어 가고 있다. 갈수록 더 강력한 포퓰리즘을 만들어 가고 있다. 철 지난 유럽 모델 참고하며, 더 강력하고 비대한 국가의 역할이 필요하다고 본다. 그러면서 공공부문 일자리도 늘리자고 한다. 현 정부 들어 더 많은 청년들이 공무원을 준비하겠다고 몰리고 있다. 대입 수험생 규모와 비슷한 숫자다. 청년들은 모든 것이 불안정한 시대 가장 안정적인 직장을 쫓아가려는 가장 합리적인 선택을 하고 있다. '웃픈(웃기고 슬픈)' 현실이다.

공무원과 공공기관 종사자들은 평균임금이 상위 10퍼센트 이내(6천

7백만 원)에 해당하는 임금 최상위 그룹이다. 반면 우리나라 근로소득자의 절반은 200만 원 이하의 월급을 받고 있는 것이 현실이다. 더 어렵게 사는 이들이 내는 세금으로 고임금에 각종 특권을 누리는 공무원들을 먹여 살려야 한다는 것이다. 이것은 과연 공정한 것인가. 정부가 할 일은 민간기업과의 형평성을 맞추기 위해 공무원 과열 양상을 완화하는 것이 정상이다. 결국 이 답 안 나오는 주장은 미래세대의 책임과 부담으로 귀결된다. 이들이 자꾸 뭘 하려고 하면 할수록 미래세대와의 대립 구도는 더욱 강해지고 있다. 집권 386이 바라는 이상 사회 만들기 위한 노력을 하면 할수록 미래세대를 사지로 내몰고 있다.

2%대 성장률 위에 선 우리는 앞으로도 경제 돌파구가 보이지 않는다. 전 세대를 휘감고 있는 일자리의 위기와 가계부채의 부담은 국민들에게 헤어 나올 수 없는 늪이다. 그만큼 국가에 더 많은 것을 요구하게 된다. 정부는 매년 역대 최대 예산을 책정해 이 상황을 타개해보려 하지만, 답은 보이지 않고 늘어난 빚은 결국 미래세대의 부담으로 남는다. 미래세대를 대변할 세력도, 장치도 없다는 것이 더 큰 문제다. 저출산으로 청년과

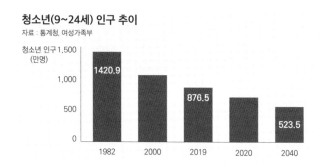

청소년(9~24세) 인구 추이
자료 : 통계청, 여성가족부

청소년 인구
(만명)

1420.9

876.5

523.5

1,500

1,000

500

0

1982 2000 2019 2020 2040

청소년 인구는 급속히 감소하고 있다. 민주주의 사회에서 청년, 청소년의 인구 감소는 그들의 영향력을 감소시킬 수밖에 없다. 미래세대를 위한 건강한 국가 재정 운영전략이 필요하다. 이는 미래세대를 대변하며 집권 386을 극복해 나갈, 젊은 정치 지도자들의 역할이다.

현재의 권력은 정치가 모든 것을 결정하려고 한다. 시장이 잘하는 영역에도 개입하려고 한다. 대표적으로 현 정부가 임기 말까지 스마트 공장을 3만 개로 늘리겠다는 것, 인공지능 전문 기업 100곳을 직접 육성하겠다는 것도 다 이런 맥락이다. 기술과 기업과 산업의 진화와 발전은 전문가, 혁신가, 창업가, 기업가의 몫이다. 정부가 할 일은 신기술, 신산업 도입을 막는 기존의 규제를 없애는 것, 산업 변화로 인한 실업 등의 사회 문제를 해결해 가는 것이다. 기술과 시장의 영역은 배워서 알 수 있는 것도 아니다. 각 주체가 각자의 자리에서 제 역할을 할 수 있도록 하는 것이 진짜 민주적인 리더십의 모습이다.

밀레니얼
386시대를 전복하라

3부

386의 절대반지
'민주주의' 그 이후

민주화 세대인 386은 민주주의를 절대적인 성역 안에 가뒀다. 국민의 대표들을 불신하고, 대중을 과도하게 신뢰하며 직접민주주의의 '국민 만능주의', '민주 절대주의'에 빠뜨렸다. 전문성과 책임성이 사라진 민주주의는 무능했고, 자신만의 경험만이 옳다는 이분법적 꼰대 민주주의로 후퇴시켰다. 밀레니얼에게 남은 과제는 진짜 민주화를 완성시키는 것이다. 민주주의의 비판과 균형을 부활시키고, 자유주의의 가치를 확고히 세워야 한다. 자유와 공정을 추구하는 밀레니얼 세대는 완벽하고, 검증 가능하고, 불가역적인 자유주의로 민주주의를 완성시켜 나갈 것이다.

———

김동민

3부.
386의 절대반지
'민주주의' 그 이후

김동민

386, 그들만의 민주화

우리는 왜 세대를 구분할까? 단순히 편을 가르고 구분하기 위함은 아닐 것이다. 이전 세대를 절대적인 악으로 설정하고 타도의 대상으로 삼기 위함은 더더욱 아니다. 우리가 세대를 구분하는 것은 자라온 환경의 차이가 있기 때문이다. 우리를 둘러싼 물리적, 사회적 환경은 끊임없이 변화하고 있고, 이에 따른 경험의 차이가 나타나게 된다. 이러한 시대적 차이가 세계관과 사회관, 가치관에 큰 영향력을 행사하고 특징적인 성격을 만들어 내기에 우리는 세대를 구분하고, 새로운 환경에 맞는 방향성을 찾고자 하는 것이다.

한국에서 세대 구분은 근현대 역사와 밀접한 연관성을 가진다. 광복 이후 전쟁, 산업화, 민주화, 정보화의 몇 가지 거대한 변화가 한국의 세대를 가른다. 여기서 386은 개발 중심 권위주의 체제에서 민주주의 체제로의 이행 속에서 탄생했다. 정치체제가 이행되는 매우 급격한 정치적 변화의 시기에 비슷한 사태를 경험하고 사회화를 거친 386은 연대감 높은 특정 연령층으로 성장했다. 이전 세대의 경제적 과실을 토대로 사회화된 386은 더 나은 환경에서 더 많은 지식을 쌓으며 사회적 문제를 탐구하고 변화를 추구해왔다. 권위주의에 저항해 자유와 권리를 되찾고자 일어섰고 광장에서, 학교에서 "독재 타도"를 외쳤다. 민주화 운동이라는 이들의 공통적 경험은 민주주의를 투쟁 끝에 쟁취한 것으로써 민주주의를 단순한 정치체제 이상의 의미로 만들었다.

이제 386은 시대의 주인이 되었다. 본인들이 설계한 체제 위에서 직접 대한민국을 디자인하고 있다. 그렇다면 "민주화를 경험한 386이 만들고 있는 민주주의는 민주적인가?, 잘 작동되고 있는가?"질문을 던져보고자 한다. 이전 세대를 직접적으로 밀어내고 빠르게 사회의 주류로 진입한 386 중에는 현실을 경험하고 역사를 마주하면서 변화를 경험한 자들도 많다. 다만, 정치권에 진입했거나, 시민사회에 남아있던 386은 여전히 민주화 시대에 머물러 있다. 성역이 된 민주주의의 벽 안에서 386은 그들만의 성을 쌓았고, 그렇게 절대적인 선과 악으로 세상을 구분했다. 여전히 독재와 민주의 구도, 수구와 개혁의 구도로 정치지형을 이끌어 가고 있다. 운동권 특유의 정서와 감성적 연대의식으로 묶여 이분법적인 사고로 점철된 민주주의는 더 이상 민주적이지 못했다. 밀레니얼 세대, Z

세대가 탄생하고, 새로운 시대가 왔음에도 여전히 386의 민주주의는 변화하지 못하고 권위주의의 망령과 투쟁하고 있다. 낡고 오래된 386표 민주주의를 정확히 진단하고, 새롭게 만들 때가 왔다.

386의 민주주의를 어떻게 진단할 것인가? 민주주의는 구체적인 사안이 아니라 추상적인 정치체제이기 때문에 386의 민주주의를 몇 마디로 정리하는 것은 매우 어려운 작업이다. 그럼에도, 민주화 세대인 386이 민주주의에 대해 갖는 생각을 아는 것이 우리나라의 민주주의를 파악하는 데에 있어 매우 중요한 요인임은 분명하다. 따라서 386이 만들고 있는 제도 속에서 이들의 민주주의에 대한 가치관을 꺼내어 보고자 한다.

386표 민주주의 "국민만능주의"

2017년 8월 17일 문재인 정부는 출범 100주년을 기념해 임종석 전 비서실장의 제안으로 '청와대 국민소통 게시판'을 신설했다. 청와대 홈페이지를 통해 국민이 직접 청원을 하고 30일 동안 동의를 받아 20만 명이 넘는 사안에 대해 관련 책임자가 답변을 하는 국민청원제도도 여기에 포함되어 있다. 386이 만든 국민청원제도는 '국민이 물으면 정부가 답한다.'는 국민소통 국정철학이 반영된 만큼 386의 민주주의에 대한 가치를 많이 내포하고 있다. 물론, 온전히 386이 창안해낸 제도는 아니다.

미국 오바마 대통령의 'e-청원제도'를 모티브로 하여 도입한 것으로 보는 것이 마땅하다. 다만, 그 배경과 통치구조, 다른 제도와의 관계적 관점에서 특별한 의미가 있기에 이를 도입한 386의 가치관을 살펴보기에는 유용하다.

문재인 대통령이 국민소통을 강조하고 국민청원제도를 도입한 배경에는 박근혜 전 대통령의 탄핵 과정이 있다. 2016년 겨울 광화문 광장에서 촛불을 든 수많은 사람들이 대통령의 퇴진을 요구했고, 국회와 헌법재판소는 탄핵을 결정했다. 탄핵 결정은 이례적이었지만, 민주화 운동 이후 광우병 집회 등 주기적이다 싶을 정도의 대규모 집회와 시민의식의 폭발은 한국 정치의 특징으로 자리 잡았다. 여야의 대립이 격화되고 쟁점이 생길 때마다 정당과 국회의원들이 광장으로 뛰쳐나오고 대통령이 국민에 직접 호소하는 것은 이미 익숙한 풍경이다. 이런 현상은 평상시 제도를 통해 민주주의가 정상적으로 실천되지 못하기 때문에 발생하는 결과물이다. 386은 광장의 정치를 직접민주주의 확대에 대한 요구로 바라보았고, 그 연장선 아래에서 국민청원제도는 이해될 수 있다.

> "국민들은 주권자로서 평소에는 정치를 구경만 하다가 선거 때 한 표 행사하는 간접 민주주의로는 만족하지 못한다. 그래서 촛불 집회처럼 정치가 잘못할 때는 촛불을 들어 정치적 의사표시를 하고, 댓글을 통해서 정치적 의사표시를 하고, (…) 직접 민주주의를 국민들이 요구하고 있다."
> – 문재인 대통령 취임 100일 대국민 보고회 中

"문 대통령은 대놓고 직접민주주의를 국정 운영의 기조로 표방한다. 정권 인수 위원회 격인 국민 인수위 보고서에서 '국민은 간접민주주의를 한 결과 우리 정치가 낙오되고 낙후됐다고 생각한다.'며 대의민주주의에 대한 불신을 표출했을 정도다."

-[박제균 칼럼] 직접민주주의 칼이 춤춘다(2018.08.06

직접민주주의는 Democracy라는 민주주의의 어원에 충실한 정체이다. 대중, 다수를 의미하는 Demos와 지배, 권력을 의미하는 Kratia의 결합으로써 민중 스스로의 정부·통치를 의미한다. 시민들의 이익·요구·의사가 대의자 또는 정당에 의해 대표되는 것 자체를 부정적으로 바라보고 있다. 국민청원제도의 철학과 청와대의 국민과의 직접 소통은 사실상 시민 의사의 왜곡이 없는 직접적이고 무매개적인 정부 형태나 정치체제를 그리는 직접민주주의를 표방하고 있다. 더 나아가 흔히 말하는 제왕적 대통령제 속에서 국회의원 겸직 장관을 보유하고 법률안제출권을 갖춘 대통령이기에 국민청원제도는 직접민주주의로써 기능할 힘을 갖는다.

왜 386은 광장의 정치를 직접민주주의로 풀이했을까? 민주주의는 아래로부터 시민의식이 고양되며 나타나는 시민 참여, 위로부터 대표들에 의한 시민의 요구에 맞춘 국가의 운영이라는 두 가지 방향성에서 이해될 수 있다. 민주화의 과정은 철저히 아래로부터의 시민 참여, 시민 의식, 시민적 열정이 만들어낸 결과였고 운동으로서의 민주주의관을 형성했다. 민주화 운동을 경험하고 주도해온 386에게 직접민주주의는 대의제에 의

한 대표라는 권력에 대해 벌이는 투쟁으로써 진짜 민주주의였다.

> "촛불집회는 세계 역사상 처음으로 인터넷, 휴대전화를 통해 직접 민주주의
> 가 실현된 중대 변화이다. 아테네의 직접민주주의 이후 처음 있는 일이라고
> 해도 과언이 아니다. (…) 촛불집회를 보면서 우리 국민들이 참으로 위대하다
> 는 생각을 했다."
> – 2008년 6월 4일 통합민주당 원내대표단 면담 中 김대중 전 대통령 말씀

오해하지 말아야 할 것이 있다. 운동으로서의 민주주의관을 가진 386
이 대의민주주의 체제 자체를 부정하는 것은 아니다. 이들은 직접민주주
의가 더 우월한 체제이지만, 현실적인 어려움으로 대의민주주의를 채택
하고 있다고 여긴다. 따라서 대의민주주의 체제 속에 참여하여 직접 정권
을 창출하기도 하지만, 여건에 따라 직접민주주의를 위한 조건이 형성되
면 언제든 직접민주주의의 확대를 요구하는 것이다.

386 "민주절대주의"

386에게 민주주의와 '국민의 뜻'은 절대적이다. 기본적으로 대표와
위정자들을 신뢰하지 않는 반면 민중에 대한 매우 큰 신뢰를 갖고 있다.
386에게는 엘리트에 대한 지나치다 싶을 정도의 부정적 인식이 자리 잡
고 있는 것이다. 직접민주주의를 꿈꾸는 이들에게 법률과 규범은 대표

들에 의해 왜곡된 국민의 의지가 반영된 결과물이다. 따라서 이들에게 국민의 직접적인 의사와 반대된다면, 언제든 배제할 수 있는 대상이기도 하다.

현재 진행되는 국민청원제도에는 법적 근거가 없다. 헌법재판소는 현재 행정작용에 대해 그 내용이 공익 실현이나 국민의 기본권 보장과 관련되고 중요하고도 본질적인 것인지에 따라 법률 근거가 요구된다는 '중요사항 유보설'을 채택하고 있다. 따라서 국민청원제도는 청원권이라는 기본권의 본질적 실현에 해당하기 때문에 법률 근거가 필요하다고 할 수 있다. 그럼에도, 국민과의 소통을 강조하며 국민청원제도를 신설했다는 것에서 386표 민주주의관의 법에 대한 태도를 단적으로 파악할 수 있다.

신고리 5·6호기 공론화위원회(이하 '공론화위원회')를 통해서도 386의 민주주의관을 엿볼 수 있다. 문재인 대통령은 후보시절부터 탈(脫) 원전 공약을 내세웠다. 집권 이후 수명을 다한 고리원전 1호기 영구 폐쇄 결정, 신한울 3·4호기 설계용역 전면 중단에 이어 신고리 원전 5·6호기의 건설을 중단하고 공론화위원회를 열어 건설 여부를 판단하게 했다. 공론화위원회는 출범 당시 그 역할, 목적에 대한 명확한 규정이 없었고, 출범 이후 세 차례의 회의를 가진 끝에야 스스로 정부 자문 기구로 성격을 규정했다. 김지형 당시 공론화위원회 위원장 역시 공론화 과정을 법·제도적으로 정비할 필요가 있다고 인정했을 정도다. 더 나아가 당초 신고리 5·6호기에 대한 결정만을 내리기로 했던 공론화위원회는 '원전 축소'까지 결정했다. 386에게 중요한 것은 법과 절차가 아니라 정당성을 부여해줄 '국민의 뜻'이다.

> 전병헌 청와대 정무수석은 신고리 5·6호 기기 중단 여부 결정을 공론화위원회에 맡긴 것에 "원전처럼 국가적 갈등을 유발할 수 있는 사안이 국회로 가서 결정도 못 하고 정치 대결로 변질된 경우가 많다"라며 "그래서 숙의민주주의를 해보자는 것"이라고 말했다. 전 수석은 31일 보도된 한 언론 인터뷰에서 "요즘은 소셜 미디어 등 국민의 직접 의사 표현 수단이 발달했다. 이런 방식은 계속 시도될 것"이라며 이렇게 밝혔다.
> – 전병헌 "원전, 국회 가면 정쟁 변질…숙의민주주의 해보자"
> (news1뉴스 2017.07.31)

> "문재인 대통령은 신고리 5·6호기 공론화위원회를 '국민을 대표한 시민참여단'이라며 정당화했고 '숙의민주주의의 모범'이라고 평가했습니다. (…) 원래 민주주의란 것이 진지한 토론의 과정과 소수 의견을 존중하는 태도를 필수 요소로 합니다. 그렇지 않은 다수결은 인기투표나 대중 주의에 불과합니다."
> –[차명진의 정치 풍경] 文 대통령의 숙의민주주의(2017.10.26 영남일보)

386은 공론화위원회를 이야기할 때 직접민주주의라는 단어 대신 숙의민주주의를 제시한다. 공론화위원회를 두고 '한국형 숙의민주주의'라는 단어도 등장했다. 이를 보면, 과거 박정희 대통령이 권위주의를 '한국형 민주주의'로 둔갑시키고자 했던 기억이 떠오른다. 숙의민주주의는 자유롭고 평등한 시민들의 자율적 참여에 따른 공적 숙의를 통해 의사결정에 정당성을 부여하는 민주주의로써 기본적으로 대의민주주의의 한계를 보완하는 개념이다. 공론화위원회의 설치와 운영 과정에 있어 대의민주주의에서 선거로 선출된 국민의 대표들로 구성된 국회는 철저히 배제되었다. 에너지기본 계획, 전력 수급 계획의 검토조차 국회에서 제대로 다뤄진 바 없다. 인근 지방자치단체와의 의견 수렴 절차도 없었다. 대의민주주의를 압도한 혹은 배제한 숙의민주주의는 대표에 대한 불신을 기초로 하는 직접민주주의와 다를 바 없다.

무능과 위선

우리가 어떠한 정치체제에 대해 논의할 때 그것이 가진 능력에 집중할 필요가 있다. 어찌 되었든 국가의 운영을 담보하고 있기 때문이다. 민주주의 역시 정치체제로써 지속적으로 유지·발전하기 위해서는 유능함이 필요하다. 그렇다면, 386표 민주주의를 판단할 때에도 체제가 얼마나 유능한지를 살펴볼 필요가 있다. 결론부터 말하자면, 불행히도 민주화를 경험한 386이 만들어낸 민주주의는 무능하다. 앞서 언급된 바 있는 386이 만든 직접민주주의 실험의 결과를 분석해봄으로써 386표 민주주의의 무능함의 원인을 밝히도록 하겠다.

시행 2주년을 맞이하고 있는 국민청원제도는 그동안에도 또 지금 이

순간에도 수많은 논란에 휩싸여 있다. 특정 단체나 개인 또는 지역 등을 비난하고 공격하거나, 상식적으로 납득이 어려운 내용의 청원 등이 올라오면서, 국민청원제도가 국론 분열, 가짜 뉴스 양산 등의 부정적 기능을 수행하고 있다는 것이다. 최근에 있었던 '자유한국당과 더불어민주당 정당 해산에 대한 청원'은 국민청원제도의 부정적 단면을 직접적으로 보여준다. 쟁점이 되었던 본질은 선거법 개정안에 대한 패스트 트랙 지정이었지만, 결과적으로 진영 간의 세력 과시, 세력 다툼으로 경쟁적 청원이 진행되었다. 진영논리에 의해 선거법 개정안을 패스트 트랙에 붙여야 하는지에 대한 진지하고 자유로운 토론과 논의는 사라졌다. 대신, 여과 없이 상대 진영에 대한 감정을 노출하며 갈등은 확산되는 양상을 보였다.

[정혜승 청와대 뉴미디어비서관 : "이번 청원의 내용에 대해서도 청와대는 법원행정처로 이 같은 내용을 전달할 예정입니다."] 발표대로 정 비서관은 법원행정처에 전화를 걸어 관련 내용을 전했습니다. (…) 국회의원 급여를 최저시급으로 책정해달라는 청원 역시 27만여 명이 동의했지만, 국회엔 이를 전하지 않았습니다. 청와대 관계자는 국회 급여 건은 질타성 청원으로 보고 전하지 않았다, 하지만 삼성 판결 건은 항의 이상의 민심이 있다고 생각해 사법부에 전달했다고 말했습니다.

현행 국민청원제도는 청원에 책임지고 답한다는 기본 원칙만 있을 뿐, 세부적처리 규정과 절차가 명확하지 않습니다.
– 靑, '이재용 판결 국민청원' 법원 전달…절차 및 개입 논란
(kbs 뉴스 2018.05.04)

이따금 개인에 대한 비난과 감정 노출도 발생한다. 이재용 삼성전자 부회장에게 집행유예를 선고한 항소심 판결과 관련해 재판장의 특별감사를 요구하는 청원은 25만여 명의 동의를 얻었고, 청와대는 이에 대한 답변을 내놓았다. 법관의 인사 문제에 청와대가 개입할 수 없다는 답변이었으나, 법원행정처로 해당 내용을 전달했다. 김경수 경상남도지사에게 불법 댓글 조작 관여에 대해 유죄를 선고하고 법정 구속한 판사에 대해서도 사퇴를 요구하는 청원이 올라왔고, 청와대는 이에 답변을 했다. 애초에 청와대 국민청원에는 답변이 어려운 청원에 대한 규정으로써 사법부의 고유 권한, 재판 사항이라는 경우를 공지하고 있지만 선택적으로 특정 사건의 경우 이와 같은 답변을 내놓고 있다. 쟁점 사안에 대해 국민적 합의와 해결을 제시해주지 못하고 갈등과 분열을 가속화시키고, 여과 없는 감정 노출과 특정 개인에 대한 비난으로 이어지는 국민청원제도는 무능력하다.

국민청원제도가 무능력한 이유는 직접민주주의가 변화한 현대인과 사회에 어울리지 않는 시대착오적인 대안이기 때문이다. 현대 사회는 사회 발전과 노동 분업 수준이 과거와 크게 다르고 가치관, 사상 등도 제각각이다. 즉, 복잡하고 다원화되었다. 생업에 종사하며 바쁜 생활을 하고 있는 현대인들이 복잡하고 다양한 사건의 인과관계를 파악하기도 어려울뿐더러, 그 해결을 위한 성치에 전념할 시간적, 경제적, 정신적 여유도 없다. 그렇기에 사건의 단편적 모습만을 파악하고 복잡한 인과관계를 모른 채 분위기와 감성에 휩쓸리기 쉽다. 정당 해산 청구에 대한 청원에서도 국민들은 선거법 개정안이 가져올 정치적 영향력과 통치구조, 다른 제도와의 상관관계 등을 정확히 파악하지는 못한 상태에 있었다. 선거법, 또는 특정 정치 세력에 대한 감정과 분위기, 대중적 이미지에 기인하여 사건을 바라보고 이것이 과도한 감정 표출로 이어진 결과로 이해하는 것이 합리적이다.

직접민주주의 ≠ 집단지성

신고리 5·6호기 공론화위원회의 결론은 "건설은 재개하되, 안전성 검사를 강화하고 원전을 축소를 권고한다"라는 것이었다. 공론화를 통해 확보한 안전성 강화를 무기로 하여 원전 건설과 계획에 부담 없이 제동을 걸 수 있게 되었다. 실제 10년간 원전 이용률이 80-90%를 유지해왔었지만, 2018년 66.5%까지 감소했다. 원자력 발전소에 대한 점검이 강화된 것이 그 원인으로 나타났다. 이후 한국 원자력 생태계는 철저히 붕괴되고 있다. 원자력산업의 채용시장 축소를 우려한 전공 감소 현상이 발생하고 있으며, 연구개발 인력도 감소할 것으로 예상되고 있다. 한국전력공사의 지속되는 적자 현상과 UAE 원전 정비 수수의 급격한 감소 역시 탈(脫) 원전이 원인으로 지목되고 있다. 탈(脫) 원전의 여파가 국가의 에너지 안보를 타격하고 있다.

미래특별위원회 조사 결과 인력양성 분야에서 원자력을 전공하는 학생들은 탈원전 정책으로 인한 채용시장 축소를 불안해하고 있는 것으로 나타났다. (…) 학회는 중장기적으로 원자력 전공 인력이 감소할 것으로 전망했다. 연구개발 분야에서는 2022년 정점을 찍고 급격히 감소할 것으로 전망했다.
— 한국원자력학회 "탈원전으로 원자력 생태계 위기…특단 조치 필요" (조선비즈 2019.06.23)

윤한홍 의원은 2018년 한전의 당기순손실액은 1조1,745억 원으로 원전을 2016년만큼만 가동했다면 국제유가가 상승했더라도 한전은 4,751억 원의 당기순이익을 기록할 수 있었다고 주장했다.
— "한전 적자, 탈원전 정책이 원인"(투데이에너지 2019.07.25)

계약 내용이 달라진 것은 UAE가 자국의 이익을 극대화하기 위한 이유도 있지만, 전문가들은 한국이 '탈(脫)'원전 정책을 추진하면서 상대방의 신뢰를 잃은 것도 영향을 미쳤을 것으로 보고 있다.
— UAE 원전 정비 수주 '3분의 1토막'…전문가 "탈원전 여파"

(조선비즈 2019.06.24)

원전은 에너지 안보, 전력 수급의 본질적 문제인데 탈(脫) 원전은 공론화위원회를 통한 국민들의 직접 참여가 가져온 결과이다. 더군다나 지난 공론화위원회의 핵심 의제는 원전 공사 재개 여부였지 탈원전도 아니었다. 해괴한 일이 일어난 것이었다. 원자력, 에너지는 과학적 전문지식이 반드시 근거 되어야 하는 분야이다. 그런데 이를 잘 알지 못하는 대다수의 국민들이 결정하는 것은 매우 위험하다. 국민이 직접 결정할 수 있는 문제와 전문가가 결정해야 할 문제를 구분하지 못하면 올바른 소수의견이 배척당하게 된다. 즉, 고대 그리스 민주주의의 중우정치가 부활할 수도 있는 것이다. 집단지성과 직접민주주의를 혼동해서는 안 될 것이다. 집단의 생각을 집단지성으로 동일시하려는 직관에 빠지기 쉬우나 그것은 전혀 다른 개념이다.

현대사회에서 시민의 참여만을 강조하는 386표 민주주의는 결과적으로 문제를 해결하는 데에 있어 도움이 되지 못한다. 오히려 사회적 갈등을 부추기고 상황을 악화시키는 데에 일조할 뿐이다. 직접민주주의에도 분명 강점이 존재하지만, 여전히 세계 각국의 의사결정 방식은 대의제를 기본으로 한다. 인터넷과 기술발전으로 어느 정도 한계를 극복할 수 있음에도 대의제를 근간으로 하는 이유는 전문성 때문이기도 하다. 복잡하고 다원화된 사회에서는 국민들은 정치 문제를 직접 다룰 지식도 여유도 없기에, 전문적으로 정치에 전념해줄 직업으로써의 정치인이 필요해진 것이다.

꼰대민주주의

민주주의라고 다 같지 않다. 민주주의는 최소 요건을 갖춘다고 발전하는 것이 아니다. 자리 잡고 있는 사회라는 토양이 어떤가에 따라 잘 자랄 수도, 그 반대일 수도 있다. 우리나라의 민주주의는 여러 이름으로 불리며 정권의 합리화를 위해 사용되었다. 산업화 시대 박정희 대통령은 대통령 중심의 권위주의 체제를 한국식 민주주의로 포장하였다. 실제 선거 등 민주적 절차들이 없었던 것은 아니나 이를 민주주의라고 할 수는 없는 무늬만 민주주의였다. 이후 1987년 개헌이 일어나며, 권위주의 체제를 몰아낸 386에 의한 민주주의 개혁이 일어났다. 이들은 자신들의 민주화 운동의 경험을 절대화하고 경제적 기반 없는 민주주의를 정당화하고 오히려 경제에도 민주주의 원리를 동원했다. 결과적으로 386은 본인들의 경험 속에서 정형화된 민주주의를 세우고 다른 의견을 묵살하고 배제했다. 때로는 낙인을 이용해 몰아세우기도 했다. 이러한 386의 행태는 본인 이외의 다른 의견을 받아들일 준비가 되지 못한 '꼰대'와 비슷하다. 386이라는 토양은 민주주의를 파괴하고 발전의 단계를 역행시키고 있다. 그렇기에, 386표 민주주의는 비민주적이게 변질된 '꼰대 민주주의'다.

국민에게 직접 묻는 형태의 민주주의의 결과는 찬성과 반대의 단 두 가지뿐이다. 국민청원제도 역시 사안에 대해 '동의'라는 말만 표시할 수 있을 뿐이다. 따라서 사안의 해결을 위해 동의했다고 하더라도, 구체적인 해결방안, 방식 등에 있어 다를 수 있다. 이에 대한 깊은 논의는 배제되어 있다. 국민의 뜻으로 포장된 사안에 있어 차분한 숙의 과정은 무시된다. 민주주의에서 정해진 절차를 준수하는 것은 충분한 숙의를 이루기 위함이다. 이러한 절차를 무시한 민주주의는 더 이상 민주주의로 유지되지 못하고 포퓰리즘, 다수에 의한 독재로 변질되기 쉽다. 앞에서 언급한 것처럼 공론화위원회는 당초 신고리 5·6호기에 대해서만 결정하기로 했었지만, 부속 주제로 논의되던 원전 축소라는 에너지 정책 전반에 걸친 결정까지 내렸다. 에너지 정책에 있어 정해진 절차는 무시되었고, 대표들은 배제되었다.

> 김지형 공론화위원회 위원장은 "공론조사는 대의 민주주의가 국민의 뜻을 제대로 반영하지 못할 때 보완하는 수단으로서 의미가 있다. (국회 등에서) 대의 민주주의가 제대로 작동하면 굳이 공론조사에 매달릴 필요가 없다"라고 강조했다. (…) "공론조사는 사회 경제적 비용이 크다. 공론화가 모든 문제를 해결해줄 것이란 만능주의는 경계해야 한다."
> – [단독] "공론조사가 모든 걸 해결해줄 거라는 만능주의 경계해야"
>
> (동아일보 2017.10.25)

국가의 에너지 정책을 국민이 선출하지도 않고, 국회 등을 통한 간접적인 권한 위임도 없었고, 나중에 책임을 물을 수도 없는 400-500여 명의 시민참여단이 결정했다는 것은 보다 근본적인 문제가 있다. 민주주의에 있어 책임성과 반응성은 민적 참여를 담보하는 한편, 정책의 전문성역시 보장할 수 있는 균형 잡힌 민주주의를 만들 수 있게 하는 핵심적 요소이다. 그런데, 직접민주주의는 정치과정에서의 책임성을 배제시킨다. 국민의 의견이라는 명목하에 모든 행위에 정당성을 부여하기 때문이다. 따라서 정책결정자들은 정책의 결과가 가져올 여파를 생각하지 않아도될 회피 수단을 확보하게 되고 그 피해는 국민에게 전가된다.

각종 공론화위원회 역시 대표와 정당을 배제하고 국민에게 직접 의사를 묻는 대표적인 제도이다. 한편, 특정 사안 자체를 국민의 뜻으로 포장하고 시작부터 반대 의견을 묵살시키는 것이 국민청원제도이다. 대표와 정당을 신뢰하지 못하고 대중과 직접 소통을 하려 하는 것은 국민소통이 아니다. 권위주의와 같은 비민주적인 통치 스타일은 국민과 통치자가 직접 결합하는 것을 지향하고, 다양한 견해, 이견, 반대의 표출을 억제하는 경향이 있다. 때문에 사회의 다원적 이익, 가치를 대표하는 제3의 정치과정인 정당, 의회의 역할을 회피하거나 부정적으로 묘사하는 주장과 논리를 자주 동원한다. 대통령에 대한 여론의 지지가 높다고 해서 협조적이지 않은 야당을 민심에 반하는 집단으로 여기거나 국민을 배신하는 정치로 규정하는 일은 모두 이런 정치관에서 비롯한다. 국민이 아니라 대표와 함께 일하는 대통령이 진짜 민주적인 대통령이다. 국민의 대표들이 국민의 의사를 적절히 반영하지 못할 때 그것은 대통령이 심판할 것이 아니라 국민이 심판해야 한다. 권위주의와 투쟁하며 그에게 벗어나고자 했던 386은 민주주의 가면 속 큰 정부, 관 주도 민주주의를 만들어 가고 있다.

> "청와대가 모든 것을 다 할 수 있다는 잘못된 인식을 심어줄 수 있고, 민주주의의 근간인 삼권분립 원칙이 깨질 수 있다. 더 나아가 행정이 정치를 압도하는 '행정독재'를 정당화할 수 있다."
> – '정당해산' 靑 국민청원 4가지 맹점(문화일보 2019.05.03)

386이 만든 민주주의가 정당성의 원천으로 하고 있는 '시민의 의사'에 대해서도 재조명이 필요하다. "대중은 늘 올바른 결정을 하는가? 대중은 늘 민주적인가?"그렇다고 대답하는 사람들에게 우리가 민주주의 역사의 중요한 사건인 프랑스 혁명의 결말이 어떻게 흘러갔는지 상기시키고 싶다. 대중에 의존해 이뤄진 프랑스 혁명의 끝은 로베스피에르의 공포정치를 탄생시키고 결국, 나폴레옹의 전제적 군주를 만들어냈다. 대중의 결정은 다소 즉흥적이고 올바르지 않을 수도 있기 때문에 적절한 견제가 있어야 한다. 다수의 의견을 최대한 수렴하되, 올바른 소수의 의견이 배척되지 않도록 제도를 설계할 필요가 있다.

> "직접민주주의 하면 떠오르는 고대 그리스를 살펴보면 흥미로운 현상을 발견할 수 있다. 영웅들이 대개 비참한 최후를 맞았다는 점이다. 마라톤 전투에서 대승을 거둔 밀티아데스는 정적들의 고발로 막대한 벌금형을 선고받고 죄인으로 죽었다. 살라미스해전을 승리로 이끈 테미스토클레스도 도편추방의 희생자가 되어 결국 적국 페르시아로 건너갔다. 플라타이아이 전투를 승리로 이끈 파우사니아스는 모함에 몰려 굶어 죽었다. 이외에도 수많은 지도자가 도편추방의 희생자가 되었다."
> – [박제균 칼럼] 직접민주주의 칼이 춤춘다(동아일보 2018.08.06)

국민청원제도가 허위사실, 가짜 뉴스를 생산하고 유통하는 장소가 되어 갈등을 폭발시킨 기폭제 역할을 하기도 한다. 국민청원 게시판이 분노의 놀이터로 변화한 것 역시 민주주의에 대한 중대한 위협이다. 단순한 찬성과 반대의 의견 표출 사이에서 여과 없는 감정 노출은 극단의 정치를 조장하고, 정치로부터 국민을 완전히 유리시킨다. 정상적인 국가는 국민들이 정치에 대해 과도하지도, 부족하지도 않는 관심도를 가지고 일상생활에 매진할 수 있어야 한다. 그러나 대립이 격화되면, 국민들은 혐오감만을 얻고 탈출한다. 진영 사이의 갈등만을 확대시키고 결국, 혐오 사회를 낳는다.

> 서울 지하철 7호선 이수역 인근의 한 맥줏집에서 발생한 폭행 사건은 네이트판에 올라온 장문의 글로 세상에 알려졌다. 이 사건은 곧 여성 혐오 사건으로 낙인찍혔다. 이어 청와대 국민청원 게시판에 "가해자를 엄벌하라"라는 청원이 빗발쳤고, 그 중 한 청원에는 답변 기준인 20만 명을 훌쩍 뛰어 넘는 36만여 명이 참여하기도 했다. (…) 여성 1명은 경찰에서 '사건이 이렇게 커질 줄은 몰랐다'라며 "(허위사실을 올려서) 죄송하다'고 한 것으로 전해졌다.
> – '여혐'날조됐던 '이수역 폭행 사건', 남녀 1명씩 벌금형으로 마무리
> (세계일보 2019.07.31)

386은 우리나라에 민주주의를 가져온 큰 공로를 갖고 있는 세대이다. 그러나 민주주의는 만드는 것도 어렵지만, 지키고 발전시키는 것이 더욱 어려운 체제이다. 민주화 세대 386은 꼰대 민주주의로 민주주의를 벽 안에 가두면서 국민에게 고통을 주는 괴물로 만들었고, 국민들은 정치 혐오감을 느끼고 있다. 민주화의 경험에서 나온 민주주의만을 강조할 것이 아니라 민주주의 역시 정부의 운영 체제라는 점을 잊어서는 안 된다. 유능한 정부를 만들어 내지 못하는 민주주의는 민주적이지도 않으며, 실패한 것이다. 이분법의 진영논리만 살아있는 꼰대 민주주의 386의 퇴장이

민주화의 완성이다.

2030 민주주의 "민주주의도 채찍이 필요하다."

386의 가장 큰 과오는 민주주의를 절대적인 것으로 만들고 이념의 벽을 세워 비판 자체를 말살시킨 것에 있다. 민주주의는 어디까지나 사상이고, 정치체제이다. 권위주의, 절대왕정, 전체주의 등의 과거 사상·체제와 같이 더 나은 것이 등장하면 사라질 수도 있다. 물도 고이면 썩는 듯, 사람들의 생각도 틀 안에 고정되어 버리면 썩게 된다. 민주주의를 둘러싼 절대적 장벽을 과감히 허무는 것이 민주주의를 살리는 길이다.

민주주의가 보는 인간상은 어떠할까? 민주주의는 인간에 대해 부정적이다. 적어도, 긍정적으로 바라보지 않는다. 인간은 불완전한 존재이기 때문에 진리를 독점하지 않는다고 생각한다. 즉, 민주주의는 누가 진리를 말할지 모르는 상태에서 상대성을 인정하고 서로 경쟁하고 견제하도록 만든 것이다. 삼권분립의 원칙과 권력의 상호 견제 원리는 이러한 인간상을 고스란히 드러낸다. 과거 왕권, 봉건 영주의 덕성과 인치에 기초하여 국가를 운영해왔던 역사는 그 배경이 되었다.

민주주의를 이해하고 실천하는 것은 쉽지 않다. 민주주의에 대한 이해를 넓히는 가장 효과적인 방안이 민주주의에 대한 비판적 논의와 논쟁을 부활시키는 것이다. 현재 우리 사회의 근본 문제는 이성적 논쟁이 숨 쉴 공간이 없다는 것이다. 이제 다시 제약된 언어를 벗어나 자유로운 사고와 비판적 논의를 부활시킬 때가 되었다. 획일화를 지양하고 다양한 견해와 주장들이 자유롭고 평등하게 표출될 수 있어야 한다.

더 나아가 운동으로서의 민주주의와 정치로서의 민주주의라는 민주주의의 양 축이 균형적으로 작동해야만 민주주의는 발전할 수 있다. 균형의 핵심은 대의민주주의와 직접민주주의에 대한 고정관념을 깨는 데에 있다. 시민의 참여, 시민의식을 강조하는 것만이 민주주의라는 이분법적 사고를 벗어나 정부 형태, 통치체제인 민주주의의 제도화에 더 많은 관심과 노력을 기울일 필요가 있다. 민주주의를 엘리트주의의 반대로 읽는 것역시 사라져야 할 고정관념이다. 대중 대 엘리트의 이분법적 대결구도를 버려야 한다. 민주주의의 핵심은 다양성이다. 다양성이 확보되기 위해서는 소수의 의견도 충분히 존중될 수 있어야 한다.

정부는 국민의 의사를 수용하기도 하지만, 때로는 설득도 해야 한다. 국민의 의사라고 하여 위기를 방조하고 때로는 자기세력의 정치적 이득을 위해 부추기는 행태는 민주주의에 전혀 도움이 되지 못한다. 민주주의가 완전한 체제가 아니라는 것을 인정하는 한 직접민주주의는 대의민주주의에 비해 우월하지 않고, 어느 한 제도도 완벽할 수 없다. 민주주의가 시민의 참여만으로 운영되지 않는 국가의 운영 시스템이라는 것을 우리는 기억하고 비판적이고 동태적인 균형감각을 잃지 말아야 할 것이다.

민주주의 해방

민주주의의 태초는 고대 아테네와 로마 공화정에서 찾는다. 그러나 제한된 사람들에게만 시민권이 부여되었고, 민주주의란 문명화된 시민에게 부여되는 특권과도 같은 것이었다. 현재 우리가 생각하는 민주주의의 시작은 영국과 미국이다. 영국에서 민주주의는 왕권을 제한해 의회를 탄생시킨 대헌장에서 뿌리를 내리기 시작했다. 이는 명예혁명에 이르러 입헌군주 의회 민주주의를 탄생시켰다. 미국은 태생적으로 민주주의 국가였다. 미국 건국의 아버지들은 권력의 견제와 균형을 중시하며, 공화주의 제도를 구축해 민주주의에 결합시켰다. 영국과 미국 모두 계몽주의의 영향 속에서 인간이 가진 천부 인권을 기반으로 민주주의를 꽃피웠고, 공교롭게 모두 대의민주주의를 채택했다.

왜 민주주의의 시조들은 대의민주주의를 채택했을까? 이 질문에 대해 386은 직접민주주의를 할 수 있는 형편이 되지 못했기 때문이라고 답하겠지만, 이는 답이 아니다. 이들이 대의민주주의를 채택한 것은 인권을 보호하고 실현하기 위해 가장 적합했기 때문이다. 이들은 탁월함의 미덕을 가진 사람들을 매개로 하지 않는 한 민주주의는 위험에 빠진다고 생각했다. 다수의 이름으로 소수를 탄압할 수 있기 때문이다. 역사를 대중의 격정에 따라 개조하려는 어떤 시도도 그 의도와는 다르게 역사를 전제적 민주주의라는 엉뚱한 방향으로 몰아넣을 위험이 있다. 미국 건국의 아버지들 역시 민주주의 정신을 살리며 다수의 전횡을 방지하는 한편, 진정한 대표성을 발휘하는 대표들을 탄생시킬 방안을 찾았다. 결과적으로 이들은 그 끝에 다수의 폭압을 방지하기 위해 공화주의를 강조했고, 법치주의를 보루로 삼았다. 그 결과 탄생한 것이 대의민주주의인 것이다. 대의민주주의는 엘리트주의와 민주주의의 적절한 타협이며, 어쩔 수 없는 결과가 아니라 매우 의도적으로 선택한 대안이다. 인권과 민주주의의 생존을 위한 대의민주주의의 선택이 현대사회라고 해서 쉽게 변화되지는 않는다. 대중에 의한, 대중에 의존하는 민주주의 자체가 민주주의를 파괴할 위험성을 내재하고 있기 때문이다.

민주주의의 탄생 과정을 보면, 자유와 민주주의가 별개가 아님을 알수 있다. 영국의 대헌장은 인신의 구속을 함부로 하지 못하게 왕권을 제한한 것에서부터 시작했다. 이후 경제적 자유, 양심과 종교의 자유는 인간의 천부적 권리로 자리 잡았다. 미국의 독립선언문은 창조주가 부여한 권리로 생명, 자유, 행복을 순서대로 나열했고 이는 생명에서 부여받은 자유를 통해 행복을 추구하는 것을 의미했다. 다수의 횡포는 소수를 억압하는 과정 속에서 개인의 자유를 말살시키고 자유가 없는 민주주의는 생존할 수 없다. 반대로 말하면, 민주주의를 지키는 길은 자유를 보호하고 발전시키는 데에 있다는 것이 된다. 따라서 386이 만들어 놓은 직접민주주의에 대한 환상을 깨고 민주주의를 부활시키기 위해서는 자유주의가 필요하고, 자유주의가 강조되고 실체적으로 구현되는 민주주의 제도인 자유민주주의의 헌법 가치를 확고히 해야 한다.

386의 민주화 운동을 보면, 그 이슈와 과제의 대부분이 자유를 내세웠다. 권력에 대한 저항, 표현과 사상의 자유, 소수자 보호 등이 민주화 운동의 중심을 이뤘다. 그러나 이들은 한편으로 사회주의와 사회민주주의의 평등의 가치를 동경했다. 빈부격차의 해소와 복지는 이들의 지향점으로 작용했다. 이들은 자유를 수단으로 생각하고 평등을 목적으로 생각했던 것이다. 모순적이게도 자유는 권력의 후퇴를 요구하고 평등은 권력의 진격을 요구한다. 386이 집권 전의 자유와 민주주의의 투사에서 집권 후 권위주의의 과오를 답습하는 국가주의적 민주주의 이른바 꼰대 민주주의를 만드는 근본적 원인은 여기에 있다.

근원적으로 민주주의의 후퇴를 막고 자유민주주의의 가치를 보호하기 위해서는 '사람'에 초점을 둘 것이 아니라 '제도'에 초점을 두어야 한다. 특정 정치세력이 권력을 얻었다 하여 쉽게 체제적 위협을 가할 대변화를 추진할 수 없도록 해야 한다. 우리는 미국의 제도로부터 힌트를 얻을 수 있다. 미국은 권력의 자의적인 혁명 가능성을 온전히 차단했다. 그 핵심에는 완벽한 권력의 견제와 균형이 있다. 삼권분립의 원칙 위에 사법부의 독립과 우위를 보장했다. 이에 권력을 잡았어도 그 의지대로 모든 것이 좌우되지 않으며, 질서 있는 변화를 모색하도록 강제한 것이다. 우리 역시 대통령제를 취하고 있는 만큼 권력의 견제와 균형이 절실하다. 대통령에게 집중된 권력을 분산하고 사법부의 독립을 완성시키는 것이 첫 과제가 될 수밖에 없다. 민주주의를 되살리는 길은 자유의 토양에서 사회의 다양성을 배양하고 권력의 자의적인 사용으로부터 이를 보호하는 것이다.

CVID 자유주의의 새시대

밀레니얼 세대에서 같은 세대라고 하여도 모두가 같은 생각을 갖지 않는 다원화된 문화와 다채로운 성격이 뚜렷해졌다. 여기에는 다양한 배경이 있다. 밀레니얼은 빠른 기술 발전과 문화 개방에 따라 각자의 개성이 강조된 시대를 풍미했고, 낮은 출생률과 맞벌이 부모님의 환경 속에서 개인을 더욱 중시했다. 집단에 대한 강한 소속감, 연대감, 충성심이 아니라 개성에 맞는 집단에 느슨하게 속해 있고, 선택에 따라 자유롭게 이동한다. 밀레니얼에게 있어 개성에 따른 개인의 자유로운 선택은 존중되어야 하는 당연한 것이다. 좀처럼 종잡을 수 없는 밀레니얼 세대를 관통하는 다른 하나의 특징은 '공정'이다. 밀레니얼은 IMF와 2008년 금융위기 당시의 대규모 구조조정의 여파로 부모님과 주변 지인들이 해고되는 모습을 보면서 자라왔고, 때로는 취업전선에서 그 직접적인 피해를 경험하기도 했다. 이 국가적 대형 사건은 밀레니얼에게 안정적인 삶의 길을 빼앗았고, 기존의 사회에 대한 변화를 요구함과 동시에 더 이상 주어진 것을 그대로 받아들이고 신뢰하지 못하게 했다. 그 과정에서 밀레니얼은 사회에 투명성을 요구하고, 부당함과 비합리에 과감히 이의를 제기했다. '공정'과 '자유'의 가치는 밀레니얼 세대에게 '공정한 경쟁을 할 자유'로 융합된다.

'공정'과 '자유'를 추구하는 밀레니얼 세대에게 민주주의는 가장 잘 맞는 옷이라고 할 수 있다. 민주주의는 기본적으로 다양성에 근거해야만 건강해질 수 있다. 다양한 의견이 서로 충돌하고 설득하는 과정에서 소수를 존중하는 다수를 만들 수 있고, 다수를 존중하되 소수를 배려하는 것은 민주주의의 핵심이다. 더 나아가 자유로운 경쟁을 인정한 공정은 민주주의의 훌륭한 지향점이 될 수 있다. 정부의 과도한 진격을 요구하는 공정이 아니라 자유로운 경쟁을 인정하고, 정부의 역할을 이를 수호하고 보장하는 것에 한정한다는 것은 민주주의가 정부에 의해 비민주적으로 변화하지 못하게 하는 중요한 보호 장치로 작동해줄 것이다.

다만, 밀레니얼의 특성이 무조건적으로 민주주의를 발전을 보장하지는 않기에 제도를 통해 일정한 가이드라인을 부여할 필요가 있다. 그 핵심은 권력의 분산과 균형에 있다. 정부와 대통령에 과도하게 집중된 권력을 국회에게 수평적으로, 지방자치단체에 수직적으로 분산시키고 균형을 유지하는 것이다. 더 나아가 국회와 지방자치단체 내부에서도 권력의 견제가 작동할 수 있도록 해야 한다. 국회 구조와 지방의회의 문제는 여기서 중요하게 다뤄져야 한다. '제도화'의 방점을 두고 자유와 다양성, 공정의 가치를 위한 완전하고, 검증 가능하고, 불가역적인 자유민주화 CVID(Complete, Verifiable, Irreversible Democracy)가 필요하다.

우리 역사에는 국가, 민족, 가족을 위해 개인이 희생된 시대가 존재한다. 이들 산업화 세대는 한강의 기적이라 불리는 경제적 번영을 가져왔지만, 민주주의와 개인의 권리는 무시되고 배제되었다. 우리 역사에는 잃었던 권리를 되찾고자 일어섰던 시대도 존재한다. 대한민국에 민주화를 가져왔지만, 투쟁과 대결로 다져진 이분법적 진영논리 속에 민주화를 완성시키지 못했다. 이전 세대가 일궈놓은 산업화와 민주화는 우리에게 발전과 동시에 많은 과제를 남겼다. 이제 진짜 민주화를 완성시키고, 공고화시키는 일이 남아 있다. 밀레니얼 우리는 개인의 희생과 진영의 시대를 넘어 자유와 공정의 새로운 시대를 열어가고자 한다. 진정으로 자유로운 개인들이 자발적으로 연대하는 그래서 다양하고 다채로운 대한민국을 향한 여행은 시작되었다.

밀레니얼
386시대를 전복하라

밀레니얼

386시대를 전복하라

4부

386 정치세력은
왜 희망을 주지 못하는가?

90년생은 오고, 386세대는 부상하고 있다. 4차 산업 혁명의 주요 변곡점을 지나고 있는 지금, 80년대 민주화를 이뤄낸 386세대가 주요 세력으로 재등장했다. 1980년대에 새로운 희망을 만들어냈던 그들이 과연, 새로운 변화와 희망을 만들어내고 있는가. 자신들에게 바라는 국민적 염원을 책임감 있게 받아들이고, 그 역할을 잘 해내고 있는가. 반성의 대상으로 몰락해버린 자신 스스로를 부끄러워하고 성찰하고 있는 자들이 과연 있는가.

밀레니얼 세대가 향후 포스트 386세대가 되지 않기 위해 무엇이 달라야 하는가. 철저한 비판적 자세로 386세대를 바라보았으며, 자기성찰적 자세로 우리 세대의 역할에 대해서 다루었다.

———
송보희

4부.
386 정치세력은 왜 희망을 주지 못하는가?
-밀레니얼세대가 말하는 386 이야기-

송보희

386세대의 부상, 왜 지금인가.

장안에 화제였던 '90년생이 온다'에 버금가는 386세대의 부상이 연일 화제이다. 인터넷 검색창에 '386'이라는 키워드를 검색해보면 386세대를 분석하고, 그들에 대한 날카로운 평가와 염려가 하루에도 수십 건씩 올라온다. 단순히 세대 차원의 부상을 넘어서, 해당 세대를 대표하는 인물들을 중심으로 TV에서, 언론에서 연일 집중 조명하고 있다. 도대체 왜, 하필 지금 386세대가 부상하고 있는가. 그 이유에 앞서 386세대에 대해 다양한 관점에서 정의해보자.

흔히 이야기하는 386세대의 사전적 정의는 이러하다. 지금은 50대가 된, 60년대에 태어나, 80년대에 대학에 입학한 세대로 이제는 586이라고 불러도 좋은 세대이다. 산업화 세대부터 X세대까지가 소위 '기성세대'로 불리는 사회를 이끌어가는 주축 세력이고, Y세대와 Z세대가 현재 청년으로 불리며, 사회에 막 진출하는 '젊은 세대'로 분류될 수 있다.

기성세대와 젊은 세대는 전혀 다른 생활패턴을 갖고 살아간다. 특히 빠르게 변화하는 시대 흐름 속에 디지털 기기의 터치 화면을 자유롭게 조정하고, 태어날 때부터 유튜브를 보면서 자란 젊은 세대들은 사회에 규정된 기준보다는 나만의 기준을 형성하며 살아가려는 가치관이 뚜렷한 만큼 과거 기성세대가 보여 주는 삶의 방식과 인식과는 많은 차이를 보인다. 각 세대는 그들이 시기별로 처한 환경과 크고 작은 사건들로 인해 공유하는 감정과 그로 인한 기질이 저마다 다르다. 기성세대 중에서도 386세대는 20대의 혈기왕성한 젊은 시절 80년대 민주화를 위해 격렬하게 싸우고 투쟁하여, 쟁취한 승리의 경험이 있는 세대이다. 직접 참여했건, 하지 않았건 그 시절 '대학생'들이 주도한 권력을 향한 저항과 투쟁의 역사가 감정적으로, 의식적으로 동 세대 간 꽤 끈끈하게 공유되고 있다.

이러한 경험 속에 386세대는 대체로 정치적 주체의식이 높으며 지금의 '젊은 세대'와는 다르게 개인보다는 집단주의 문화에 익숙한 세대이기도 하다. 반면, 경제적으로는 풍요로운 시기에 성장하여 성인이 된 이후 비교적 쉽게 취업하여 경제활동을 이어갈 수 있었다. 현재를 삶아가는 젊은 세대들에게는 그저 꿈같은 이야기가 아닐 수 없다.

산업화세대		베이비부머 세대	
1940~1954년 출생		1955년~1963년 출생	
한국전쟁, 8.15 광복		5.16 군사정변, 새마을 운동	
개인의 희생으로 산업화를 이끈 세대 개인보다는 생계를 부양하고 노동이 중심이 되던 세대		무에서 유를 창조한 세대 IMF 경제 위기로 구조조정 당한 세대 마지막 주판 세대	
386세대		X세대	
1961년~1969년 출생		1970년~1980년 출생	
6.10 항쟁, 민주화 운동		성수대교, 삼풍백화점 붕괴	
학생운동, 민주화 투쟁 개혁을 지지하는 진보 성향 집단주의 문화에 익숙		신세대 시초 워크맨과 삐삐 사용 세대 서태지와 아이들, 대중문화 1994년 처음 수능 경험 경쟁지향적 문화에 익숙	
밀레니얼세대(Y세대)		Z세대	
1980년~1994년 출생		1995년~2005년 출생	
월드컵, 외환위기, 인터넷		금융위기, 4차 산업혁명 시대	
베이비부머 자녀 세대 디지털 기기 익숙 청년실업 심화 시대 주체적인 삶을 원하는 세대 소유보다 경험, 구독하는 세대		X세대의 자녀 세대 유튜브 세대 완벽한 개인주의 나만의 개성 중시 세대 제로 텍스트를 이끄는 세대	

〈산업화세대→베이비부머→X세대→밀레니얼세대→Z세대.한국경제, 2018. 10. 15.표 일부 재가공〉

현재 대한민국 구조에서는 50대가 다양한 분야에서 주류를 형성한다. 저마다 사회적 위치에서 가진 결정 권한, 그동안 쌓아온 인맥과 자본, 역량과 능력이 최대한 발휘되는 시기가 그즈음인 것이다. 2019년을 살아가는 현재, 어찌 보면 386세대가 주류를 형성하고 있는 것은 나이로 따져봐도 당연한 순서로 여겨지기도 한다. 그들도 노력하고 쟁취해, 그 위치에 올라갔을 것이고 무엇보다 젊은 시절 국가와 국민을 위해 개인적 삶을 희생하며 민주화를 이뤄내는 데 역할을 했다는 과거가 현재 그들의 사회적 지위와 권력에 대한 정당성을 부여하고 있다.

그러나 경제가 저성장 구조로 굳어지며 청년 실업난이 연일 사상 최대를 기록하며 노동 시장에 첫발을 디디는 것조차 어려운 이 시대. 반면, IT 인프라를 기반으로 사회참여는 확대되고 활성화되는 지금의 시대에, 사회 중심축에서 굳건하게 자신들에게 유리한 고지를 점령하고 청년들에게 길을 터주지 않는 기성세대, 특히 386세대에게 비판의 화살이 향하는 것은 당연한 일이다. 오히려 70대, 80대 어르신들은 '젊은 세대들에게 기회를 주지 못해 미안하다'고 이야기하지만, 한창 '잘나가는'386세대들에게 젊은 세대, 미래세대들을 돌아볼 여유는 없는 듯하다.

집권세력으로 등장한 386

386세대를 정의할 때 통상 따라오는 연관어는 '운동권'이다. 그리고 그들을 통칭할 때 '세력'이라는 단어가 뒤따른다. 대한민국에서 386세대라는 단어는 다른 세대와는 다르게 정치적 용어이자 표현이 되었다. 386

세대는 때론 특정 정치 집단을 의미하기도 하고, 특정 인물을 지칭하기도 한다. 특히 정치 분야에서 부각이 되는 이유는 현재 386세대들이 주요 정치세력으로 재등장하고 있기 때문이다. 그리고 그들이 주요 정치세력으로 등장할 수 있었던 주요한 요인은 그들이 겪은 시대적 상황과 정치적 경험이 자산이 되었다.

386 운동권 세력은 2002년 노무현 정부 시절, 주요 정치세력으로 부상했다. 단 30대 후반에서 40대의 젊은 나이에 청와대에, 그리고 주요 관직에서 큰 영향력을 행사했다. 그리고 현재 50대가 된 386세대들이 또다시, 그리고 더욱 막강한 집권세력으로 등장했다. 과거, 정치적 쟁취를 이뤄낸 386세대는 더욱더 공고하게 그들의 기득권을 지키는 데 집중하고 있다.

독과점 386

IMF 경제 위기로 구조조정을 당했던 베이비부머 세대의 빈자리를 메꾸며 노동시장에 진출한 386세대는 그 이후 안정적으로 경제, 사회활동을 이어나갔고, 자본을 축적하며 지위를 공고히 해나갔다. 자의든 타이든 베이비부머 세대가 나간 그 자리를 386세대가 이어받았지만, 그 이후 젊은 세대들이 들어갈 자리는 더 적어졌고, 386세대의 자리는 더 공고해졌다.

후세대가 용납하기 어려운 것은 386세대들이 자신들만의 이너서클을 구축하는 데 있다. 개인주의보다는 집단주의 인식이 강한 386세대들은 전체주의 경향이 짙다. 그리고 그 집단 내 의견을 함께하고 때로는 전체를 위해 '개인'이 희생하는 것을 당연하게 여기기도 한다. 그러다 보니 자신들의 의견과 함께하는 내부 집단과 그 외의 집단으로 이분화하기도 한다. 내부로는 모든 소스를 동원해 끌어주고 도와준다. 이너서클(inner circle)에는 넓게는 세대 전체를, 좁게는 가족과 동료, 동료의 가족까지 포함된다. 이너서클 내에 반대는 있을 수 없고, 서로의 성공을 위해 밀어주고 끌어주는 강한 연대의식이 존재한다. 그리고 이들이 모든 것을 독점한다. 그 과정은 전혀 도덕적이지 않으며, 그들의 자녀에게 세습화되기도 한다.

그 과정에서 이너서클 밖에 있는 이들은 노력해도 극복되지 않는 사회적 격차와 정의롭지 않고 불공정한 사회 구조 속에서 노력을 평가받을 기회조차 얻기 어렵다고 느끼며 살아간다. 나를 둘러싸고 있지만 내가 결정할 수 없는 외부 조건과는 관계없이, 개인의 노력과 능력만큼 보상받을 수 있는 공정한 사회를 그 어느 세대보다 간절히 바라는 밀레니얼 세대에게 이러한 386세대의 행태는 폭력적이기까지 하다.

집권 386의 대표주자이자 문 정부의 핵심 인물인 조국 법무부장관 딸의 입시비리 의혹에 대해 민주당 의원들은 '누구나 노력하면 접근할 수 있는 기회였다'는 해명을 내놓았다. 정치적 유불리를 떠나, 진영을 떠나 정말 과연 그렇게 생각하는 것일까. 고등학생이 단 2주 만에 논문의 제1저자가 되는 것이, 사실상 합격의 당락을 좌우하는 시험으로 평가받지 않고 대학교에서 의전원까지 이어서 입학할 수 있는 것이 정말 누구나 노력하면 접근할 수 있는 기회인가.

성장하는 경제, 민주화운동의 훈장으로 빠르게 진출할 수 있었던 사회 상황 속에서 '꽤' 성공 가도를 달리고 있는 386세대가 자신의 기득권을 유지하는 것을 넘어서 그들의 주변인들에게, 그리고 특히 자녀들에게 기득권을 대물림하고 있다. 기득권에 투쟁하며 민주화를 부르짖었던 그들의 현재 만행이 이 땅의 청년들을 분노하게 만들었고, 무엇이 정의롭고 도덕적이고 상식적인지를 분간하지 못하는 눈먼 정치인들이 청년들을 두 번 죽였다.

정치적으로 과대 대표되는 386세대의 권력 독점화 현상도 우려되는 지점 중에 하나이다. 국회의원뿐 만이 아니라 청와대 인사까지 386세대가 차지하는 비율은 꽤 높다. 20대 국회의원 중에서 50대는 전체 300명 중 161명으로, 절반을 넘는 수치이다. 임종석, 조국, 이인영 등 정치에 관심 없는 국민도 한 번쯤은 들어봤음 직한 인물에 386 정치인도 많다.

대표성이 중요한 정치에서 특정 세력, 집단의 비율이 과도하게 높은 것은 경계해야 한다. 과 대표되는 집단이 있다는 것은, 반대로 과소대표되는 집단이 있다는 것이다. 이렇게 깨져버린 균형은 왜곡을 초래하고, 더 나아가 그들이 그토록 지키고자 했던 민주주의를 훼손시킨다.

386세대야말로 일부 진영에서 대기업을 비판하는 주장에서 빗겨나질 않는다. 오히려 비슷한 양상을 보인다. 모든 분야에 뿌리내려 자신들의 권력으로 자리를 차지하고, 수직계열화를 통해 '이너서클'을 끌어주고, 이너서클 밖의 젊은 세대들의 진출을 가로막는다. 모든 것을 독점했다. 그리고 청년들에게, 자식 세대에게 미안하다고 이야기한다. 386세대들에게 모두를 위한 상생 노력도, 낙수효과에 대한 기대도 더 이상 하기 어렵다.

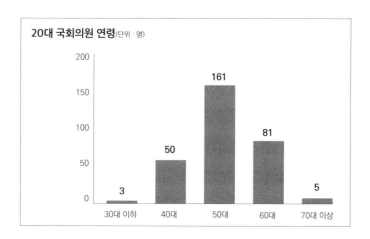

386세대가 헬조선을 만들었다? 동의하지 않는다!

386세대가 지금의 '헬 조선'을 만들었다고는 생각하지 않는다. 그것은 암기 위주의 공장식 교육, 신산업이 등장하기 어려운 규제 중심의 산업 생태계, 미래 먹거리로 나아가지 못하고 저성장 기조에 빠져드는 한국 경제, 개인의 역량과 자유, 창의가 살아나지 못하고 권위주의적인 사회 분위기와 문화, 신뢰할 수 없는 정치, 미래에 대한 불안감 등 고질적인 대한민국의 문제가 켜켜이 쌓여 만들어진 현상이다. 어느 한 인물이, 어느 정치인이, 어느 세대가 만들어 낼 수 있는 '사이즈'가 아니다.

그러나, 386세대가 움켜쥔 권력과 영향력이라면 지금의 상황을 개선할 수 있을 것이라 생각한다. 적어도 그들에게 희망을 품은 국민들이 존재했다. 사회 전면에 주요한 역할을 하는 386세대들이 가진 막강한 권력을 유용하게, 지금의 시대가 올바른 방향으로 나아갈 수 있도록 하는 데 영향력을 발휘할 수 있기를 기대했다. 그리고 지금의 386세대를 향한 비판은 기대와는 다르게 그에 대해 노력을 하지 않고 있고 오히려 상황을 극심하게 악화시키고 있는 것에서 기인한다. 과거 암울하고 절망적인 현실을 타개하고자 격렬하게 투쟁하여 승리한 그들은 온데간데없고, 발전적이거나 미래지향적인 변화를 전혀 만들어내지 못하고 있다.

1980년대에는 누구보다 변화를 바라며 새로운 희망을 만들어냈던 그들이 국가와 사회의 방향을 이끄는 정치 주요 세력이 되었지만, 희망보다는 우려를 더 많이 자아내고 있다. 현실에 안주하고, 과거의 승리에 도취하여 자신들이 타도한 그 시절의 정치 세력, 권위주의적인 기득권 세력의 모습을 닮아가고 있는 것은 아닌지 자문해봐야 한다.

386세대가 이 시대에 해야 하는 역할은 해 내주어야 한다. 그들이 과거에 가졌던 의협심과 정의를 뿌리 삼아 국가와 국민이 발전하고 잘 살 수 있도록, 공적 책무감을 가져야 한다. 그리고 산업화 세대와 젊은 세대와의 중간자 위치에서 균형과 조정을 해내는 시대적 역할 또한 소홀히 해서는 안 된다. 자신이 가진 역량과 권한을 '내가 그동안 희생한 것에 대한 보상'을 받는 데 집중하고, '나와 같이 고생한' 사람들에게만 과실이 열릴 수 있도록 자신의 권력을 사유화하는 것이 아닌, 그들이 그토록 원했던 국가 발전과 국민의 행복을 위해, 지금보다 나은 희망을 만들기 위한 변화를 만들어 내야 한다.

자신들의 희생이 얼마나 처절했을지, 그 희생을 알아주고 그 노고를 인정해달라고 하는 것이 아니라, 어른답게 내가 겪은 어려움은 여기서 끝내고 다음 세대들의 안녕을 위해, 새로운 변화를 위해 국가 제도를 설계하고, 문화를 만들어내는 것이 그들이 할 수 있는, 그리고 우리가 기대하는 역할이었다. 젊은 세대들의 사회참여에 대한 열망이 계속 높아지는 만큼, 그들이 과거 청년 시절부터 지금까지 정치세력으로서 걸어온 그 과정을 후배들에게 전이하고, 일찍이 경험할 수 있었던 정치적 자산을 나누며, 후배들을 양성하는 데 힘을 쏟아야 했다.

그러나 현실은 암담하다. 그들이 젊은 시절 그토록 만들고자 했던 나라의 모습은 과연 어떠했을까. 이제는 가늠조차 하기 어렵다. 과연 지금의 나라가, 본인들이 그토록 염원했던 나라의 모습인지, 묻지 않을 수 없다.

빛바랜 영광, 386세대의 무능함

젊은 세대들은 386세대를 보고 꿈을 키워왔고, 선배로 존경하며 따라왔다. 사회적으로도 386세대의 어깨에 짊어진 무게감은 절대 가볍지 않았다. 지금 386세대들이 위치한 지위와 그들이 가진 권력과 영향력은 과거 민주화운동 전력에 대한 보상 차원이 아니다. 그들의 역량과 능력을 지금 시대에도 힘껏 발휘해 오롯이 좋은 결과를 만들어내야 하는 의무감이 있는 자리였다.

그러나, 현재 그들의 도덕적 자질은 논외로 하더라도 국정 운영에 유능함과 탁월함을 전혀 보여 주지 못하고 있다. 자신들에 대한 기대감과 함께 올지도 모를 실망감이 두려워서라도, 그 기대를 성과로 옮기기 위해 사활을 걸고 임해야 했다. 386세대에게 내려진 시대적 사명이 무엇인지 진지하게 고찰하고 성찰하여 마땅히 해야 할 임무를 수행해야 했다.

그들로 하여금 소수의 특권의식이 없어지고 과거 권위주의에서 탈피해 수평적 문화가 안착하기를 기대했다. 그러나 386세대를 포함해 기성세대의 여전히 '우리 때는 안 그랬어'라는 식의 상대방을 이해하려 하지 않는 권위주의적인 모습과 소수만이 배려 받는 특혜 행태가 교육과 노동 분야 곳곳에서 드러나며 젊은 세대의 분노를 불러일으키고 있다.

386세대는 세대 사이에서도 아무런 유연성을 발휘하지 못하고 있다. 회사 내에서 젊은 세대들의 변화하는 가치관을 이해하려고도 하지 않고 과거의 케케묵은 직장 문화를 강요하는 상사만이 존재한다. '사회생활은 원래 그런 거야'라고 이해시키려 하지만, 젊은 세대들에게는 그 설명이 전혀 먹히지 않는다. 젊은 세대들의 가치관은 인정해주지 않은 채 '윗사람'으로서 자신들의 인식과 관점으로만 강요하는 것은 권위주의적인 강압적 행동이라고밖에 해석되지 않는다. 과거 권위주의와 독단의 리더십에 맞섰던 그들은 과연 어디에 있는가. 위치가 바뀌었다고 해서, 상황에 따라 바뀌는 것이라면, 그것은 신념이 아니라 위선이고 거짓이다.

특히 집권 386이 보여 주는 모습은 더욱 실망스럽다. 민주주의 발전을 위한 기여보다는 자신들이 속한 이념, 정당 외에는 선이 아닌 것처럼 선악을 구별하는 정치를 하고 있다. 민주화를 부르짖었던 그들이 오히려 민주주의를 퇴보시키고 있다. 자신과는 다른 이념을 인정하지 않은 비민주적 행태까지도 보인다. 21세기의 대한민국 정치는 민주적인 대화와 타협, 발전의 정치가 아니라 세력과 프레임으로 점철되어 있다. 그리고 아무도 거기에 브레이크를 걸지 못하고 폭주하고 있다. 161명의 386세대의 정치인들이 너무나 안락한 모습으로, 변화하려는 노력의 기미도 보이지 않은 채 그 안에 포함되어 있다.

그뿐만 아니라 대한민국의 미래 비전과 발전을 위한 리더 역할을 전혀 해내지 못하고 있다. 국가 발전을 위해서는 공정과 자율을 근간으로 미래지향적이고 지속 가능하며, 기술 기반의 효율성이 증대될 수 있는 방향의 정책과 제도가 설계되어야 한다. 젊은 세대들은 4차 산업혁명 시대에 걸맞은 진보적인 변화를 기대했으나, 오히려 대한민국은 보수화되고 있고 활력은 줄어들고 있었으며, 퇴보하고 있다고 느낀다. 세계 트렌드와 글로벌 의식이 부재한 채 대한민국이 세계 변화에 적응하여 경쟁력을 강화되는 정책보다는 선입관에 집착하는 정책, 현실에 역효과를 내는 정책을 주장한다. 과거에 머문 구시대적 발상과 미래를 전혀 선도하지 못하는 국가 미래전략 역량 부재로 인해 실력 있는 인재는 해외로 떠나고 있고, 사회의 공정성과 신뢰는 바닥으로 떨어져 사회 분노와 갈등은 극에 달하고 있다.

경제는 말할 것노 없다. 이 시대를 살아가고 있는 국민들은 지금 경제 상황이 IMF 때보다 더 어렵다고 이야기한다. 누구보다 진보세력이고 저항세력이며, 혁신세력이라 자부하는 386세대가 이끄는 대한민국 모습은 과연 어떠한가. 그 누구도 긍정적으로 대답하기 어려울 것이다. 이쯤 되면 묻지 않을 수가 없다. 그들은 자신들에게 소임과 책무감을 이해하고는 있을까. 자신들의 그동안의 성과는 무엇이고 부족한 것은 무엇이었는지 성찰해보기는 했을까. 그들 스스로 자신들에게 바라는 국민적 염원과 역할이 무엇인지 명확하게 대답할 수 있는 인사가 얼마나 될까.

실제로 그들이 어떠한 노력을 해왔는지는 가늠하기 어려우나, 결과로만 따져봤을 때 그 노력은 실패했다. 어려운 시기에 대단히 중요한 역할을 해 내주리라 기대했던 386세대가 제 역할을 해주지 못하고, 오히려 국가, 사회 발전을 퇴보시키고 있다. 상황이 이러한 지경까지 왔지만, 여전히 집권 386들은 자신들이 '옳다', '잘하고 있다', '지금의 상황은 내가 아닌 다른 사람의 탓이다'라고 말한다. 반성하고 성찰하고 부끄러워하는 자들이 눈에 띄지 않는다.

기대에 못 미치는 그들의 아집과 무능함이 되려 그들이 해낸 과거의 영광에 먹칠하고, 빛을 잃게 만들고 있다. 젊은 사람들은 더는 그들을 롤모델로 삼지 않는다. 그들에게서 무엇을 배우고 싶다는 이야기가 나오지 않는다. 오히려 비판의 대상이자 반성의 대상으로 분류되고 있다. 이것이 현재 밀레니얼 세대들이 바라보는 386세대의 정의이자 현황이다.

밀레니얼, 386세대와 다를까?

　젊은 세대도 언젠가는 기성세대가 된다. 나이가 들고 축적되는 경험 치와 역량만큼 사회 주류 세력으로 역할을 하게 될 것이다. 그 시절 우리 는 과연 후배, 미래세대들에게 어떤 평가를 받게 될 것인가. 우리는 과연 386세대와는 다른 평가를 받을 수 있을까?

　자신 있게 그렇다고 대답할 수 없다. 아마 대다수 사람이 공감할 것이 다. 만약 그렇다고 자신 있게 대답하는 사람이 있다면 그 사람을 조심해 야 한다. 스스로를 경계하지 못하고 수신(修身) 하지 못하는 사람은 그 어 느 때고 나도 모르게 내가 비판했던 기성세대와 똑같은 모습이 될 수도 있다. 지금의 386세대가 그런 것처럼.

　유념해야 할 것은 미래의 사회 주류세력이 될 우리들이 지금의 기성세 대를 보며, 그들이 갖춘 도덕성과 자질을 보고 반성과 성찰을 해야 할 영 역이 적지 않음을 오롯이 느끼는 것이다. 잘못되었다고 느끼는 불공정성 과 분노가 타인으로만 향할 것이 아니라, 나 자신에게 화살을 돌리고 고 찰해야 한다. 그리고 그 영역들을 우리 스스로 메꿔나가고 뛰어넘어 발전 해야 한다. 지금 많은 국민은 정치권의 변화, 세대교체, 인물 교체를 원하 고 있다. 과거 386세대에게 기대했던 역할이기도 하다. 대외적으로 격동 의 변화를 앞둔 대한민국 사회에서 아무런 이해관계가 없는 젊은 사람들이 정치를 한다면 지금보다는 조금 나아질 것이라는 기대를 갖고 있기 때문이라고 생각한다. 지금보다는 조금 더 혁신적으로, 조금 더 새로운 정치를 해나갈 수 있을 것이라 믿고 있기 때문이다.

386세대가 군사독재를 반성으로 삼았으나 이분법에 여전히 갇혀 있는데 우리는 이를 넘어설 수 있을까? 선배 세력들을 성찰하고 다른 정치를 보여 줄 수 있을까. 완벽하게 할 수는 없을 것이다. 그렇다면 우리는 386세대에게서 어떠한 부분을 고찰하고 살펴봐야 하는가. 젊은 세대들이 386세대보다 나을 것이라는 막연한 기대감과 긍정적 시선은 경계해야 한다. 젊은 꼰대라는 말이 있듯이 나이가 젊다고 해서 새로운 정치, 좋은 평가를 받을 수 있는 것은 아니기 때문이다.

386세대, 기성세대들을 무작정 기득권이라 비판하고 그들의 자리에서 물러나기를, 그리고 그 자리를 젊은 세대들이 채우기를 바라는 것이 아니다. 그들이 노력을 통해 얻은 지위와 권력을 내려놓고 양보하기를 원하는 것이 아니라, 지금이라도 그들이 가진 영향력과 자질이 사회를 옳은 방향으로 변화시키고 활력을 찾게 하고, 희망을 품게 만드는 것에 쓰이기를 바란다. 그와 동시에 젊은 세대들도 그렇게 살아가겠노라 다짐하는 것이다.

무엇이 달라야 하는가?

　똑같은 오류를 범해서는 안 된다. 지금의 젊은 세대들이 느끼는 불합리하고 불공정한 행태들을 그대로 답습하면 안 된다. 젊은 시절 스스로 희생하고, 희생당한 것들을 인질 삼아 또 다른 나의 권리와 권력으로 행사하는 행위들을 두려워해야 한다. 내가 가진 권력을 내 것이라 여기면 안 된다. 손으로 움켜쥐고 놓지 않으려 해서는 안 된다. 손에 쥐어지는 순간조차 경계해야 한다. 손에 쥐어져 있을 때는 국민을 위해, 국가를 위해 행하고, 내 역할과 소임을 다하면 언제든지 떠날 각오가 되어 있어야 한다. 그리고 최대한 빨리, 늦지 않게 떠나야 한다.

　나만의 세계, 이념에 빠져 자기 오류에 빠지는 것을 경계해야 한다. 내가 노력하고 희생한 만큼 보상받으려는 심리는 일찌감치 없애야 한다. 선공후사의 자세로 개인의 영달보다는 공적 책무에 대한 의식을 갖춰야 한다.

　누군가에게 기회를 받기 위한, 비판을 위한 비판이 아닌 자기성찰과 반성으로 성장하는 우리가 되어야 한다. 집단의 오류에 빠져 내가 욕하는 권위적이고 '꼰대'같은 어른이 되지 않도록 살펴야 한다. 요구되는 역량을 높이기 위해 늘 공부하는 것을 게을리하지 않고, 독단과 위선에 빠지지 않도록 늘 자신을 경계해야 한다. 오히려 권력의 무게를 무거워하고, 때로는 두려워하며 책임과 의무감을 갖고, 성과를 내는 유능함을 보여야 한다.

새로운 변화와 희망을 만들어 내는 데 앞장서야 한다. 4차 산업혁명 등 글로벌 변화에 빠르게 적응하고, 새로운 시스템을 설계하기 위해서는 지식과 경험이 필요하다. 글로벌 의식과 세계 트렌드를 읽는 눈이 필요하고, 그에 맞춰 시대에 필요한 비전과 전략, 아젠다를 설정하고, 그에 대한 정책적 대안을 만들어 낼 수 있어야 한다.

나 스스로 모든 것을 다할 수 있고, 잘할 수 있다는 자만은 버려야 한다. 젊은 사람들은 아직 경험과 지혜가 부족하므로, 경험이 많고 연륜이 있는 기성세대들의 지혜를 보고 배워야 한다. 세대 간 갈등과 경쟁보다는 연대와 협력의 대상으로 바라보며 언젠가는 우리도 윗세대와 후배 세대의 연결고리 역할을 자처해야 한다.

가끔 자신에게 묻곤 한다. '내가 기성세대가 되었을 때 국민들이 세대 교체와 인물 교체를 원한다면, 나는 과연 어떠한 선택을 할 것인가, 과연 후배들에게 기회를 주고 스스로 물러서는 용단을 내릴 수 있을 것인가.' 해답은 구하지 못하더라도 항상 자문하며 자신을 질책하고 갈고닦는다. 그 누구도 자유로울 수 없다. 항상 성찰하고 반성하는 자세가 없다면 제2의 386세대, 지금 우리가 비판하는 기성세대의 모습과 같아질 수 있다. 그것을 늘 경계해야 한다.

밀레니얼
386시대를 전복하라

5부

'우리 민족끼리' 통일?

문재인 정부 출범 이후 통일에 대한 기대가 커지고 있다. 하지만 정작 우리가 왜 통일을 해야 하는지에 대해서는 국민적 합의가 이뤄지고 있지 않다. 왜 통일을 해야 하는 것일까? 과거 386의 낭만적인 북한관과 극단적 민족주의적인 통일관에 사로잡혀 아직까지도 우리 민족끼리에 머물러 있는 통일에 대한 논의. 이제 그 패러다임을 전환해야 할 시점이다. 북한의 비정상국가 행태, 그리고 그 폭압 속에서 살아가는 북한 주민들이 우리 통일에 대한 진정한 명분이 되어야 하지 않을까? 남과 북의 시민들의 자유와 인권의 신장에 기여할 때에만 통일은 의미를 획득할 것이다. 통일은 그 자체로 자기 목적적일 수 없다. 올바른 통일 논의가 대한민국의 미래를 결정할 것이다.

———
이준형

5부.
'우리 민족끼리' 통일?

이준형

우리의 소원은 통일

2018년 평창동계올림픽에서 개회식 남북 동시 입장과 여자 아이스하키 단일팀으로 출전하여 우리 국민들에게 통일에 대한 기대감을 한껏 고무시켰던 것이 바로 얼마 전의 일이다. 이후 세 차례의 남북정상회담이 열리기도 하였으며, 지난 9년간의 보수정권에서 북한과 대치하는 모습을 보이다가 정권교체 이후 문재인 정권에서는 대화와 화해의 분위기로 전환되어 국민들은 크게 환호하기도 하였다. 2019년 6월 30일 판문점에서 문재인 대통령과 미국 트럼프 대통령, 북한 김정은 국무위원장이 급작스럽게 만나 한·미·북 정상회동을 한 점도 이전 정부에서는 볼 수 없는 광경이었다.

명칭	참석	일시 / 장소
제1차 남북정상회담	문재인 대통령 김정은 국무위원장 南 김정숙, 임종석, 정의용, 서훈, 강경화, 조명균, 송영무, 정경두 등 北 김영남, 김여정, 김영철, 최휘, 리수용, 리명수, 박영식, 리용호, 리선권 등	2018년 4월 27일 경기도 파주시 판문점 평화의 집 (대한민국 주최)
제2차 남북정상회담	문재인 대통령 김정은 국무위원장 南 서훈, 송인배 등 北 김영철, 김여정 등	2018년 5월 26일 황해북도 개성특급시 판문점 통일각
제3차 남북정상회담	문재인 대통령 김정은 국무위원장 南 김정숙, 정의용, 서훈 등 北 리설주, 김영철, 김여정 등	2018년 9월 18일 ~ 2018년 9월 20일 평양직할시(북한 주최)
한미북 정상회동	문재인 대통령 도널드 트럼프 대통령 김정은 국무위원장	2019년 6월 30일 경기도 파주시 판문점 자 유의 집

이러한 남북 간 평화무드 속에서 남북의 통일이 현실이 될 수 있다는 국민들의 희망은 높아졌고, 문재인 정부의 국정지지율은 고공행진을 펼쳤다. 2019년 2월 12일 통일부와 교육부에서 발표한 보도 자료에서도 국민들의 기대감을 엿볼 수 있다. 「학생들의 북한 및 통일 인식 변화 – 2018년 학교통일교육 실태조사」라는 보도 자료에서 북한과 통일에 대

한 실태조사 결과를 발표했는데, 전국 597개교 87,113명(학생 82,947명, 교사 4,166명)을 대상으로 2018년 10월 22일부터 12월 10일까지 조사한 결과이다.

Q. 학생은 통일이 필요하다고 생각하십니까, 필요하지 않다고 생각하십니까?	2017년	2018년	증감
필요하다	62.2%	63.0%	▲0.8%
불필요하다	16.4%	13.7%	▼2.7%

Q. 학생은 통일이 된다면 언제쯤 가능하다고 생각하나요?	2017년	2018년	증감
5년 이내	5.1%	16.4%	▲11.3%
6~10년 이내	14.8%	31.3%	▲16.5%
11~20년 이내	28.2%	27.9%	▼0.3%
21년 이후	31.2%	14.2%	▼17.0%
불가능함	20.2%	9.6%	▼10.6%

- 2019.02.12. 통일부·교육부 발표 보도자료
「학생들의 북한 및 통일 인식 변화 – 2018년 학교통일교육 실태조사」 中 일부 내용 발췌

위 질문에 대한 답변의 결과를 보면 통일을 필요하다고 생각하는 학생의 비율은 소폭 상승하였고, 불필요하다고 생각하는 학생의 비율은 소폭 하락하였다. 통일의 시기에 대한 질문에서는 등락의 폭이 조금 더 심하다. 10년 이내 통일이 가능하다고 생각하는 학생은 2017년에 비해 2018년 27.8% 대폭 상승하였다. 학생들로 한정된 이번 조사에서 비춰준 의

미는 우리 국민 전체로 그 폭을 넓히더라도 큰 차이가 없을 것이다. 실제 체감되는 북한과의 화해 분위기에 대한 긍정적 반응은 통일 여론을 압도적으로 주도하고 있다. '우리의 소원은 통일'이라는 노랫말처럼 통일이 막연한 소원에서 이제는 구체적 실현 가능한 소원으로 전환되고 있음을 볼 수 있게 되었다.

386의 낭만적 북한관

하지만 지금 청와대와 정부, 국회를 장악한 집권 386들이 북한을 제대로 파악하고 있는지에 대한 의문이 드는 경우가 빈번해지고 있다. 특히나 북한의 핵 개발, 인권문제와 같은 중요한 문제를 대하는 태도를 보면 그 의문이 확신으로 바뀌고 있다. 아직까지도 과거 운동권의 낭만적인 북한관을 그대로 가지고 가고 있다는 확신 말이다. 최근 들어 아침에 뉴스 속보로 북한의 탄도미사일 발사 소식을 접하게 된다. 굿모닝 미사일이다. 하지만 우리 정부는 '평화 경제론'을 언급하며 대화와 협력을 계속해 나간다고 한다. 북한의 탄도미사일은 미상 발사체이며 국제사회 제재 대상에 포함이 안 된다는 두둔 발언과 함께 말이다. 이것이 대통령의 전략적 인내라고 이해할지라도 청와대와 정부의 관계 부처까지 전부 현재 대한민국 국민들의 안전과 한반도 평화에 위협되는 도발 행위를 두둔하는 것은 문제가 없다고 할 수 없다.

이러한 청와대와 정부의 잘못된 태도는 잘못된 북한관에서 비롯된다. 과거 이들이 운동권 시절 통일 운동을 하면서 북한에 대해 지나치게 낭만적 태도를 보인 적이 있다. 그리고 운동권 중심부는 주체사상을 스스로 공부하며 통일을 꿈꾸었다. 이들이 지금 대한민국의 권력 한가운데서 아직까지 낡고 낡은 시대착오적 사고를 하는 것은 이들의 발언과 정책에서도 고스란히 보이고 있는 것이다. 386들이 생각하는 통일의 대상으로서의 북한, 그리고 평화의 대상으로서의 북한은 어떤 존재인지 살펴보는 것이 우선이 되어야 할 것이다. 386들이 통일의 대상 그리고 평화의 대상으로 생각하는 북한은 한반도에서 대한민국을 제외한 모든 것이라고 표현하는 것이 맞을 것이다. 이는 북한의 현실과는 전혀 다른 인식이다. 북한의 특수성을 전혀 이해하지 않고 마치 북한이 일반적인 문명국이라고 전제하는 것이 가장 큰 문제점이 아닐까 싶다.

북한을 제대로 이해하기 위해서는 북한의 특성을 잘 알아야 한다. 북한의 정식 명칭은 '조선민주주의인민공화국'이다. 그렇다고 해서 실제 북한이 민주주의 국가이거나 공화국이라고 볼 수는 없다. 북한의 주권이 어디에 있는지부터 살펴봐야 정확한 파악이 가능한데, 북한의 주권은 근대국가의 보편적 주권 양태인 국민주권과는 거리가 멀다. 대한민국은 주권이 국민에게 있고 통치자와 주권자인 국민은 한 방향을 바라보며 가는 운명공동체이다. 그리고 이러한 국가가 근대국가의 보편적 모습이기도 하다. 하지만 북한은 다르다. 북한은 철저하게 수령 중심의 국가이다. 김정은과 그의 추종세력을 위한 국가란 말이다. 즉 북한 통치세력과 주민들이 가는 방향이 한 방향이라고 볼 수 없다. 오히려 지금 국제사회에서 제기되고 있는 북한에서 자행되고 있는 각종 인권문제를 살펴보면 적어도 현재까지는 통치세력과 주민들이 반대 방향으로 가는 적대적 관계라고 보는 것이 정확한 인식이 될 것이다.

이 점이 바로 집권 386들이 장악한 대한민국의 청와대와 정부, 국회가 시대착오적이면서도 비상식적인 북한정책, 통일 정책 등을 제시하는 원인이 되고 있다. 이들은 북한을 너무나도 안일하게 바라보고 있다. 북한의 이중적 구조를 인식하는 것으로부터 시작하지 않으면, 지금의 문재인 정부와 같이 북한 인권문제, 북한의 각종 도발 문제에 무감각해지고 평화와 통일이라는 말로 모든 것을 용인해 줄 수밖에 없는 것이다. 북한의 이중적 구조를 이해하게 된다면 우선 당장 통일의 대상이 누군지, 평화의 대상이 누가 되어야 하는지부터 고민을 하게 될 것이다. 우리의 통일 대상이 북한의 독재자와 그의 추종세력인지, 아니면 북한의 주민들인지 말이다. 이 고민의 답은 정해져 있다. 그 답을 인정하는데 큰 용기와 결단이 필요하다는 것을 이해는 한다. 자신들의 과거를 완전히 뒤집어야 할 수도 있다. 하지만 누군가는 분명 용기를 내서 결단해야 할 사항이다. 본인들의 가는 길이 '진보'의 길이라면 지금 집권하는 이 시기가 용기와 결단의 최적기라는 조언을 해주고 싶다. 진보의 용기로 독재를 극복하는 역사를 우리 한반도에도 써나가기를 바란다.

386의 민족주의적 통일관

386들의 북한에 대한 잘못된 관점은 통일관에도 그대로 나타난다. 2017년 7월 문재인 정부가 출범한지 두 달 정도 지난 시점에 新 한반도 평화구상을 발표하였는데, 그 내용을 한 번 살펴보도록 하자.

- 新 한반도 평화 구상 - 우리가 추구하는 것은 오직 평화입니다.

우리는 북한의 붕괴를 바라지 않으며, 어떤 형태의 흡수통일도 추진하지 않을 것입니다.

통일은 평화가 정착되면 언젠가 남북 간의 합의에 의해 자연스럽게 이루어질 일입니다.

북한 체제의 안전을 보장하는 한반도 비핵화를 추구하겠습니다.

북핵 문제는 과거보다 훨씬 고도화되고 어려워졌습니다. 단계적으로 포괄하는 접근이 필요합니다. 북한이 핵 도발을 전면 중단하고, 비핵화를 위한 양자대화와 다자대화에 나서야만 가능한 일입니다.

항구적인 평화 체제를 구축해 나가겠습니다.

평화를 제도화해야 합니다. 남북 합의의 법제화를 추진하겠습니다. 북핵 문제와 평화체제에 대한 포괄적인 접근으로 완전한 비핵화와 함께 평화협정 체결을 추진하겠습니다.

한반도에 새로운 경제 지도를 그리겠습니다.

북핵 문제가 진전되고 적절한 여건이 조성되면 한반도의 경제 지도를 새롭게 그려나가겠습니다. 끊겼던 남북 철도는 다시 이어질 것입니다. 남과 북은 대륙과 해양을 잇는 교량 국가로 공동 번영할 것입니다.

비정치적 교류 협력 사업은 일관성을 갖고 추진해 나가겠습니다.

남북한에는 분단과 전쟁으로 고향을 잃고 헤어진 가족들이 있습니다. 이분들이 살아 계신 동안에 가족을 만날 수 있게 해야 합니다. 감염병이나 산림 병충해, 산불은 남북한 경계를 가리지 않습니다. 남북이 공동 대응하는 협력을 추진해 나가겠습니다.

– 네이버 포스트 〈정책공감〉 2017.07.07. [카드 뉴스] 新 한반도 평화 구상,
　우리가 추구하는 것은 오직 평화 中 일부 내용 발췌

　여기서 바로 문재인 정부가 생각하는 통일의 정의가 나온다. 통일이란 평화가 정착되면 남과 북이 합의를 하여 자연스럽게 이루어질 일이라고 정의를 내리고 있다. 평화가 선행되면 그 결과로서 통일은 자연스럽게 따라온다는 의미이다. 그러면 여기서 평화의 의미를 묻지 않을 수 없다. 문재인 정부가 말하는 평화란 무엇인가. 이후 현재 2019년까지 문재인 정부의 행보를 살펴보면 '평화'라는 것이 미사여구에 불과한 것이 아닌가 하는 생각이 든다.

　2019년 3월 1일 문재인 대통령은 제100주년 3·1절 기념사에서 '신한반도체제'에 대한 구상을 발표하게 되는데, 그 내용은 다음과 같다.

　우리가 갖게 된 것 한반도 평화의 봄은 남이 만들어 준 것이 아닙니다.
　우리 스스로, 국민의 힘으로 만들어낸 결과입니다.
　통일도 먼 곳에 있지 않습니다.
　차이를 인정하며 마음을 통합하고, 호혜적 관계를 만들면 그것이 바로 통일입니다.
　…

'신한반도체제'로 담대하게 전환해 통일을 준비해 나가겠습니다.

'신한반도체제'는 우리가 주도하는 100년의 질서입니다.

국민과 함께, 남북이 함께, 새로운 평화협력의 질서를 만들어낼 것입니다.

'신한반도체제'는 대립과 갈등을 끝낸, 새로운 평화협력 공동체입니다.

…

'신한반도체제'는 이념과 진영의 시대를 끝낸, 새로운 경제협력 공동체입니다.

한반도에서 '평화경제'의 시대를 열어가겠습니다.

금강산 관광과 개성공단의 재개 방안도 미국과 협의하겠습니다.

– 문재인 대통령 제100주년 3·1절 기념사 中 일부 발췌

이 기념사에서 통일에 대한 정의를 다른 표현을 사용해가며 내리고 있다는 점을 볼 수 있다. 차이를 인정하며 마음을 통합하고, 호혜적 관계를 만드는 것이 통일이라고 말이다. 新 한반도 평화 구상에 이어 제100주년 3·1절 기념사에서도 통일의 당위와 목적에 대한 것은 뚜렷하게 나타나지 않았다. 듣기 좋은 표현들의 연속일 뿐이다. 더군다나 "이념의 시대를 끝낸"이라는 표현은 자칫 오해를 불러일으키기도 한다. 우리 헌법은 명확히 요청하고 있다. 우리의 통일 방향과 그 이념에 대해서 말이다. 우리 헌법은 통일의 이념을 '자유민주적 기본질서'에 입각한 평화통일이라고 명징하게 표현하고 있으며, 이는 반드시 지켜져야 할 우리 사회의 가치이다. 하지만 문재인 대통령의 통일 관련 발언에는 항상 이 중요한 문제가 제대로 언급되고 있지 않다는 사실은 분명 문제가 있다.

또한 앞선 新 한반도 평화 구상에서 표현되어 있는 남북 간의 합의, 그

리고 제100주년 3·1절 기념사에서 표현한 우리가 주도하는 100년의 질서 등을 보면 과거 '우리민족끼리'를 주장했던 운동권들의 극단적 민족주의를 떠오르게 된다. 통일을 이야기하면서 명확한 목적은 나타나지 않고 '평화'와 같은 추상적인 단어들만 난무하는 이러한 통일의 비전은 자칫 국민들에게 잘못된 통일의식을 심어줄 수도 있다는 우려를 낳게 한다. 더군다나 '우리 민족'을 강조하며 통일을 설명하는 것은 굉장히 시대착오적이며 이후 미래세대에게 통일을 설득하는 데에 분명 실패할 것이 자명하다.

386들이 주장해온 극단적 민족주의 통일관은 시간이 갈수록 그 설득력을 잃을 수밖에 없다. 이들은 민족성을 설명할 때 하나의 언어를 사용하는 점을 강조한다. 하지만 우리가 고민해봐야 하는 것이 '지금 우리가 북한과 같은 언어를 사용한다고 말할 수 있는가?'이다. 대한민국과 북한이 같은 문자를 사용하는 것은 부정할 수 없는 사실이다. 하지만 언어라고 한다면 의사소통이 되어야 하는데, 당장 북한에서 탈북한지 얼마 안된 탈북민들과 대화를 해보면 의사소통이 쉽지 않다는 것을 금방 깨달을 수 있다. 이제 남과 북은 너무나도 오랜 기간 분단된 현실 속에서 완전히 이질적인 문화를 경험하여 왔다. 시간이 갈수록 그 정도는 심해질 것이다. 통일의 과정 가운데 민족성을 완전히 부정할 수는 없지만, 그렇다고 하나의 민족이 통일의 명분이 되는 시대는 끝이 났다. 왜냐하면 북한 김정은 체제가 주장하는 민족은 우리가 생각하는 민족과 다르기 때문이다.

그들은 헌법에 스스로를 김일성 민족이라고 명기하고 있다. 흔히 조선시대 때 양반이 상놈을 두고 같은 민족이라고 생각하지 않았는데 거의 그 정도 차이라고 볼 수도 있겠다. 그리고 하나의 민족이니까 통일을 해야 한다는 당위는 없다. 예를 들어 쿠르드족을 보자. 그들은 이라크와 터키 아프가니스탄 등에서 산다. 현재의 국경이 획정되기 전에 그들은 같은 지역에서 살아왔다. 그런데 지금 하나의 민족이니 통일하겠다 하면 그 지역은 전쟁터가 된다. 누구에게도 도움이 안 되는 행위이다. 더군다나 개인주의적인 경향이 짙어지는 분위기 속에서 과거 운동권의 극단적 민족주의는 전혀 설득력이 없다. 그렇다면 극단적 민족주의에 입각한 통일을 극복하고 우리가 찾아야 하는 통일의 목적은 무엇인가를 살펴보아야 한다.

현실에 눈감는 가짜 진보

북한관과 통일관의 연장선상에서 집권 386들이 범하는 오류가 하나 더 있다. 바로 북한 주민들의 인권탄압에 대한 철저한 외면이다. 국제사회에서 북한은 세계 최악의 인권유린 국가로 인식되고 있다. 북한은 문명국가로서, 근대국가로서 비정상국가라고 볼 수밖에 없다. 하지만 집권 386들은 유독 북한 주민들의 인권문제를 언급하는 것을 극도로 꺼린다. 그 이유는 알 수 없지만 말이다.

앞서 언급했던 극단적 민족주의 통일관과 북한 주민들의 인권문제에 눈을 감은 집권 386들의 민낯은 2018년 9월 19일 북한 평양에 위치한 5.1 경기장에서 적나라하게 볼 수 있었다. 당시 문재인 대통령과 김정은은 북한의 집단체조 '빛나는 조국'을 관람하였고, 문 대통령은 아주 감격스러웠다는 소감을 밝힌 바가 있다. 이 '빛나는 조국'이라는 집단체조는 북한 아동들의 혹독한 노동으로 일궈진 공연이다. 2014년 발간된 유엔 북한인권조사위원회 보고서에서는 집단체조와 관련한 탈북자의 증언을 밝히고 있다. 보고서에 따르면 "여름에 뜨거운 햇볕 아래 콘크리트 바닥 위에서 연습하다 기절하는 일이 흔했다.", "급성 맹장을 참아가며 연습한 7, 8세 소년이 치료를 제때 받지 못해 숨졌다"라고 증언했다. 심지어는 아이들에게 화장실을 가지 못하게 하여 그냥 서서 참고 있다가 배설한다는 증언까지 나왔다. 그리고 공연장 주변에 악취가 난다는 기사는 익히 대한민국 언론에서도 언급되기도 하였다. 이러한 공연에 가서 문 대통령과 김정은이 나란히 관람하는 모습을 보면 국제사회는 어떤 생각을 하겠는가. 한국 정부가 북한 정권의 인권침해를 외면하는 것으로밖에 보이지 않을 것이다.

이렇듯 386들이 유독 북한에 대해서만 인권문제를 외면한다는 사실은 문제가 아닐 수가 없다. 특히나 386의 특성은 과거 대한민국의 권위주의 정권에서 독재 타도를 외치며 민주화운동을 하던 세력들이다. 그들은 인권과 자유를 목 놓아 외쳤고 그러한 투쟁이 이후 정치적 자산이 되어 지금 우리 사회의 중심에 서 있을 수 있었다. 북한 인권 문제를 대하는 이들의 태도를 보면서 과거 이들의 민주화운동에 대한 저의마저 의심케 만든다. 북한의 인권탄압 사례는 2014년에 발표된 유엔 북한인권조사위원회 보고서에 구체적으로 기록되어 있다. 또한 국제 인권단체들과 국내 북한 인권단체들이 지속적으로 그 실상을 밝히고 있다. 왜 이들은 유독 북한인권문제에만 소극적인지 그 이유가 궁금하다.

외적으로는 한반도의 대화와 협력을 가로막는 장애물이기에 언급하지 않는다는 설명을 하는 경우를 많이 봤다. 하지만 실상은 북한 인권문제를 제기하게 된다면 그들이 주장하는 극단적 민족주의 통일론은 부정해야 하며, 그들이 지금까지 비춰왔던 '평화'에 대한 개념 자체를 부정해야하기 때문에 북한 인권문제에 대해 눈을 감는 것이라고 볼 수밖에 없다. 이는 과거 주체사상을 신봉했던 운동권이나 사회주의를 주창했던 운동권 모두에게 해당이 된다. 이들의 이러한 태도를 보면 우리 사회 자칭 진보세력의 그늘을 명확히 볼 수 있을 것이다.

386들이 장악한 이 정부가 북한 주민들에 대한 인권 현실을 외면하는 것은 탈북민에 대한 부분까지 이어진다. 최근 서울 관악구에 살던 탈북 모자가 아사한 사건이 발생했다. 세계 10대 경제대국이라 불리며 한강의 기적을 써왔던 대한민국 수도 한가운데서 일어난 사건이다. 그것도 발견된 당시 이미 사망한 지 두 날이 지난 시점이었다는 점은 심각성이 대단히 크다고 볼 수 있다. 그러면서도 진보 성향의 언론매체는 탈북민 1인에게 부여되는 정착 지원금이 오히려 이번 정부에서 늘었다는 이야기를 한다. 중요한 것은 이 정부가 매년 재정지출을 얼마나 늘리고 있으며, 하루 음식물이 약 1만 5천 톤이나 나오는 나라에서 굶어 죽은 국민이 생겼다는 것이다. 배고픔을 피해 한국에 왔는데 한국에서 굶어 죽었다는 것이 말이 되는 소리인가. 목숨을 걸고 국경선을 넘어 대한민국에 온 탈북민을 향해 변절자라고 망언을 서슴지 않았던 지금의 정부여당 출신 국회의원의 발언은 어쩌면 그들의 내면에 잠재되어 있던 의식이 표현된 것일 수도 있겠다는 생각을 하게 된다.

또한 올해 4월엔 대한민국으로 오고 있던 탈북자가 베트남 검문소에서 체포되는 사건이 벌어졌다. 이들은 체포 이틀 뒤에 중국으로 추방되었다. 만약 중국에서 중국 공안에게 붙잡힌다면 북송 위기에 처하게 된다. 체포 직후 탈북을 주도한 북한 인권단체와 가족들은 베트남 주재 한국대사관에 도움을 요청했지만 대사관에서는 외교부 본부의 지시가 없으면 일처리가 어렵다고 했고, 외교부 담당 부서에서는 기다리라는 답만 되풀이했다고 한다. 우리 정부가 생사의 기로에 놓인 탈북민들의 안전 확보에 소극적이라는 지적을 받을 수밖에 없는 사건들이다. 탈북민조차 품지 못하는 정부가 무슨 통일이며 무슨 평화를 논하겠는가. 이와 같은 일련의 사건들에 대해 미안함을 느끼고는 있을까 하는 의문만 들 뿐이다.

통일은 수단이다

지금까지 386들의 북한관과 통일관 그리고 북한 인권에 대한 잘못된 태도들을 비판하였다. 그렇다면 우리는 어떠한 북한관과 통일관을 가지고 통일을 준비해야 하는지, 그리고 북한 인권 문제에 대해 어떻게 접근해야 하는지 살펴보아야 할 것이다. 그전에 밀레니얼 세대가 가지고 있는 북한과 통일에 대한 관점을 알아보는 것이 순서일 듯하다. 하지만 밀레니얼 세대가 하나의 북한관 그리고 통일관을 가지고 있다는 뚜렷한 형태를 찾아보기는 힘들다. 따라서 앞으로의 논의는 통일에 대한 논의 방향이 어떻게 진행되어야 하는지를 제시하는 것으로 이 장을 마무리하는 것이 바람직하다고 본다. 통일을 논하기 위해서 가장 먼저 통일의 목적을 논하는 게 중요하다. 통일은 그 자체로서 자기 목적일 수는 없다. 하지만 이 정부에서 나오는 통일에 대한 이야기는 항상 그 목적이 통일 바로 자신을 향하고 있다. 따라서 그동안의 통일에 대한 논의가 추상적 표현에만 머물러 있었다고 볼 수 있다. 우리가 통일을 해야 하는 목적은 한반도 전체가 정상 국가화가 되기 위해서라고 명확히 해야 한다. 통일은 목적이 아닌 수단이다. 자유와 문명, 인권을 신장시키는 수단으로써의 통일인 것이다. 이것은 매우 자명하다. 김정일 수령님을 떠받드는 통일은 '이상'이 아니라 '자멸'이기 때문이다. 따라서 자유와 인권에 반한다면 그것을 위축시킨다면 통일은 선택될 수 없는 것이다. 이 원칙에 따라 통일을 바라보면 1단계는 한반도 전체가 정상 국가화가 되는 것이라는 점을 명확히 해야 한다. 앞서 살펴본 대로 분단선 이북지역이 비정상적 국가 행위가 있다는 사실에 기초하여 이를 정상화시키는 방법을 찾아야 한다. 그 방법으로 우리 헌법상의 규정과 같이 '자유민주적 기본질서'에 입각한 평화통일을 제시할 수 있다.

한반도의 정상 국가화는 분단선 이북지역의 정상 국가화이고, 이는 북한의 비핵화와 인권문제의 해결에서 출발한다. 그리고 북한의 인권문제 해결에는 개혁개방과 통치구조의 민주화 그리고 정치범 수용소와 같은 비정상적 국가 행태를 멈추는 데에서 비롯될 것이다. 북한의 개혁개방을 이끌어내는 것은 통일의 과정에서 볼 때도 상당히 중요하다. 폐쇄적인 북한 사회가 개혁개방을 통해 국제사회의 일원이 되게 하는 것, 그리고 국제사회에서 책임감 있는 태도를 보이게 하는 것은 운동권 정치인들이 그토록 원하는 '한반도 평화'에 가장 중요한 핵심사항이다. 또한 개혁개방을 통한 북한 경제의 성장은 앞으로 통일을 준비하는 데 있어서도 굉장히 중요한 기회가 될 것이다. 북한의 개혁개방은 경제적 개혁개방을 넘어 정보 자유화까지 나아가야 한다. 북한의 정보 자유화는 북한 내부 세계와 외부 세계를 연결해 국제사회와 변화되는 시대를 받아들이고 정상적인 근대국가 그리고 문명국가로 나아갈 수 있도록 할 것이다.

그리고 북한의 민주화와 비정상적 국가 행태의 중단은 한반도에서 가장 우선적으로 풀어야 하는 북한·통일 관련 사항이다. 북한의 비정상적

국가 행태가 나타나는 대표적인 문제가 바로 '정치범 수용소'이다. 탈북자의 증언에 비추어 보면 북한 정치범 수용소에서 일어나고 있는 참혹한 인권유린 행태는 21세기에 존재가 가능한지에 대한 의문이 들 정도이며, 참혹한 수준이 과거 나치의 강제수용소와 같다고까지 평해 지기도 한다. 과거엔 10개 정도의 정치범 수용소가 북한에 존재한다고 알려졌지만 최근에는 국제사회의 감시가 심해져서 5개 정도로 줄었다고 하고 그 수감자가 10~15만 명 정도로 알려져 있다. 정치범 수용소는 북한에서 공개할 수도, 해서도 안 되는 존재이다. 북한 정권의 가장 아픈 부분이 바로 정치범 수용소 문제이며, 이러한 인권문제가 공론화되는 것이다. 우리 사회가 한반도 내에서 자행되고 있는 비정상적 국가 행태를 바로잡고 북한 주민들을 인권유린의 현실에서 벗어나게끔 해주려는 목적을 가지고 통일문제에 접근하게 된다면 올바른 통일의 방향을 설정할 수 있을 것이며, 밀레니얼 세대가 가장 중요하게 생각하는 사회적 정의의 가치에서 바라봐도 가장 정의로운 결론을 도출할 수 있을 것이다.

이러한 문제를 제기하고 공론화할 때 남북 간의 관계를 걱정하는 목소리가 분명 있을 것이다. 현 정부와 집권 여당의 정치인들이 항상 북한 인권 문제를 회피하며 늘 주장했던 이유이기도 하다. 하지만 우리 사회가 북한의 문제를 적극적으로 제기하고 대처한다면, 그것은 북한의 독재자 그리고 그의 측근들과의 관계는 멀어질 수 있어도 북한 주민들과의 관계는 그 어느 때보다 좋은 관계가 형성될 것이다. 이중적인 구조의 북한에 대해서 통일의 대상으로 북한 주민들을 상정한다면 북한 주민들과의 거리가 김정은과의 거리보다 더 중요하지 않겠는가. 그리고 북한의 비정상적인 행태에 대한 공론화와 문제 제기는 이미 국제 인권단체와 국내 북한 인권단체들이 많은 활동을 해오고 있다. 투 트랙으로 접근도 얼마든지 가능하다. 정부의 직접적 언급보다 이러한 민간 차원의 접근을 통해 문제를 해결하려 할 때 보다 효과적인 결과를 도출해낼 수도 있을 것이다. 그러기 위해서는 이미 국회에서 통과되어 실정법으로 자리 잡고 있는 북한인권법의 시행이 필요하다. 오랜 논의 끝에 국회에서 여야가 통과시킨 북한인권법 시행은 북한 주민들의 문제를 해결하고 올바른 통일을 준비하는 우리 정부의 의지라고 본다. 잠자고 있는 이 법안이 정상적으로 작동되고 후속 조치로 북한 인권재단의 설립을 통해 북한 인권단체의 활동을 보장하는 것으로서 우리 정부의 진정한 통일의 목적이 달성되기를 바란다.

사실 북한의 정상 국가화가 완료되면 통일에 대한 논의가 지금처럼 국가적 과제로 남아있을까 하는 의문이 든다. 세계화 사회에서 자유왕래가 가능하고 무역이 가능하다면, 그리고 북한의 민주화와 인권 개선이 이뤄진다면 과연 통일이 반드시 이뤄져야 한다는 당위보다 남북 간 당사자들의 요구에 의한 자연스러운 통합이 될 것이라고 본다. 혹은 이후 미래 세대 구성원들이 통일을 거부할 수도 있다. 그 통일 거부가 분단의 지속을 의미한다기보다도 두 정부 통합의 의미가 그만큼 축소된다는 것을 의미하지 않을까 싶다. 지금은 물론 통일에 대한 필요성을 느끼는 학생들이 압도적으로 많지만, 경제생활을 시작한 이후 세대의 통일에 대한 반대가 느는 경향은 바로 통일 이후 부과될 각종 비용이 우려되기 때문이다. 이후 통일에 대한 찬반 논의는 대단히 바람직한 논의가 될 것이다. 국가의 의미, 대한민국의 의미, 민족의 의미를 되새기며 진정한 통일에 대한 논의를 진행하기 위해서는 북한의 정상 국가화의 선행과제 이행이 필수적이다.

시대착오를 넘어

평화를 원치 않는 사람이나 나라는 세상에 없다.

문제는 평화를 지키기 위한 방법이 무엇인가에 있는 것이다.

핵무기를 포함한 값비싼 무기를 개발하고 축적하는 목적은 바로 평화와 자기들의 이해관계를 침범 당하지 않기 위함이고 평화보다 더 중요한 어떤 가치들, 예컨대 자유나 독립 등이 위협받을 때, 남의 노예로 살기를 원치 않는 사람들은 전쟁까지를 불사하는 것이다.

전쟁에는 제국주의 전쟁만이 있는 것이 아니고 약소민족들의 애국, 애족의 숭고한 전쟁이 있다는 것을 약소민족의 설움을 겪을 만큼 겪은 우리가 모를 수 없다.

"자유 아니면 죽음을 달라"라고 목마르게 외치며 죽어간 선열들의 모습을 상기해 보자.

– '문재인 대통령에게 보내는 공개서한' 中 일부 발췌
(이인호 서울대학교 명예교수 / 뉴데일리 / 2018.04.26.)

위 글은 대한민국의 한 원로학자가 대통령에게 보내는 공개서한의 내용 중 일부이다. 문재인 정부가 들어선 이후 통일에 대한 국민들의 기대가 높아진 것도 사실이고, 북한과의 다양한 이벤트를 통해 화해무드가 조성된 것도 사실이다. 이러한 분위기 속에서 문재인 정부는 '평화'를 강조하며 북한과 통일을 이야기하고 있다. 하지만 여기서 중요한 것은 그 '평화'의 의미는 정확히 무엇이며, '평화'를 지키기 위한 수단은 무엇이냐는 것이다. 그동안 구체적인 언급이 제대로 되지 않은 상황에서 문재인 대통령이 말하는 '평화'가 국민에게 장밋빛 환상만 주었던 것이 아닌가를 되짚어볼 필요가 있다.

북한은 그리 낭만적이지 않은 존재이다. 현실적으로 우리 국민들에게 실재하는 위협을 가하는 존재이다. 그리고 그들과의 통일도 단순히 '우리 민족끼리'로 대충 얼버무려 접근할 문제가 아니다. 우리는 과거에 전쟁을 했고 70년 가까운 기간 동안 서로 다른 체제에서 살아온 집단이다. 다만 대한민국은 세계 경제 대국으로 성장했으며, 북한은 세계　최악의 인권 유린 국가로 전락한 것이 두 집단의 상반된 모습의 특색이다.

우리는 386의 시대착오적인 북한관과 통일관을 극복해야 한다. 그리고 새로운 시대에 새로운 관점으로 북한이라는 존재와 통일이라는 당위에 대한 설명을 해야 할 것이다. 그 과정을 통한 북한과 통일에 논의만이 한반도의 미래를 건설적으로 이끌어갈 수 있을 것이다.

밀레니얼

386시대를 전복하라

6부

86세대의 안보,
"민족"과 "한반도"에 갇히다

대학 시절 정치외교학과 서양사를 전공하면서 국가 안보와 국민국가(nation-etat)라는 문제에 관심을 두게 되었다. "대한민국의 주권은 국민에게 있으며 모든 권력은 국민에게서 나온다."라는 제6공화국 헌법 제1조 제2항은 바로 대한민국이 국민국가이며 이 국민국가를, 민주공화국이라는 정체를 유지하는 것을 전제로 존속시키는 것이 바로 국가 안보, 즉 국가의 안전 보장임을, 국민이 주인인 이 나라를 지키는 것이 바로 국민이 선출한 국가 원수와 군 통수권자와 행정 수반의 가장 큰 책무라는 사실을 잘 보여주고 있다.

이하에서는 현 정부의 주축을 이루고 있는 386세대 세계관의 근간이 된 '해방전후사의 인식'의 '인식'이 외교·안보정책에 어떤 영향을 미쳤는지 살펴보고, 21세기 두 차례 집권한 진보 정부와 보수 정부의 외교·안보 정책을 특히 군사 부문을 중심으로 일별하며 평가해 보고 대안의 방향을 제시해보고자 한다.

———
김형중

6부.
86세대의 안보,
"민족"과 "한반도"에 갇히다

김형중

'태어나서는 안 될 나라'

집권 386의 안보관은 한국 현대사에 대한 그들의 인식에서 출발한다. 그리고 한국 현대사에 대한 386세대의 인식을 가장 잘 담고 있는 것이 '해방전후사의 인식'(이하 인식)이다. 여기에 1980년대의 민족 해방과 민중 해방에 대한 염원이 담겨 있었다. 이러한 역사적 사실에 대한 인식이 일방적이고 자의적인 역사 해석을 낳았다. 물론 1980년대 '인식'이 그동안 한쪽으로 편향된 역사 해석에 이의를 제기하고, 역사를 새롭게 바라보는데 이바지했다는 점은 부정하기 어렵다. 그러나 현재의 시점에서 '인식'을 통해 제시된 사실 복원과 역사 해석은 지나치게 민중적·민족적 관점을 강조했고, 이 과정에서 사실(史實)은 복원과 재해석을 넘어 창조되는 지경에 이르렀던 것도 사실이다.

이처럼 민족 해방과 민중 해방의 염원이 역사적 사실에 대해 친일 대

반일, 애국 대 매국, 수탈과 핍박이라는 이분법적 해석을 낳고, 이 해석에 기초한 386세대의 안보 인식이 역시 대단히 편향된 '가상의 영역'에서 출발하게 되었는데, 이는 현재 심각한 문제를 초래하고 있다. 인식은 '전후 한반도 분단의 고착화에는, 민족 외적 원인도 있었지만 분할 점령에 편승하여 분단국가만이라도 만들어서 집권하려는 민족 내적인 분단 책동이 큰 원인이 되었다'라고 평가한다. 또한 '분단의 고착화를 촉진한 민족 내부의 분단 책동은 정당화되거나 아니면 엄폐되었고 그 분단의 내적 책임을 한국에서는 조선에, 조선에서는 한국에 전가해왔다'라고 평가한다. 특히 미국과 국내 보수 세력이 분단국가 수립에 이바지했다고 인식하고 이를 비판하는 데 초점을 맞추면서 해방전후사의 인식의 '인식'은 민족사적 관점에서 보면 대한민국을 '탄생해서는 안 되었던 나라'로, '민족문제가 해결된 통일 국가에 이르기 위한 잠정 국가'로 이해하게 했기 때문이다.

제도로서의 민주주의가 구성원들의 공동체의 일체성에 대한 동의, 즉 '정치 공동체인 국가가 멸망해서는 안 된다'는 구성원들의 동의에 터 잡고 구성원 모두에게 참정권과 공무담임권을 부여한다는 사실을 고려한다면 이러한 해방전후사의 인식의 '인식'은 제도로서의 민주주의를 위협할 위험성마저 있는 것이다. 그리고 이러한 위험성이 현실화됐던 사건이 '민족민주정당' 건설과 '자주적 민주 정부' 건설을 목표로 했던 민족 해방 계열의 일부가 주도한 일심회 사건과 위헌 정당인 통합진보당 창당이다.

이처럼 현재의 시각에서 해방전후사 인식의 가장 큰 문제점으로 꼽을 수 있는 것이 바로 이른바 민족사적 관점, '통일 지향적 역사 인식'이 갖는 문제이다. 이러한 관점에 따르면 대한민국 정부가 수립되는 과정에 있었던 해방 전후, 그리고 분단시대의 정치사, 경제사, 사회사 및 문화사적 연구 활동 포함 특정한 역사적 사건을 판단하는 기준은 '민족 통일문제'에 대해 얼마나 부정적인, 혹은 긍정적인 작용을 했는지가 된다. 따라서 분단시대의 정치활동, 경제적 사회적 발전, 그리고 문화 활동 일반은 궁극적으로 민족 통일에 이바지하는 길과 궤도를 같이할 때 비로소 그 가치가 인정되며 정치사, 경제사, 사회사, 문화사 연구 역시 이와 같은 인식을 바탕으로 할 때 '옳은 방향'의 연구가 된다는 것이다.

이처럼 가치 평가의 기준이 '민족'과 '통일'에 파묻혀 있기 때문에, 사회과학에서 일반적으로 널리 인정되는 현대 이전 또는 전통에서 현대 사회로 진화하는 모델이라는 근대화의 정의와도, 역사학에서 널리 받아들여지는 교육의 확산, 도시화와 산업화의 과정이라는 근대화의 정의와도 동떨어진 '해방전후사의 인식'만의 근대화에 대한 정의로 귀결된다. 특히 민족의 강조는 근대화가 개인이 가족이나 공동체를 대체할 만큼 중요해지는 과정이라는 인간에 대한 인식 변화를 동반한다는 사실까지도 부정하게 된다. 결국 '인식'은 전근대 사회에 대한 친화성과 반근대주의, 전체주의, 반개인주의, 무비판적인 민족 우선주의를 긍정하는 문제를 심각하게 안고 있다. 집권 386에 수용되어 있는 '인식'은 안보 영역에서도 민족을 기준으로 한 목적론적 해석, 즉 민족문제가 해결된 통일 국가에 이르기 위한 과정에 대한 기여도를 바탕으로 판단하는 극심하게 왜곡된 안보관에 입각한 안보정책으로 이어진다.

1998년에서 2007년에 이르는 진보 정당의 집권기는 외교·안보 정책에서 많은 변화를 겪은 시기이자 2017년 수립된 문재인 정부 외교 정책이 그 연장선에 있다는 점에서 각별한 의미를 지닌다. 이에 진보 정당 집권기의 외교 안보 정책과 뒤이은 보수 정당 집권기의 외교 안보정책 변화를 주로 군사 부문을 중심으로 일별한 후 문재인 정부 들어 추진되고 있는 외교·안보 정책을 평가해보고 그 대안을 모색해 보고자 한다.

김대중·노무현 정부의 외교·안보정책
: 군사 부문을 중심으로

1998년 최초로 진보 정당이 집권한 이래 진보 정당은 전통적인 국가 안보(National Security) 개념을 넘어서 인간 안보(Human Security)를 중심으로 하는 새로운 안보 개념을 제시했다. 이를 바탕으로 외교·안보정책을 수립하는 한편, 전통적인 한·미동맹 중심의 정책에서 탈피해 남북 관계 개선에 초점을 둔 외교·안보정책으로 전환하는 데 집중해 왔다. 이러한 안보정책의 지향은 일정 부분 노태우 김영삼 정부의 외교 정책의 연장선에 있었던 김대중 정부 시절을 지나 노무현·문재인 정부 시절로 접어들면서 '해방전후사의 인식'의 민족을 기준으로 한 목적론적 해석의 세계관에 심취한 386세대가 점차 주도권을 잡게 되면서 '민족'과 '한반도'에 갇히게 된다.

김대중 정부는 군사 부문에서 2002년 10대 군사임무 전환 합의 정도를 제외하고는 급진적인 변화를 실현하지 않았다. 다만 1998년 금강산 관광과 2000년 남북 정상회담, 6.15 공동선언, 이산가족 상봉 주기의 단축 정도의 남북 관계 개선이 있었을 뿐이며 2000년 현대아산과 북한이 합의한 개성공단 개발 역시 김대중 정부 시절 적극적으로 추진되지 않았다. 그러나 노무현 정부가 들어선 2003년 이후 가) 2005년 양국 국방장관의 정례 회의인 한미 연례안보협의회의(SCM)에서 2012년까지 "주도 supported-지원 supporting 관계"를 바탕으로 한 전시 작전권 전환을 합의하고 나) 2005년 자주적 선진국방을 목표로 한 "국방개혁 2020"을 수립했다. 남북 관계에서는 가) 2004년 개성공단 설치 등 남북 경협 확대, 나) 2007년 10.4 남북 공동 선언 등을 시행해왔다. 다른 한편으로는 2005년부터 범정부적 재난대응 역량을 확대·강화와 선진형 재난관리 시스템 구축을 목표로 "재난대응 안전한국훈련"을 실시하면서 전통적인 안보 security 개념에서 탈피해 안전 safety에 더욱 초점을 두는 특징을 보이게 된다.

또한 김대중·노무현 정부는 미사일 방어(MD), 다분히 북한을 겨냥한 것으로 평가받는 확산방지구상 PSI(핵·생화학무기 등 대량살상무기의 전 지구적 확산을 막기 위한 국제 협력 규범), 이라크-아프가니스탄 전쟁 파병 등 한·미동맹을 둘러싼 주요한 의사결정 과정에서 전통적인 동맹 관계가 아닌 남북 관계와 "동북아 균형자론", 그리고 이른바 자주 외교를 기준으로 정책 결정을 하게 된다. 즉, 가) 미국이 주도하는 미사일 방어 체계에 대해서는 그 군사적 실효성 및 주변국의 반발을 이유로 참여하지 않는 것으로 결정했으며 나) 확산방지구상 PSI에는 남북 관계를 고려해 불참하는 것으로, 다) 이라크-아프가니스탄 전쟁 파병에 대해서도 매우 미온적인 반응으로 일관하던 끝에 주한미군의 주 전력인 미 2보병사단이 이라크로 순환 배치되기 시작하자 파병을 결정하는 모습을 보인다.

한편, 가) 김대중 정부 시절 합의돼 노무현 정부 시절 시행된 10대 군사임무 전환과 이라크-아프가니스탄 전쟁 시기의 중복, 나) 미군이 예산과 병력 문제에 직면, 다) 해외 미군 재배치 계획 GPR에 따른 해외 주둔 미군의 운용 개념 변화 및 10대 군사임무 한국군 전환, 노무현 정부 시절 한·미 간 용산 기지 이전사업 YRP 합의로 순차적으로 주한미군의 주 전력인 미 8군, 특히 미 육군 2사단 전력은 이라크로 순환하며 한국에서 미 본토로 주둔지를 차례대로 이전하게 되는데 가) 2보병사단 중 X개 여단이 이라크 순환 배치를 거쳐 본국으로 주둔지를 이전하였고 나) 육군 특수비행 X대 및 육군 20지원 사령부(현 20th CBRNE 사령부)의 화학 X대, 공격용 헬리콥터 2개 X대 중 1개 X대가 10대 군사임무 전환으로 임무가 해제되면서 주둔지를 본국으로 이전하였다.

이 중 가) 공격용 헬리콥터 X대와 화학 X대는 일부, 혹은 전부가 이명박-박근혜 정부 시기에 한반도에 재배치됐으며 나) 박근혜 정부 시기 미 국방부 계획에 따른 예산 문제 및 운용 개념 변화로 한국에 주둔하던 2사단 기갑 전투여단이 해체되면서 본국에서 순환하는 미국 측 전투여단과 상주하는 한국 측 전투여단으로 편성된 한미 연합 사단으로 전환된다.

이명박·박근혜 정부의 외교·안보정책
: 군사 부문을 중심으로

보수 정당이 재집권한 이명박 정부 시절인 2010년 전시작전권 전환 연기 및 210 화력 여단의 한강 이북 잔류 합의, 2009년 확산방지구상 PSI 참여 및 싱가포르에서 개최되는 확산방지구상 정례 군사훈련 참가라는 변화가 있었다. 이후 박왕자 씨 피살에 대한 대응으로 금강산 관광 중단, 천안함 피침에 따른 5.24 조치 및 연평도 포격전 이후에는 한미 합참 차원에서 국지 도발에 대해서도 연합 전력을 운용하는 것에 합의하고 운용 전력 목록을 작성하게 된다. 이 합의는 연평도 포격 도발로 필요성이 제기된 국지 도발 상황에서 미국 측 전력 전개를 제도화하는 것이었는데 이 합의에 따른 연합 전력 운용은 박근혜 정부 시절 목함 지뢰 도발 및

UFG 연습 기간 발생한 서부전선 사격 사건 대응 시에 시행되었다고 평가된다. 이처럼 이명박 정부 시기 외교·안보 정책의 변화는 전시작전권 전환 연기 및 확산방지구상 PSI 참여 정도를 제외하고는 주로 극심한 형태로 재개된 북한의 도발에 대응하는 성격에 머물렀다.

박근혜 정부는 특히 적의 핵-미사일 위협 고도화에 대응하기 위한 정책 변화에 치중하였다. 이명박 정부 기간 중 2차례 있었던 북한의 핵실험은 박근혜 정부 시기인 2016년에 3차례에 걸쳐 시행되었고 2016년 4차 핵실험과 이른바 광명성호 발사에 대한 후속 조치로 개성공단을 전면 폐쇄하는 결정을 내린다. 한편 광명성호 발사에 대한 후속 조치로 2016년 한·미 동맹 차원의 결정으로 연합 사령관의 건의를 수용해 한국에 사드 미사일을 배치하는 것에 합의, 2017년 성주에 사드 1개 포대를 배치한다.

문재인 정부의 외교·안보정책
: 군사 부문을 중심으로

박근혜 대통령 탄핵이라는 매우 극적인 사건 직후 수립된 문재인 정부의 외교·안보정책을 군사 부문을 중심으로 일별하면 가) 문재인 정부는 북핵 문제를 비롯한 한반도 문제를 한국 정부가 주도해 나간다는 '한반도 운전자론'에 입각한 군사적 긴장 완화 나) 조속한 전시작전권 전환을 들 수 있다.

특히 '한반도 운전자론'은 2018년 4월 27일 판문점 남측 구역에서 개최된 3차 남북정상회담 및 남북공동선언, 2018년 6월 12일 싱가포르에서 개최된 1차 미북 정상회담, 그해 9월 평양에서 개최된 제4차 남북정상회담과 9.19 평양 공동선언, 그리고 9.19 남북군사합의라 불리는 판문점 선언 군사 분야 이행 합의로 절정에 이르렀다. 이처럼 활발한 남북 정상 간의 교류는 2017년 9월 3일에 있었던 북한의 6차 핵실험 이후에 적극적으로 추진되었으나 2019년 2월 27일 베트남 하노이에서 개최된 2차 미북 정상회담이 합의에 이르지 못하면서 '한반도 운전자론'은 정체기에 접어들었다.

6차 핵실험 이후 북한의 추가 핵실험은 시행되지 않았으나 단거리 탄도미사일 발사 실험 및 훈련은 지속되고 있으며 2019년 7월 이후에는 그 빈도가 더욱 잦아지고 북한판 '이스칸데르'고 평가되는 KN-23의 개발에 성공한 것으로 평가되고 있다. 탄도미사일임에도 궤도 수정이 가능하고 저고도로 비행하는 단거리 탄도미사일인 KN-23의 탐지 및 요격은 매우 어려울 것으로 국방부는 판단하고 있다. 한미연합훈련 중인 2019년 8월 6일 미사일 발사 직후 북한은 외무성 대변인 담화를 통해 "안보위협이 걱정되면 맞을 짓을 안 하는 게 현명한 처사"라고 문 정부를 조롱하는 등 '한반도 운전자론'은 어려움에 봉착해 있다. 아울러 '남북평화 경제론'도 뚜렷한 진척이 없다. 이로 인해 '한국 주도의 대북 정책 추진'을 통한 2020년 핵 폐기 합의 도출, 남북 기본협정 및 통일국민 협약 체결, 한반도 신경제 지도 구상은 답보상태에 머물고 있다.

문재인 정부의 전신인 노무현 정부 역시 취임 초기 한국 정부의 주도적 역할을 대북 정책의 원칙으로 정했다. 그리고 이때는 북한이 핵실험을 하기 전이었기 때문에 노무현 정부의 대북 경제협력은 지속되고 확대되어 나갈 수 있었다. 노무현 정부 때 남북 간 인적, 물적 교류는 확대되었으며 개성공단 건설, 철도 도로 연결, 금강산 관광 등 3대 남북경제협력 사업도 제도화 단계에 진입할 수 있었다.

그러나 북한이 6차 핵실험까지 하면서 핵 능력이 고도화된 현재 상황에서 문 정부가 북한에 대해 유화정책을 펼치고 있다는 사실은 매우 심각한 결과로 이어질 수 있다. 특히 북한의 6차 핵실험은 문재인 정부 출범 초기에 있었고 이로써 사실상 북한 핵무기가 '무기'로서 완성되었으며 이후 지속적인 미사일 발사를 통해 운반 능력을 고도화시키고 있다는 점, 그리고 최근에는 단거리 미사일 발사에 집중함으로써 한국을 대상으로 한 공격 능력을 과시하고 있다는 점을 고려할 때 비가역적인 북한의 군사적 우위의 고착화로 이어질 가능성이 있기 때문이다.

한편 문 대통령은 후보자 시절 '임기 중 전작권 전환 완수 추진'을 밝혔었다. 문 대통령은 대통령 선거를 앞둔 2017년 4월 27일 방송기자클럽 초청 토론회에서 "한국군이 사령관을, 미국군이 부사령관을 맡도록 한미연합사를 유지하면 독자적인 전작권 행사에 문제가 없다"라고 발언한 바 있다. 노무현 정부 시절의 연합사 해체 및 병렬적 지휘구조 운용보다는 박근혜 정부 시절 한미가 합의한 '한국군이 지휘하는 연합사'를 전제로 전시작권권 전환 시기가 2022년으로 앞당겨지는 것이다. 한미는 2014년 10월 23일 제46차 한·미 안보협의회의(SCM)에서 한국군 주도의 새로운 연합방위사령부로 대한민국이 제안한 '조건에 기초한 전작권 전환'을 추진하기로 합의한 바 있다.

문 대통령은 첫 한미 정상회담에서 가장 큰 성과로 트럼프 대통령으로부터 남북 관계와 한반도 평화통일에 대한 한국의 주도권을 인정받았다는 것과 한국군으로의 전시작전권 전환이 조속히 가능하도록 확인된 것이라고 밝힌 바 있다. 2006년 9월 한미 정상회담에서 노무현 대통령이 2012년에 전시작전권을 전환 받는 것에 합의한 것을 연상시키는 장면이다. 노무현 대통령이 합의한 전시작전권 전환은 이명박 정부의 전환 시기 연기를 거쳐 박근혜 정부에서는 사실상 전시작전권의 무기한 연기를 의미하는 '전환 조건의 충족 여부에 따른 전환 시기 결정'으로 변경되었다. 그리고 문재인 정부는 현재 '전환 조건의 조속한 충족을 통한 전시작전권의 임기 내 전환'을 목표로 하고 있다. 그러나 실질적인 작전 능력

검증을 위한 연합 실기동훈련은 사실상 모두 중단하고 있다.

'킬 체인'은 '전략표적 타격', '한국형미사일방어체계(KAMD)'는 '한국형 미사일 방어', '대량 응징보복'은 '압도적 대응'으로 이른바 대북 억지력 3축 체제의 명칭을 변경했을 뿐 2019년 국방 예산안에서 전년보다 8.2% 증가한 46조 7000억 원의 방위력 개선비를 편성하는 등 문 정부는 '조건에 기초한 전작권 전환'의 조건 충족을 가속화하고 있다. 그러나 대규모 연합 실기동 훈련인 독수리 연습과 대규모 연합상륙훈련인 쌍룡훈련, 대규모 연합 공군 훈련인 맥스선더와 비질런트 에이스 훈련, 정부 차원의 군사지원훈련인 을지연습이 사실상 폐지된 상태에서 초기 작전 능력의 검증이 2019년 8월 워 게임으로 시행하는 연합훈련을 통해 진행된다는 점을 고려하면 초기 작전 능력은 물론 이후 완전 운용능력, 완전 임무수행능력의 검증 과정이 신뢰할 수 있는 것인지에 대한 의구심은 남게 된다. 2019년 3월부터 한미는 '전시작전권 전환에 대비하고 이를 관리하는 특별 상설위원회'를 운용 중이나 실기동 훈련을 통해 한국이 연합작전을 지휘할 수 있는지에 대한 검증을 하고 있지는 않기 때문이다.

또한 전시작전권 전환이 전시 한미 연합군의 운용은 물론 일본의 주한미군 지원, 유엔사 전력지원국군으로 구성되는 유엔군과의 한국군 및 주한미군의 관계에 영향을 미치며 한미 동맹의 구조적 변화를 가져오는 문제라는 점 역시 고려되어야 한다. 실제로 전시작전권 전환 논의가 가속화될 것으로 예상하였던 문 정부 초기부터 미국은 유엔군 부사령관에 캐나다군을 보직하는 것을 수용하는 등 유엔사와 주한미군의 일체성을 약화하려는 움직임을 보인다. 그리고 한국으로의 전시작전권 전환은 한국군의 독자적 군사 운영의 범위를 제고하겠지만 한국군의 독자적 군사 운영이 한미 동맹의 유지 및 강화와 미국이 의도하는 아시아 태평양에서의 한미일 군사협력에 이바지할 것인지는 불명확하다.

한편, 문재인 정부 들어 외교·안보 분야에서 가장 큰 변화는 한일 관계에서 발생하고 있다. 이러한 변화는 행정부의 영역인 군사 부문은 물론 사법부와 시민사회의 영역에서도 동시다발적으로 나타나고 있다. 2018년 10월 30일, 한국 대법원이 일제 강점기 강제징용에 대해 미쓰비씨 중공업 등의 패소 판결을 확정함으로써 갈등은 더욱 커졌다. 이후 일본 정부의 협상이나 중재 요구에 문재인 정부가 불응하고 강제징용 피해자들이 미스비씨 중공업에 대한 강제집행 절차에 돌입하면서 갈등의 골이 더욱 깊어지고 있다.

2019년 8월 일본 정부는 통상 안보상의 이유를 들어 한국에 대한 첨단 제품 수출허가신청 면제 국가 대우를 철회했다. 박근혜 정부 시절 한·일 합의에 따라 일본인 '위안부' 피해자를 지원하기 위해 설립된 일본인 '위안부' 피해자를 지원하기 위해 2015년 설립된 '화해·치유 재단'이 2019년 7월 3일 해산되면서 이 역시 한일 관계에 부정적인 영향을 미칠 것으로 보인다. 문재인 정부는 출범 직후 '화해·치유 재단'이 위안부 할머니들의 의견이 반영되지 않고 추진됐다며 해산 절차에 돌입한 바 있다.

군사 부문에서는 이른바 '욱일기' 게양 문제로 2018년 10월 10일에 개최된 국제 관함식에 일본 해상자위대 함정이 불참한 데 이어 12월 20일에는 동해 상에서 북한 어선을 구조하던 한국 해군 함정이 적대적으로 접근하는 일본 해상 초계기에 추적 레이다를 조사했다고 일본이 주장하면서 군사적 갈등의 고리가 더욱 커졌다. 한일 관계가 급격히 악화되는 가운데 일본의 첨단 제품 수출허가신청 면제 국가 대우 철회에 맞서 한국 정부가 8월 독도 및 동해 방어 훈련을 대규모로 실시하고 독도 해병대 상주 배치를 검토하겠다고 밝히면서 군사 부문에서의 한일 갈등 역시 한층 더 증폭될 가능성도 있다.

또한 2019년 8월 한국 정부는 '대한민국 정부와 일본 정부 간의 군사 비밀정보 보호에 관한 협정(GSOMIA)' 연장 거부 의사를 밝히고 2019년 8월 22일 한국 정부가 '대한민국 정부와 일본 정부 간의 군사비밀정보 보호에 관한 협정'의 시한을 연장하지 않기로 결정했다. 이에 마이크 폼페이오 미 국무장관이 "실망했다"라고 밝힌 것을 비롯해 트럼프 행정부 내 고위급 인사들은 지속적으로 불만을 표출하고 한국 정부가 해리 해리스 주한 미국 대사를 통해 미국 측에 공개 비난 자제를 요청하는 등 한일 갈등이 한미 갈등으로 확산되고 있다.

김대중·노무현과 문재인의 차이

한일 관계의 악화는 김대중·노무현 정부와 문재인 정부 외교 정책의 가장 큰 차이점이다. 김대중 전 대통령이 1998년 4월 "일본 대중문화 개방에 두려움 없이 임하라"라는 지시를 내리면서 시작된 "일본 대중문화 개방"은 김대중·노무현 정부 기간인 1998~2004년 동안 단계적으로 추진되어 영화·음반·게임 분야를 완전히 개방하면서 양국 간의 문화적 친밀감은 매우 커졌다. 또한 2002년 월드컵 대회를 양국이 공동 개최하고 2006년 일본 정부가 무비자 협정을 체결하지 않았음에도 한국 국민들의 단기 사증 발급을 영구적으로 면제해 주면서 양국 간 교류가 급격하게 활성화됐다. 2006년 일본 해상보안청의 독도 수역 해양 조사를 둘러싸고 한일 양국이 군사적으로 대치하는 등 한일 관계를 악화시킬 수 있는 사건들이 있었음에도 이러한 사건들이 정치적으로 증폭되지 않았기 때문이다.

문재인 정부는 대통령 선거에서 정치적으로 좌파세력과 급진적인 민족주의 세력을 주요한 지지 기반으로 탄생했다. 지지 세력은 대외 관계에서 '자주'를 중시한다. 정부에 속한 인사 중에는 1980년대 급진 학생운동의 정치노선이었던 '반미 자주파'에 속했던 사람들이 상당히 많다. 실제로 문 정부의 국가안보실장, 안보실, 외교부·통일부·국방부, 국정원 등 외교·안보라인을 구성하는 주요 정무직 공무원들도 대부분 자주파로 평가받고 있다. 이들은 1980년대 민주화운동을 통해 군부정권에 저항하는 과정에서 한국이 미국에 예속되어 있다고 주장하면서 북한은 같은 민족으로 협력의 대상이며 한미 동맹보다 상대적으로 남북 협력을 더 중시하는 인식을 갖고 있다.

그리고 이들의 이러한 인식의 기저를 이룬 것이 바로 "해방전후사의 인식"의 "인식"이다. 2004년 가을, 문재인의 친구 노무현 대통령은 "'해방 전후사의 인식'을 읽고 피가 거꾸로 흘렀다"라고 밝힌 바 있다. 80년대 이래 '해방전후사의 인식'은 한국 근현대사 분야 연구와 한국 근현대사를 공부하기 위한 기본서로 자리 잡았다. '인식'을 출간한 출판사는 한국 유수의 출판사가 되었고 "해방전후사의 인식"의 저자들은 한국의 언론, 인문 사회과학계, 진보 정치 진영에서 가장 영향력 있는 인사들이 된지 오래다.

'인식'이 '상식'이 될 때

'해방전후사의 인식'은 후세대 학계와 관계에 큰 흔적을 남겼다. 각기 북한 학계와 한국 현대사 학계, 정치외교 학계의 영향력 있는 학자로 자리 잡고 이를 바탕으로 정무직 공무원을 터를 다졌다. 이처럼 '인식'은 집권 386의, 집권 386에 의한, 집권 386을 위한 사고라고 할 수 있을 것이다. 집권 386이 '민족사적 세계관'을 바탕으로 단일한 정체성을 확립하고 이를 확산 시켜 나가는 동안 한국의 보수는 역사적 정체성을 확립하거나 이를 확산 시켜 나가는 데 철저하게 실패했다. 사실 한국의 보수 진영을 규정할 수 있는 특질을 찾아볼 수도 없다. 고유의 세계관을 확립하지도 못했고, 변화하는 현실을 이해하지도, 미래를 예측하지도 못한 채 "민주화 이후의 시대"를 맞이했다.

이는 외교·안보 정책의 영역에서도 크게 다르지 않았다. 다른 모든 영역에서 그렇듯 외교·안보의 영역에서도 한국의 보수는 '복고적이고 회고적인 정조와 정책'으로 정치적, 사회적, 문화적 매력을 상실하고 문제 해결 능력조차 상실하게 되면서 집권 이후에도 안보 영역에서 한국 사회에서 두드러졌던 보수 특유의 엘리트주의와 유능함이라는 세간의 인식마저 몰각한 채 불신과 조롱의 대상으로 전락하게 된다.

전술한 바와 같이 2008년 보수 정당의 집권 이후 외교·안보 정책은 주로 진보 정당 집권 이전으로 환원하거나 북한의 도발에 대응하는 것에 치중해왔다. 그리고 그 과정에서 보수 정당과 보수 진영은 주도적이고 적극적인 모습을 보이지 못하였다. 진보 진영이 인간 안보와 안전과 같은 새로운 안보 개념과 함께 지속적으로 제시하고 있는 이른바 '자주적 외교·안보론'을 바탕으로 이론적 토대를 갖춘 상태에서 군사 기술적인 내용을 왜곡해가면서까지 주도권을 행사하고 있는 것과는 대조되는 모습이다. 심지어 보수 정당과 보수 진영은 그들이 그토록 중요하게 생각하는 한미 '동맹'을 두고도 교과서적인 '동맹의 정의'에 근거한 주장조차 펼치지 못하는 것이 현실이다.

이라크 파병 시 노무현 정부가 제시한 가장 중요한 이유는 "파병하지 않으면 주한미군 나간다"였다. 실제로 페슈메르가에서 3지대 방어 확약을 해줘야 하느니 주둔 예정 지역 맹주가 초청장을 안 보냈느니 하면서 파병을 미루던 끝에 2사단 일부가 이라크로 순환하자 부랴부랴 파병했던 시절, 보수의 반응은 노무현 정부와 다르지 않았다. "파병 안 하면 주한미군 나간다"였다. 동맹으로서의 책임 있는 입장은 어디에서도 나오지 않았다.

변화하고 있는 현실에 대해 보수 진영이 제시한 해법은 '읍소하고 구걸하는 동맹국'이었다. 해외 주둔 미군 재배치 계획에 이어 아시아 중시(회귀) 정책을 거쳐 인도 태평양 전략이 확정되는 과정에서 미국이 필요한 동맹국으로서의 역할을 재정립하지 못하고 있다. 동맹은 이익은 물론 정치·군사적 부담을 공유하고 공동의 가치를 추구하는 관계일 때에만 존속할 수 있기 때문이다.

21세기 한국의 보수 정부가 동맹국에 보인 모습은 참혹할뿐더러 보수 진영이 그토록 우려하던 진보 정부의 모습과 크게 다르지 않다. 당장 김대중-노무현 정부 시절 연합 훈련장 및 주한미군 기지의 침입과 점거가 빈발하는 것에 대해 보수 진영은 크게 분노하고 개탄했으나 성주에 배치된 주한미군의 사드 포대가 반대자들에 의해 고립되기 시작한 건 애초에 해당 기지를 주한미군에 공여하기 이전 한국군 인수 시점부터 육상 수송을 '알아서' 포기한 박근혜 정부, 황교안 권한 대행 때부터라는 사실을 기억할 필요가 있다.

주된 논의의 범위를 군사 부문으로 한정했으나 전술한 바와 같이 안보와 관련된 다른 부문에서도 보수 진영과 보수 정당의 모습은 진부하고 낙후된 모습을 벗어나지 못하고 있다. 한국 보수 진영은 오랜 기간 상당히 안온하고 안정적인 집권 기반을 지속한 탓에 시대착오적이고 낡은 모습을 곳곳에서 노출하고 있는 것이 사실이다. 그리고 이러한 시대착오성과 진부화는 전통적으로 보수 진영이 우위에 있었으며 국가 존립을 좌우하는 안보 영역에서도 고스란히 드러나고 있다. 많은 경우 한국 보수가 공유하고 공감대를 형성하고 있는 '그 무엇'은 대부분 외부에 설명할 수 없는 일종의 '공유하는 기억과 감정'에 터 잡고 있다. 그렇기 때문에 '기억과 감정을 공유하는 사람들' 사이에서는 강한 응집력을 보이지만 후세대에게는 설명하기는 어려운 '그 무엇'이 되어 버린 지 오래다. 이것이 이른바 '보수가 궤멸한' 중요한 이유 중 하나라고 생각한다.

한국의 보수는 1950, 60년대에 지금까지 이어지고 있는 한미 동맹을 바탕으로 한 국가 안보체제를 구축하였고 1990년대 노태우 정부 시절에는 탈냉전이라는 세계사적인 외교·안보환경 변화에 발맞춰 적극적으로 북방 정책을 기획하고 실행한 경험이 있다. 다른 모든 영역에서 그렇듯 외교 안보 영역에서도 한국의 보수가 '애초부터' 지금과 같이 무력하고 진부하며 낙후되었던 것은 아니었다.

한국은 소멸될 잠정 국가

강대국의 외교·안보 정책은 '국가의 영향력'을 유지하는 것에 목적이 있다. 그리고 강대국이 아닌 대부분 국가의 외교·안보 정책은 '국가의 존속'에 목적이 있다. 강대국은 '국가의 존속'이 위협받는 경우는 거의 없기 때문이다.

안타깝게도 본질적으로 '민족사적 인식'을 바탕으로 한국을 잠정 국가, 소멸해야 할 반민족적 정치공동체로 인식하는 인물들이 대한민국이라는 '국가의 존속'에 관심이 있을 수는 없다. 이는 2002년 대선 당시 노무현의 "남북 대화 하나만 성공시키면 다 깽판 쳐도 괜찮다. 나머지는 대강 해도 괜찮다."라는 발언에서 압축적으로 드러난다. 집권 386이 적어도 대한민국에서 정치권력을 부여잡고 국정을 운영해서는 안 되는 가장 큰 이유이다. 대한민국 대통령은 취임에 앞서 "헌법을 준수하고 국가를 보위하겠다."라고 국민 앞에 엄숙히 선서해야 한다. 그러나 '남북 대화 하나'만 성공하게 하는 것이 곧바로 국가를 보위하고 존속하는 것에 이른다는 필연성은 없다. 남북 대화 하나만 성공하게 하기 위해 오히려 국가 보위와 존속, 국가의 위상과 영향력을 저해하는 지경에 이를 가능성도 있기 때문이다.

2019년 하반기 잇따른 김정은의 미사일 발사와 거론하기조차 수치스러운 수사적 조롱에도 불구하고 그 수사적 조롱이 문재인 대통령을 직접 겨냥하고 있음에도 '대화와 협력'을 거론하던 현실은 집권 386을 관통하는 "남북 대화 하나만 성공하게 하면 다 깽판 쳐도 괜찮다. 나머지는 대강해도 괜찮다."라는 노무현의 발언으로 상징되는 인식이 특히 외교·안보 분야에서 얼마나 위험스러운 것인지를 극명하게 드러낸다. 2019년 하반기 북한이 발사한 미사일은 모두 단거리 미사일로 사실상 대한민국의 영역을 벗어나는 지역을 공격할 수 없다는 점을 고려하면 이 같은 집권 386의 인식과 국정 운영이 국가 보위와 존속", 국가의 위상과 영향력을 저해할 위험마저 있다는 우려를 접기 어렵다.

그리고 "남북 대화 하나만 성공하게 하면 다 깽판 쳐도 괜찮다. 나머지는 대강해도 괜찮다."라는 인식은 남북 대화 그 자체에 몰두한 나머지 집권 386이 지향하는 한국 주도의 대북 정책 추진, 남북평화 경제론이 성과를 거두는 데에서도 걸림돌이 될 가능성이 크다. 본질적으로 대화를 위한 대화는 성과를 거두기 어렵고 남북 간은 물론 북한의 다자간 합의의 이행을 한국이 현실화시킬 수 있는 동력을 상실시키기 때문이다.

이는 결국 실현되지 못한 6자 회담의 성과물인 2.13 합의와 10.3 합의에서, 9.19 판문점 군사 합의 이후에도 해소되기는커녕 오히려 증대되

고 있는 북한의 군사적 위협에서 잘 드러난다. 북한은 10.3 합의 후 2년
이 지나지 않은 2009년 5월 25일 2차 핵실험을 실시했고 2차 핵실험을
통해 사실상 실험 수준에서의 핵무기를 완성한 것으로 평가되고 있다. 또
한 9.19 판문점 합의 후 1년이 지나지 않은 2019년 하반기에 실시된 집
중적인 북한 미사일 발사를 두고 국방부는 2019년 8월 6일 "한반도 긴
장 완화를 위해 노력한다는 9.19 정신에 어긋나는 것으로 보고 있다"라
고 밝힌 바 있다.

이처럼 집권 386이 공유하고 있는 '민족사적 인식'에 근거한 외교·안
보정책은 국가의 안전보장이라는 성과를 거두는 데 이바지하지 못해왔
고, 심지어 집권 386이 지향하는 민족의 운명을 우리가 결정하는 데에서
도 크게 이바지하지 못했다. 앞으로도 그럴 가능성이 크다. 본질적으로 '
해방전후사의 인식'에 근거한 민족사적 인식은 외교·안보정책의 토대가
될 수 있는 공인된 외교·안보 이론이 아니다. 인간 안보를 위시해 최신
의 외교·안보 이론과 개념으로 치장한다고 해도 민족사적 인식을 버리
지 않는 한 집권 386이 온전한 외교·안보정책을 수립하고 집행할 가능
성이 낮은 이유이다.

전면전, 그 기억의 포로

한국의 보수는 한국전쟁의 기억에 박제된 세계관에서 출발한 외교·안보 인식을 바탕으로 외교·안보정책을 수립해왔다. 그 결과 한국의 보수는 대규모 전면전이 막 종결된 신생 독립국으로서의 한국의 시점에서 전면전의 재발을 회피하는 것에 초점을 맞춘 외교·안보 정책에 천착해왔음을 부정할 수 없다. 안타깝게도 이러한 인식은 적어도 21세기 대한민국의 국력, 군사·외교적 역량, 변화한 외교·안보 환경과는 상당히 멀리 떨어져 있는 것이다.

단적으로 보수는 연평도 포격과 같이 우리 국민이 명시적인 군사 공격의 대상이 되었음에도 보복 응징 작전을 수행하지 않았을 뿐 아니라 유엔 등 국제사회에서의 외교적 대응조차 하지 못했다. 당시 이명박 정부는 북한군의 국제법 위반 행위를 규탄하는 유엔 결의안 등을 추진하지도 않았고 북한의 연평도 공격에 대한 유엔 제재 등을 이끌어내지도 못했다. 사실 이러한 외교적 노력을 기울이려는 발상조차 하지 못했다.

1.21 사태를 비롯한 수차례의 대통령 암살 시도에도, 우리 국민 115명이 사망한 KAL 858기 폭파에도 군사·외교적으로 대응할 역량을 갖추지 못했었던, 오로지 전면전 회피에 최우선 순위를 두면서 북한의 저강도 도발에 대해서는 전면전의 발발로 이어지지 않은 것에 만족하던 80년대

이전 시기에 한국 보수의 인식이 머물러 있음을 잘 보여 준다. 21세기 압도적인 국력과 외교력, 군사력 우위에도 불구하고 북한의 극렬한 군사 도발에 '정훈적 수사'에 머물렀던 이명박·박근혜 시기를 거치면서 당시 군 복무를 하던 20, 30대들로서는 보수 정부의 국방 외교 정책을 불신하고 냉소하게 된 원인이 되었다.

이렇게 한반도에서의 전면전 억지에만 착목하고 있는 한국 보수의 안보 인식은 21세기 초반부터 해외 주둔 미군의 전략적 유연성을 강조하고 최근에는 준비 태세, 파트너십과 네트워크화된 지역을 모토로 인도-태평양 지역에서 동맹을 확대해나가며 역내 안보 문제에 대한 동맹국의 기여를 요청하는 미국의 지역 안보전략에 대응하기에도 어려운 것이 사실이다. 진보가 야기하고 있다고 주장하는 이른바 "동맹의 위기"는 진보뿐 아니라 보수에서도 다른 양상으로 전개되고 있는 것이다.

현재와 현실

한국의 외교 안보정책의 목표는 북한의 핵 위협을 억제하고 나아가 북한을 국제사회의 책임 있는 일원으로 변화시키고 역내 평화와 안정을 공고히 하는 데에 두어야 한다. 그리고 이러한 외교 안보적 목표를 달성하는 것에 있어 굳건한 한미 동맹은 밑바탕과 근간이 될 수밖에 없다. 따라서 적지 않은 변화를 겪고 있는 미국의 지역 안보 전략에 대한 이해를 바탕으로 국민을 설득하고 동맹국으로서의 역할에 대해서도 책임 있는 태도를 보일 필요가 있다.

이제 보수가 딛고 서 있는 70년 전, 진보가 딛고 서 있는 100년 전의 과거에서 벗어나 현재와 현실을 딛고 선 외교·안보 정책이 절실하게 필요하다. 70년 전, 100년 전의 과거에 사로잡혀 있는 한, 동아시아를 둘러싸고 급격하게 변화하고 있는 안보 환경을 인식하고 대응할 수도, 전통적으로 중시되어 온 한미 동맹 관계를 발전적으로 유지할 수도, 당면한 가장 안보상의 큰 위협인 북한의 핵 위협을 억제할 수도, 새롭게 등장하고 있는 저 기술 연성표적 low tech soft target 테러와 사이버 위협, 복합전 hybrid warfare라는 새로운 유형의 안보 위협에도 대응할 수 없기 때문이다.

이제 한반도 지도가 아니라 지구본을 바라보며 '민족'과 '한반도'를 벗어난 외교·안보정책을 수립해야 한다. 2030 세대가 그 주축이 되어야 한다. 386세대가 누렸던 번영과 평화와 대한민국이라는 국가의 높은 위상을 2030 세대 역시 누리고 살아야 할 당연한 권리가 있다. 이제, 가상의 두려움, 꿈꾸는 평화에서 벗어나 차갑지만 단단한 현재와 현실에 두 발을 딛고 주변을 살펴보아야 할 시점이다.

밀레니얼
386시대를 전복하라

밀레니얼
386시대를 전복하라

7부

미래와 386의 충돌

4차 산업혁명이라는 키워드가 등장한지 몇 년이 흐른 지금, 우리가 당연하다고 생각하던 것들은 새로운 국면을 맞이하고 우리가 공상과학의 이야기라고 치부했던 것들은 실제로 우리 앞에 그 모습을 드러내려 하고 있다. 안개 같은 미래, 정부가 어떤 새로운 분야를 이끌고 선도하는 것은 정말 힘든 일이다. 오직 해외의 명확한 사례가 있는 개도국들 정도만 그 빠른 변화를 정부 주도하에서 이룰 수 있다. 그렇다면 한 가지는 명확하다, 빠르게 시대를 이끌어나가고 있는 기업들의 발목을 잡지 않아야 한다는 것이다. 하지만 새로운 분야에 도전한 스타트업들은 대한민국에서 설자리를 잃어가고 있다. 새로운 것을 시도할 수 없는 나라는 곧 도태될 수밖에 없다. 현재의 대한민국이 있기까지 386세대의 기여에 감사를 표하고 싶다. 하지만 운동권 386의 역할은 여기까지이다. 다가오는 파도에 대응하는 역할은 새로운 세대에게 물려줘야 대한민국이 뒤처지지 않고 미래를 이끌어가는 국가로 한 단계 더 성장할 수 있을 것이다.

———
함동수

7부.
미래와 386의 충돌

함동수

오래 전의 미래

386세대를 한데 묶는 핵심 요소는 권위주의 체제에 대한 저항으로서 운동 정치를 시행한 그들의 진보적 가치이다. 당시 독재 정권은 악의 축으로 타도의 대상이었으며 이를 위한 노력은 숭고한 선으로서 6.10 항쟁과 민주화운동을 거치며 투쟁을 이어나갔다. 이러한 경험은 386세대 스스로 절대 선으로 여기게 하였으며, 이들에게 세상의 모든 것을 선과 악으로, 가해자와 피해자로, 자본가와 노동자로 나누어 바라보는 이분법적 사고의 안경을 씌웠다. 그리고 그들이 이젠 기득권층, 기성세대가 되었다.

이들의 이분법적 사고는 냉전에서 벗어난 지 얼마 되지 않은 시대에선 크게 문제가 되지 않았다. 성장을 위해 대한민국 경제가 힘써야 함에 이

견은 없었으며 민주주의가 제 자리를 잡아야 한다는 것은 국제적인 요구 사항이었다. 그들의 미래는 거기까지였다. 그렇지만 시대는 변화를 맞이하고 있다. 4차 산업혁명의 선두에 선 글로벌 기업들은 인공지능(AI), 블록체인, 생명공학, 공유경제 등 우리의 삶을 완전히 뒤바꿀 새로운 기술들을 급속도로 내어놓고 있다. 이제 이들의 안경은 다가오는 세상을 바라보는 데에 전혀 도움이 되지 않는다.

더구나 우리나라의 정부와 정치는 앞서나가는 기업들에 뒤처지다 못해 발목을 잡는 수준이다. 공유경제에서 공유를 막고, 블록체인에서 가치를 빼앗았으며, AI에서 방향을 잡지 못하고 있다. 이분법적 사고로는 대처할 수 없는 시대에 386세대는 실패할 수밖에 없고 대한민국은 뒤처지게 된다.

그들만 모르는 위기

2008년 금융위기 이후 세계 시장의 거대 기업들은 큰 변화를 겪어왔다. 미국에선 애플이 혁신적인 스마트폰을 세상에 내어놓으며 인터넷을 손안에 쥐여주었고 페이스북은 사람들의 거대한 네트워크를 그 위에 쌓기 시작했다. 아마존은 마트와 백화점을 온라인에 옮겼고 넷플릭스는 비디오 대여점을 스트리밍으로 대체했으며 구글은 세상의 모든 지식을 인터넷에 담았다. 그리고 현재, 2019년에 우리는 어마어마한 시총의 이 거

대 기업들을 FAANG(Facebook, Apple, Amazon, Netflix, Google)
이라고 부른다. 5개의 신규 기업뿐만 아니라 기존 강자들인 마이크로소
프트, 디즈니와 같은 기업도 서비스 형태의 사업을 늘리며 확장에 확장
을 더해 나가고 있다.

금융위기 이후 2013년 이전까지 한국의 코스피와 미국의 S&P 수치
는 비슷한 흐름으로 이어지고 있었다. 국가의 기업 전반적 실적을 알려주
는 이 표들은 해당 국가들의 경제력을 반증하는 중요한 지표로서 작동한
다. 2010년 즈음부터 미국은 다양한 서비스 기업들의 등장으로 그 격차
는 벌어지기 시작하였으며 대기업 중 상당 부분이 제조업에 머물러 있는
한국은 그 성장력을 따라갈 수 없게 되었다.

　S&P 500과 코스피의 두 차트를 보면 2008년부터 2010년까지 경제

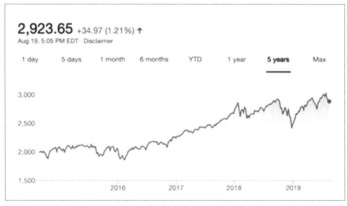

[S&P500 최근 5년 추세]

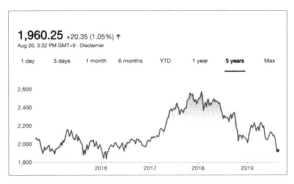

[코스피 최근 5년 추세]

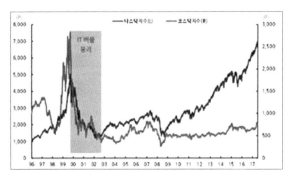

[IT 버블 붕괴 이후 나스닥과 코스닥 차트]

- S&P와 코스피 지수뿐만 아니라 나스닥과 코스닥 비교표를 보면 그 차이가 더욱 극명하게 드러난다. 나스닥은 IT 버블에서 이미 회복을 하고도 남았지만 코스닥은 여전히 충격에서 헤어 나오지 못하고 있다.

위기로 고생한 것은 같으나 추후 성장에 있어서 미국의 4차 산업혁명의 핵심으로 분류되는 새로운 서비스 업체들의 등장을 따라가기 힘들어져 최근 몇 년간 추세의 방향이 크게 달라짐을 확인할 수 있다. 꾸준한 우상향으로 '나 홀로 호황'이라는 말을 5년째 듣고 있는 미국의 그 속도를 따라가기는커녕 방향조차 맞추기 힘든 우리나라는 이대로 가다간 버티기 힘들어지는 것이 아닐까 두렵다.

미국과 경쟁하자는 것이 아니다. 미국에 뒤처진다고 밀레니얼 세대로서 윗세대를 질책할 생각도 없고 그래선 안 된다고 생각한다. 세계에서 가장 강력한 국가로서 연방준비은행의 양적 완화 정책은 기준통화를 소유하지 않은 우리는 할 수 없는 정책이다. 셰일가스와 미국의 원유 등 자원의 따라갈 수 없는 조건들이 현재의 미국을 만드는데 기여했다고도 볼 수 있다. 그러나 현재 기업들의 등장에 직접 영향을 준 것은 이런 정책도 조건도 아닌 새로운 것을 그려보는 상상력에 그 근본이 있다. 그리고 미국은 자유시장경제체제를 존중하며 그런 상상력을 펼치기에 가장 제약 없는 놀이터이다.

이제 현실을 마주하고 움직여야 할 때에 지금 정부의 주류인 386 운동권이 편협한 시각에 갇혀 놓치고 있는 것들을 짚어보고자 한다.

짓밟힌 꿈과 비전

한국의 산업은 이러한 플랫폼 서비스 분야에 있어 오히려 2000년대 초반에 강했다. 싸이월드, 아이러브스쿨뿐만 아니라 온라인 커뮤니티 카페가 대거 등장하였고 이들은 페이스북을 한참 앞선 시도였다. 인터넷 보급에 따라 우리나라의 벤처가들이 그 위에 상상력을 더해 혁신적인 아이템들을 개발하고 더 이상 실제 물건이 아닌 '도토리'[1]를 팔았다. 중소기업인 아이리버는 애플보다 한참 전에 MP3를 제조해 팔기 시작하였고 한국의 게임산업은 세계 어디에도 뒤처지지 않는 산업이었다. 하지만 이젠 그 게임업계조차도 커다란 벽에 가로막혀 발전 가능성이 있어 보이지 않는다.

아마존, 구글, 마이크로소프트는 클라우드 게임 스트리밍 서비스를 올해 시행할 예정이다. 가파르게 성장하고 있는 게임 시장에서 유저들이 더 이상 좋은 사양의 컴퓨터를 갖추지 않고, 게임을 다운로드하여 설치하지 않아도 인터넷 화면만으로 고사양 게임을 스트리머와 더불어 수천 명과 함께 할 수 있게 된다는 것이다. 국내 거대 게임업체들이 과금 유도 연구에 자금을 쏟고 있는 것과는 대조적으로 유저 친화적 정책으로 전 세계 게임 시장을 장악하려는 큰 포부가 보이는 시도들이다.

대표적인 IT 제조업체인 애플과 마이크로소프트는 대대적으로 큰 방향의 전환을 선언하고 진행하고 있다. 애플은 하드웨어적인 요소뿐만 아니라 애플tv에 주력하겠다고 말하며 넷플릭스와 디즈니가 버티고 있는

---

1) 싸이월드의 배경음악, 아바타, 꾸미기 아이템 등을 구매할 수 있는 온라인 화폐

콘텐츠 시장에 뛰어들겠다고 선언한 것과 다름없다. 전통적 강호 마이크로소프트의 CEO 사티아 나델라는 기업들을 위한 클라우드 서비스를 시행하며 나락으로 향해가던 회사를 다시 시가총액 1위의 기업으로 돌려놓게 되었다. 물론 모든 국내 기업들이 현재 세계시장에서 어려움에 허덕이고 있는 것은 아니다. 반도체 시장에서 여전히 대한민국은 압도적 1위이며 삼성은 FAANG의 어떤 기업과 견주어도 부끄럽지 않을 기업이다. 하지만 제조업이라는 틀에서 벗어나기는 쉽지 않아 보인다. 삼성뿐만 아니라 LG 등 국내의 제조 강호들은 어느새 기술적 발전 외엔 비전을 제시하며 시장을 새로 만들고 장악할 만한 혁신을 찾기가 힘들어졌다.

펀드 매니저들이 국내 주식 종목을 보며 종종 하는 말은 '살 주식이 없다'는 말이다. 다른 말로 투자할만한 꿈과 비전을 제시하는 기업이 없다. 시장을 장악하겠다며 4차 산업혁명의 미래 산업을 내다보고 소비자 편익이 곧 수익 증대라는 마음으로 접근하는 기업은 이미 찾기가 힘들다. 하지만 그런 기업들 혹은 그런 산업이 없지는 않았다. 문제는 정부가 그들을 밀어주기는커녕 앞을 막아서게 되었다는 것이 문제이다. 끌어주지 못할망정 짓밟고 있는 것과 같다.

그렇다면 기성 정치인들의 다수를 이루고 있는 집권 386의 시각이 앞으로 새로운 산업이 도래하는 시대에 걸맞은지 의문이 생기기 마련이다.

386세대는 모든 걸 알고 있다?

민주주의의 가치를 최우선으로 둔 386세대가 필요하던 시기가 있었다. 민주화가 가장 절실히 필요할 때 그들은 그 역할을 성공적으로 이뤘다고 평가할 수도 있겠다. 하지만 문제는 자신을 스스로 정의라 부르며, 국가가 잘못되었고, 불공정이 만연하다 80년대부터 외치던 그들이 2019년인 지금도 그렇게 움직이고 있다는 것이다. 민중주의적 이분법에 갇힌 사고방식은 직접 모든 것을 조율하려고 하는 정권을 만들고 있다. 그리고 그런 시도야말로 우리나라의 시장 원리를 위축시켜 산업의 혁신과 발전을 가로막고 있다.

신자유주의의 상징적 책 『노예의 길』의 저자인 프리드리히 하이에크는 정부가 최소한의 역할만 해야 하는 이유는 인간이 시장에서 일어나는 모든 세밀한 사항을 알고 판단할 수 없기 때문에 정부는 어떤 판단도 해선 안 되고 시장에게 맡겨야 한다고 말했다. 사소하더라도 정부가 개입하여 판단하면 이는 결국 연쇄작용처럼 수많은 다른 판단을 요구하여 결국에는 전체주의로 흐를 수밖에 없다고 경고하기도 하였다. 문 정부의 소득주도성장만 보아도 집권 386의 "우리가 무엇이 옳은지 안다"라는 사고방식이 드러난다. 최저임금을 급격하게 인상하고 근로시간을 급속히 단축하는 등 집권 386 정부의 개입은 스스로가 시장보다 더 나은 판단을 할 수 있다는 오만함을 내포하고 있다. 하이에크의 경종이 울리는 듯하다.

정부의 어떤 형태의 정책도 결국은 산업에게 '규제'로 다가올 수밖에 없다.

　노동자를 지원하고 기업에게 부담을 지우는 게 옳은지는 어떤 개인도 시장이 판단하기 전엔 알 수 없다. 사회적 약자가 누구인지 상황에 따라 매우 다르기 마련이다. 부자와 그렇지 않은 자로 약자를 규정하는 것은 자본주의 시장경제에서 경제×창조활동 그 자체를 부정하는 행위이다. 이렇듯 현재 386운동권 정부의 행태는 매우 이분법적 사고로 모든 것을 바라보고 있다. 자신의 '우월한' 판단력을 믿으며 어느 집단이 보호받아야 하고 비용을 지급해야 하는지 판단하고 있다.

　보호해야 할 집단이 있으면 억압해야 하는 집단은 필연적으로 생길 수밖에 없으며 이는 규제를 불러일으킨다. 글로벌 100대 스타트업 중 50%가 한국에선 불법[2]이라는 조사 결과는 386 운동권이 정치권을 장악한 이래 그들의 사고방식이 얼마나 시대에 뒤처지고 있는지 알려주고 있다. 글로벌 유니콘[3] 기업이 대한민국에서 탄생할 수 없는 이유이기도 하다. 혁신이 사라지고 있는 현실은 대한민국이 민주공화국이 아닌 "규제 공화국"이라고 명명한다.

　그리고 "규제 공화국"은 대한민국을 명백하게 4차 산업혁명에 뒤처지는 경제를 갖도록 만들고 있다.

---

2) https://www.hankyung.com/economy/article/201906176847i
3) 기업가치가 1조 원 이상 되는 기업

찾아온 미래를 쫓아내는 386 정부

Case 1 타다

2014년 8월 미국 최대 운송 업체 중 하나인 우버(UBER)가 국내에 차량 공유 서비스 우버X를 출시하며 대한민국에 공유경제의 초석을 얹을 기회가 생겼다. 하지만 택시 업계의 반발과 이를 지지하는 정부는 결국 2015년엔 우버X 서비스를 중단시키기에 이르렀다. 급속한 변화는 부정적 결과를 초래할 가능성이 높을뿐더러 우버는 해외 기업이기에 새로운 산업의 등장을 준비하고 알맞게 대응하기 위해 그럴 수 있었겠다. 하지만 지난 2018년, 정부는 지난 3년간 준비를 한 것이 없다는 것이 명백하게 드러났다.

2018년 카카오에서 카풀 전용 앱을 우버와 유사 서비스를 구현한 형태로 출시하였다. 결과는 택시업계의 생존권 사수 결의대회, 분신 사망 사건 등 역시나 거센 반대에 부딪혔고, 정부의 대응은 2015년과 다를 바 없었다. 여당과 국토부는 상생을 내세우며 다시 한 번 카풀 서비스 출시를 결과적으로 철회시키게 되었다. 정부는 카카오가 우버와 유사한 공유 서비스에 뛰어들지 않을 것이라고 굳게 믿고 있었던 것일까? 아니면 택시업계가 2014년과 달리 이번엔 반대하지 않을 것으로 생각했던 것일까? 혼란스러운 정국 속에 기존 운송업의 허점을 파고든 타다가 출시되어 운행을 시작하였다.

타다는 4차 산업혁명의 큰 분야 중 하나인 공유경제를 표방하는 기업이다. 기본적으로 국토부가 승인한 RV 차량 공유 서비스 업체로 분류할 수 있으며 기존 택시업계의 고질적인 승차거부 등의 문제를 해소하기 위해 출시되었다. 해당 갈등의 근본적 바탕은 기술을 통한 사회의 발전에 가깝다. 기술을 통해 소비자의 편익을 증대하려는 노력이며, 박수를 받아야 마땅하다. 국토부도 이를 알기에 타다를 승인해주고 변화를 받아들이려 일부 노력했지만 역시나 기존의 택시 업계와 분쟁을 겪게 되었고, 아직도 결론이 나지 못하고 있다.

서울개인택시조합은 이재웅 쏘카(타다) 대표와 박재욱 VCNC 대표를 고발하였으며 법정 공방을 벌이고 있다. 지난 4월엔 '타다 프리미엄' 출시로 개인x법인택시 파트너 공개모집에 나서 공정한 경쟁을 하겠다고 나섰으나 개인택시조합의 방해로 파트너 모집에 난항을 겪고 있다. 타다는 기존 운송 사업의 범주에 들어가지는 않는 형태로 유지하기 위해 11인승 승합차를 사용하여 렌터카와 운전자를 동시 배정하는 형태로 사업을 운영 중이다.

쟁점 법령 조항:

▶ 여객운수사업법 제4조 (면허): 여객 자동차 운수업을 하려는 자는 광역지자체장의 면허를 받거나, 지자체장에게 등록해야 한다.

▶ 여객운수사업법 제34조 (유상 운송의 금지) 등: 자동차 대여업자에게서 사업용 자동차를 빌린 자는, 이 차를 유상으로 운송에 사용하거나 다시 남에게

빌려줘서는 안 된다. 다만 승차정원 11~15인승 승합자동차 임차인 등에 대해서는 예외적으로 빌려줄 수 있다.

▶ 타다 기사 알선 승합차량 대여 서비스 약관: 대여용 승합차량 임대회사와 임차인 사이의 기사 알선 포함 승합차량 대여 계약 관련 약관, 11~15인 승합차량에만 적용되는 계약이라는 점을 명시

렌트카와 택시는 운수사업법에 따라 규정되고 있으며 34조에 따르면 대여사업자는 알선 운송업, 유사 운송행위, 대여 등을 할 수 없다. 하지만 타다는 예외 조항에 따라 허용하는 11~15인승 승합차를 법적 근거로 두어 서비스를 제공하고 있다. 또한, 렌터카라면 운행 후 차고지로 돌아가야 하지만 타다의 경우 그렇지 않으며 사실상 택시 서비스와 같다고 택시업계는 주장한다. 하지만 타다는 법적으로 아무런 문제가 없으며 관계 당국인 국토부에서 적법성을 이미 인정했다는 태도를 보인다. 타다 서비스는 현재 소비자 만족도가 높으며 반응은 대부분 긍정적이다. 택시에 비해 다방면으로 서비스 품질이 뛰어나고 승차거부 등의 문제도 없다고 소비자들은 지난 2월 기준 89%에 달하는 높은 재이용률을 보인다.

타다와 같은 산업혁명의 바람에 결정적인 분쟁이 생길 경우 386 정부의 이분법적 사고는 자신의 "우월한"판단력을 앞세워 보호해야 할 집단을 선정한다. 최종구 금융위원장은 5월 22일 "혁신의 피해자인 택시업계를 향해 거친 말을 내뱉는 건 이기적이고 무례하다"라고 이재웅 대표를 저격하는 발언을 은행연합회의 협약식 후 기자들과 질의응답 중 이야

기했다. 타다가 택시업계에 물리적인 타박상이라도 입힌 것처럼 피해자와 가해자 프레임으로 혁신을 규정지어 버렸다. 타다는 여느 글로벌 기업들과 같이 효율적인 서비스를 제공하기 위한 노력을 하였을 뿐 누구에게도 피해를 주지 않았다.

시장경제체제에서의 도태는 소비자가 보내는 무엇인가 잘못하고 있다는 신호에 반응하지 못해 일어난다. 그 신호를 무시하고 사업할 수 있는 여건을 정부가 만들어 주는 것은 소비자인 국민을 기만하는 행위가 아니면 무엇인가. 386 정부는 피해자(택시업계)와 가해자(타다)로 경제를 바라보는 이분법적인 사고로 도리어 효율적인 서비스를 이용할 소비자의 선택권을 박탈하여 국민을 피해자로 만들고 있다. 정부는 시장경제체제하에 공정한 경쟁을 제고할 의무가 있으며 도태되는 이들 또한 시장 참여자로 남을 수 있도록 사회적 안전망을 제공하여야 한다. 다른 말로, 정부가 보호해야 할 대상은 '시장경제'이지 어느 한 집단이어서는 안 된다.

Case 2 블록체인

2017년, 가상화폐 열풍이 대한민국을 휩쓸었다. 블록체인과 결합한 가상화폐라는 상품은 신기술을 갖춘 미래지향적 요소라는 것에 투기는 과열되었고 빗썸이라는 작은 암호화폐 거래소는 거대 기업이 되었다. 그뿐만 아니라, 카카오는 두나무와 결탁하여 업비트를 출시하였고 게임회사인 넥슨도 코빗을 900억 들여 인수하면서 암호화폐 업계에 본격적으로 발을 들였다. 정부는 2017년 9월 1일 처음으로 정부, 금융위원회, 가상통화 관계 기관 합동 TF 회의를 열었으며 암호화폐 투명성 확보 및 보호 장치 검토를 하였고 금융상품과 화폐로서 제도권 편입 가치는 미인정하겠다고 판단하였다. 따라오는 9월 말엔 ICO(Initial Coin Offering)[4]를 전면 금지하여 블록체인 스타트업의 숨통을 끊게 만들었다.

2017년 12월 법무부는 가상통화 대책 TF를 추가로 발족하였고 엄격한 규제 방안을 찾아 "가상통화 관련 긴급 대책"및 후속 조치를 발표하였고 가상통화 근절을 위한 특별 대책을 제시하였다. 이는 결국 주요 거래소의 가상 계좌 발급을 중지시켰으며 주요 거래소들은 신규 가입을 더는 받지 못하게 되었다. 또한, 협의 중에 최종구 금융위원장의 '규제 안을 검토 중이다'라는 발언과 '암호화폐 버블 빠질 것'이라는 발언 등은 암호화폐 시장을 통으로 흔들었으며 이는 투자자들에게 큰 위협으로 국민청원까지 올라오게 된다. 또한, 박상기 법무부 장관은 부처 간 합의되지 않은 사항인 "거래소 폐지하는 데 정부 부처 간 이견 없다"라는 발언까지 이어 나갔으며 기획재정부와 청와대는 즉시 "거래소 존폐 정해진 것이 없다"라는 반박을 내기도 하였다. 이런 일관성 없고 불확실한 정부의 태도는 386 정부 본인들이 기존 정의 기준을 적용할 수 없는 새로운 시장을 직면했을 때 볼 수 있는 무능력함이다. 해외 사례만 뒤적거리는 실정은 스

---

4) 블록체인 업계의 투자의 한 형태로 일반적인 기업 상장처럼 투자금 대비 주식을 주는 것이 아닌 코인/토큰을 주는 형태의 투자.

타트업들 입장에서 답답하기 그지없다.

2017년 당시 다른 나라들 또한 완벽하게 정립된 정책은 수립하고 있지 않았지만 현재는 어느 정도 국가마다 기조를 세워 정리가 마무리되어 가는 상황이다. 중국은 미국 다음으로 블록체인에 앞장서는 국가가 되었으며 싱가포르와 스위스는 규제를 풀어주어 세계 각국의 블록체인 기업들을 흡수하고 있는 중이다. 빗썸은 2017년부터 2년간 1200억의 세금을 그대로 납부할 수 있는 여력이 있는 기업이 되었지만 결국 싱가포르에 법인을 내고야 말았다. 불확실한 태도에 최고 24.2%의 높은 세율을 매기는 것밖에 대응책을 내어놓지 못한 386 정부는 알아서 성장한 기업을 해외로 내쫓았다.

상황의 심각성을 인지한 386 정부는 무엇이라도 해보기 위해 규제 샌드박스를 2019년에 시작하였다. 하지만 상황 파악을 하지 못하고 신산

현황	국가	내용
육성	스위스	• 2월 연방금융감독청이 ICO 가이드라인 발표 • 배당금, 이자, 수익에 대한 권리를 주는 자산형 토큰에만 증권법 적용 • 주크시에 크립토밸리 조성 • 가상화폐 허브국가로 육성 방침
	에스토니아	• 전자영주권(e-Residency) 제도로 외국인 창업 지원 • ICO 적극 장려 • 세계 ICO 5위(23건)
	싱가포르	• '17년 11월 중앙은행이 ICO 가이드라인 발표 • 지분을 약속하거나 수익 일부를 나눠 주는 증권형 ICO에만 SAF 적용 • 세계 ICO 2위(451건)

허용	미국	• IPO와 같은 수준의 규제 적용 • 추가 규제나 금지 배제, 투자자 보호에 초점 • 세계 ICO 1위
	일본	• 민간이 제안한 가이드라인 검토 중
	프랑스	• ICO 인가제 도입 추진 중
	독일	• 토큰을 증권으로 간주하고 관련 규제 적용
	영국	• '17년 9월 금융행위감독청이 ICO 위험성 제기 • 세계 ICO 3위(396건)
	러시아	• 자본금 1억 루블(약 17억 원) 이상 사업자 대상 면허제 도입 • 세계 ICO 4위(312건)
금지	중국	• 홍콩은 ICO 허용

해외 국가별 ICO 정책 현황:

자료: 언론 자료 정리 / ICObench, '18.10.15 기준

업에 대한 제대로 된 이해가 부족한 정부에게 해당 정책은 무의미하였다. 규제 샌드박스는 혁신적인 신제품 및 서비스에 대해 기존 규제를 일정 기간 면제하거나 유예하는 제도이며 블록체인은 ICT 융합 및 산업융합 규제 샌드박스 제도에서 다루어지게 되었다. 유영민 과기정통부 장관은 ICT 규제 샌드박스 시행 당시 "신청부터 심의 마무리까지 최대 2개월을 넘지 않도록 하겠다"라고 약속했었다. 하지만 여러 부처의 이해관계가 얽혀있는 상황에서 이 말이 지켜질 수 없었다. 기획재정부는 아직 암호화폐에 대한 정의를 내리지도 못하였으며 법무부는 잠재적 위험만 걱정하기 바빴다. 이런 상황은 결국 2019년 1월 블록체인 핀테크 기업으로 해외송금 서비스를 제공하는 모인(MOIN)에 대한 심의가 6개월 이상 미뤄지게 해 발목을 잡고 말았다.

블록체인 스타트업들을 평가할 때에 가장 핵심적으로 물어야 할 질문은 "Why Blockchain, 왜 블록체인인가"이다. 꼭 필요한 분야가 아니라면 기존 시스템을 유지하는 것이 더욱 효율적인 경우가 대부분이기에 블록체인의 특성인 신뢰와 가치가 필요한 분야가 아니면 적용시킬 필요가 없다. 다른 말로 모든 분야에 일괄 적용시켜야 할 그런 기술이 아니라고 볼 수 있다. 신뢰와 가치는 블록체인 상에서 암호화폐로서 나타나고 결국 블록체인을 꼭 써야 하는 분야엔 암호화폐가 따라오기 마련이다. 블록체인과 암호화폐를 분리시켜 블록체인만 사용한다면 대부분의 상황에서 블록체인을 도입하는 의미가 없게 된다.

이뿐만 아니라 블록체인과 암호화폐를 분리시켜 생각하게 되면 많은 스타트업들의 발목을 잡게 된다는 근거는 차고 넘친다. 하지만 386 정부의 이분법 안경으로 바라본 암호화폐에 대한 부정적 인식은 극복되는 대상이 아니다. 그들의 비유연적 사고는 본질을 잊게 만들었다. JTBC 토론회에서 유시민 이사장이 했던 이야기들은 386 정부의 인식을 대표적으로 보여주는 사례이다: "마을회관 하려고 집을 지었는데 지어놓고 보니 도박장이 되어있는 것, 도박장을 규제하려 하니 건축을 탄압하지 말라고 하는 것이다."암호화폐로 도박장을 연상시키며 '나쁘다'라는 인식을 갖고 블록체인과 암호화폐는 분리된다는 '잘못된'인식이 저 잘못된 비유에서 명백히 드러난다.

새로운 기술을 제대로 이해하기 전엔 그 어떤 규정도 규제도 부적절할 수 있다는 사실을 명확하게 인식해야 한다는 것을 잊어서는 안 될 것이다.

규제를 삭제하라

타다와 블록체인은 조금 경우가 다르다고 볼 수 있다. 386 정부의 이분법적 사고에서 타다를 바라보면 피해자와 가해자가 명백히 갈리어 구시대적인 사고력으로도 대응할 수 있었다. 본인들이 정한 '피해자'를 지키기 위해 '가해자'를 냉혈한으로 몰아가며 혁신을 가로막고 소비자의 권리를 강탈했다. 블록체인의 경우엔 386 정부의 이분법적 사고로는 감당할 수 없는 케이스였다. 사례도 없었으며 개인 스스로의 선택으로 인한 투자를 피해라고 규정짓기엔 무엇인가 잘못됨이 있다는 것을 잘 알았다. 그렇게 부처 간 논쟁만 이어오다가 논란이 사그라들게 되었을 뿐이다. 두 가지 경우 모두 제대로 신산업을 이해하고 육성하려는 의도는 배제되어 있다. 어느 누가 무엇을 잘못했는지를 궁금해하고 그들을 '규제'라는 철퇴로 응징하려는 의도만이 보이고 있다.

해법은 어려워 보이지만 간단하다. 집권 386은 이분법적 사고를 버리고 본인 자체의 능력을 과신하지 않아야 한다. 국민이 더 잘 알고 이는 곧

시장이 더 잘 안다는 것을 이해해야 한다. 무엇인가 스스로 조율하지 않으면 잘못될 것이라는 생각도 오만함이라는 것을 이해해야 한다. 4차 산업혁명 시대에 이미 뒤처지는 상황을 만든 386 정부에게 감히 제언하자면 혁신이 필요한 분야를 담당하는 부처를 모두 지워 규제 프리(free)를 진정으로 실천해야 한다.

중소기업이 누구의 눈치도 보지 않고 보조금을 위해 노력하지 않아도 되게 만들어야 한다, 그렇게 해야 중소기업들은 피터팬증후군[5]에서 탈출하여 유니콘 기업이 되기 위해 노력할 것이다. 과학기술부를 삭제하여 기초과학이 보조금에 목매달지 않고 연구할 수 있도록 하여야 한다, 그렇게 해야 연구진이 연구비와 발주처에게서 비교적 자유롭게 나아갈 수 있을 것이다. 알지도 못하는 신기술의 분야는 막아설 것이 아니라 지켜봐야 한다. 가이드라인과 규제를 정부가 제공하지 못했을 때 실행했던 노력을 추후에 무분별하게 내리쳐서도 안 될 것이다.

산업을 관리하려는 정부 부처 존재의 부작용은 어딜 가나 눈에 띄며 현재진행형이다. 게임물관리위원회를 비롯한 관련 당국에선 유시민 이사장의 주장처럼 블록체인을 사행성 및 현금성과 동일시 여기며 게임과 시너지를 낼 수 있는 모든 부분을 간과하고 있다. '유나의 옷장'이라는 블

---

5) 성인이 되어서도 현실을 도피하기 위해 스스로를 어른임을 인정하지 않은 채 타인에게 의존하고 싶어 하는 심리를 뜻하여 중소기업의 경우 정부가 중소기업에게 주는 혜택을 놓치지 않기 위해 기업이 성장을 멈추는 것을 의미함.

록체인 게임은 지난 2018년 게임물위원회에서 가상화폐 시스템을 통한 환전으로 사행성이 있다 하여 재분류 판정을 내렸고 판단이 보류되어 이도 저도 하지 못한 채 지난 2019년 1월 서비스가 종료되었다. 이러한 상황에서 개발사들은 현재 정부의 정확한 가이드라인이 부재해 국내에 출시했다가는 나중에 어떻게 될지 모른다는 막연한 두려움을 갖고 있다. 결국 현재 블록체인 게임을 개발하고 있는 카카오의 GroundX 개발사와 Klaytn 플랫폼을 비롯한 다양한 국내 블록체인 게임 개발사들은 개발한 블록체인 게임을 해외에 출시하겠다고 밝혔다.

여기서 문제는 명확하다. 386 정부는 주목받는 게임이 생겨 문제가 되는 부분이 가시적으로 드러나기 이전엔 무엇을 해야 할지 모르기에 가이드라인을 낼 수가 없다. 또한, 그들의 이분법적 사고와 기술에 대한 그릇된 인식은 잠재적 문제점만을 두려워하기에 제대로 된 규제 안을 내어놓을 수도 없다. 이러한 상황에서 그들이 가지고 있는 유일한 해법은 가시권에 들어온 성장을 이루어 낸 기업을 대상으로 문제점을 파악하고 규제라는 철퇴를 만드는 것이다. 이는 모든 게임회사에 앞서나가지 말라는 신호를 보내며 도전의식을 뭉개고 있다.

물론, 게임물위원회도 게임회사들의 의견을 청취해 해법을 내놓고자 노력하고 있다. 하지만, 정부와 산업 간의 규제 협의는 결국 기업이 본래 기획한 방향을 포기시키고 정부가 허용하는 방향으로 나아가게 만들게 될 것이며 이는 본질적으로 혁신을 가로막는 행위라고 볼 수 있다. 위에서 언급했듯 "왜 블록체인인가"를 성립시키지 못하고 블록체인의 의의를 저버리고 게임에 접목시킬 이유를 삭제해버릴까 두렵다.

갈까 말까 할 때는 가라

386세대는 자유무역과 세계화라는 가치 아래 치열한 경쟁 속에 살아와 변화에 익숙하고 다원적으로 사고하는 밀레니얼 세대가 대처할 수 있도록 물러나야 한다. 다가오는 미래엔 그들이 더 적합하다. 386세대가 현재의 대한민국에 기여한 바가 없다고 생각하지 않는다. 밀레니얼 세대가 만능이며 더 뛰어나다고 말하는 것도 아니다. 그들이 정권을 잡은 기성세대가 되기 전에 그들의 역할은 대한민국에 분명 필요했으나 지금은 아니다. 그들이 겪어온 세상과 현재는 분명하게 다르며, 빠르게 발전하는 기술에 따라 정부는 더 유연해져야 한다. 기업들이 찾아와 한숨을 내쉬다 해외로 도망가게 만드는 집단이 되어선 안 된다. 그리고 그 역할은 지금 신산업을 이끌고 있는 세대와 같은 세대가 정부에도 들어서야 할 때이다.

새로운 혁신을 장려하고 기업의 상상력에 부합하는 조건을 만들어주어야 올바른 정부이다. 정부는 직접 판단하지 않고 스스로의 한계를 인정하며 시장과 함께 호흡해야 한다. 스스로를 믿기보다는 시장을 신뢰하고 최소한의 조치로 그들 상상력의 리미터(limiter)를 풀어주어야 한다. 이러한 역할을 할 수 있을지 없을지, 떠나갈까 말까 고민이 된다면 물러나야 한다. 미국의 FAANG도 모두 상상력에서 비롯되어 큰 비전을 제시하는 기업이 되었다. 상상력의 근본은 자유로움에서 나온다는 것을 잊어선 안 될 것이다.

밀레니얼
386시대를 전복하라

8부

노동, 좌절이 아닌 희망으로

한국의 진보와 보수는 사실 상류층의 레슬링 경기장을 꾸리는 집단에 불과하다. 재벌과 대기업의 보수와 대규모 노동조합과 학계를 등에 업고 챙겨 먹는 진보가 서로 쇼를 하며 싸우는 것 말이다. 평범한 교육과 평범한 직장에서 일하는 사람들을 위해서 대체 이 상극의 공존은 무슨 도움이 되었을까? 약자를 대변하겠다는 386 정부의 여러 정책은 어느 정권보다 양극화를 심화시켰고 사람들의 삶을 피폐하게 만들고 있다. 감히 글을 쓸 수 있는 기회를 얻어, 평범한 사람들의 삶에 가장 큰 영향을 주는 최저임금과 중소기업 분야에 대해 이야기하고자 한다. 필자와 필자의 벗들이 함께 한 땀이 짙게 배어 있는 이 글이 조그마한 울림이라도 될 수 있다면...

———

나 보 배

8부.
노동, 좌절이 아닌 희망으로

나보배

땀은 처절하다

노동이라는 단어는 어쩌면 보통 사람들의 살아가기를 짧고도 강렬하게 표현한 것은 아닌가 싶다. 몸을 움직여 일한다는 뜻과 생활에 필요한 물자를 얻기 위한 육체적 혹은 정신적 노력을 들이는 행위라는 사전적 의미가 이를 뒷받침한다. 사실 보통 사람들에게 노동은 그다지 숭고하지도, 아름답지도 않다. 피땀을 흘린다는 표현처럼, 치열하고 처절하다.

촛불정국 이후 등장한 문재인 정권은 어느 정권보다 노동정책의 대변혁을 약속했다. 비정규직을 정규직으로 전환하고, 최저임금 1만 원 시대를 단기간에 달성하며, 중소기업의 편이 되어주고, 공공부문이 앞장서서 일자리를 만들어 청년들의 취업 걱정을 덜어주겠다고 나섰다. 마치 노동의 신이 될 것처럼 거대한 약속을 했다. 지킬 수도 없는, 지켜서는 안 될 약속이었지만, 사실상 이들의 질주를 막을 길이 없는 상태다. 공정과 평등 그리고 정의를 내세운 문재인 정권의 노동 정책은 과연 보통 사람들의 삶에 기적을 안겨주었을까?

정치판에서 일자리는 가장 이목을 이끌기 좋은 주제이자, 실제로도 유권자들이 정치에 기대하는 큰 이유 중 하나이기도 하다. 하지만 일자리에 대한 정치권의 인식은 그저 상대 정당을 비방하는 용도로 언급하고, 자신들이 추구하는 이념의 정당성을 내세우는 것에 급급한 모습이다. 이런 영양가 없는 대립 가운데에 결국 외면받는 곳은 중소기업의 근로자들이었다. 재벌 논쟁의 화두에도, 노동조합의 화두에도 끼지 못하는 이 평범한 대다수가 사실상 한국 경제를 지탱하는 데에 적지 않은 역할을 하고 있다.

나는 고3의 나이에, 부산의 한 고시원 방에 지내며 대기업 하청업체 실습생으로 사회생활을 시작했다. 그 후 건실한 중소기업에서 재직했고, 이를 발판 삼아 대학을 다닐 수 있었고 다양한 활동을 토대로 지금 노동에 대해 이야기하고 있다. 경험해보지 않은 일에 대해서 이야기하려는 것이 아니다. 가난을 극복하고, 현실 사회에 현존하는 겹겹의 계층의 높이를 밟아 올라갈 수 있는 유일한 방안은 지식과 적성을 기반으로 한 노동이라는 것을 몸소 실천했고, 남들이 그렇게 나를 평가하곤 했다. 중소기업과 근로자들의 기여도를 인정하고, 보다 양질의 성장을 이끌어 낼 수만 있다면 어떠한 복지제도보다 만인의 행복과 번영을 낳으리라 생각한다. 따라서 나는 나의 삶과 그 속에서 차곡차곡 쌓아온 지식을 바탕으로 먼저 최저임금에 대해 논하고자 한다.

최저임금의 현황

문재인 정권의 핵심 공약 중의 핵심 공약은 바로 '소득주도성장'이다. 가계의 소득과 노동자의 임금을 인위적으로 올리면 소비가 촉진되어 경제가 성장한다는 논리이다. 처음에는 임금주도성장이라는 표현을 사용하려고 했지만, 자영업자의 비율이 높은 우리의 경제구조를 고려해 이름을 바꾸었다고 한다. 어느 부분보다 문재인 정권의 정체성을 쉽고 간결하게 제시한 정책으로 손꼽힌다.

이를 위한 대표적인 정책 중 하나가 바로 2020년까지 최저임금을 1만 원으로 만드는 것을 목표로 잡았다. 2017년 문재인 정권 출범 당시 6,470원이었으며, 2020년까지 1만 원이라는 목표를 달성하기 위해서는 연간 약 15.7%가량을 3년 연이어 인상해야 했다. 이에 2018년 최저임금안의 인상률은 16.4%로 책정하면서 소득주도성장 공약을 사실화했다. 이에 기업인과 소상공인의 강력한 반발을 샀다. 그럼에도 불구하고 2019년 최저임금안의 인상률으 10.9%를 기록해 2년 연속 두 자릿수를 유지하며 공약 실천의 의지를 보였다. 하지만 2020년 최저임 인상률은 2.87%로 대폭 낮췄다. 중소기업계와 소상공인계의 드높은 원성을 산 것과 함께 2019년 1분기 경제성장률이 -0.4%로 10년 만에 마이너스 성장률을 기록하는 등 악재가 겹친 탓을 이유로 꼽고 있다.

최저임금, 적당한 수준인가?

소득주도성장의 목적만큼은 선의로 가득하다. 소비의 묘미를 누리지 못하는 저소득계층, 특히 최저임금의 선을 넘지 못하는 근로자들의 임금을 올려 소비의 양질을 높이고 이로 인해 내수경제가 살아난다면 얼마나 좋을까? 하지만 한국의 최저임금에 대해서는 논란이 많다. 과연 적정선은 얼마이며, 지금 우리의 문제는 무엇일까?

최저임금의 적정 수준의 기준은 중위임금대비 최저임금의 비율이 어느 정도인지 비교해보는 방법이 있다. 최저임금위원회의 최저임금 주요 노동·경제 지표 분석의 내용에 따르면 통계청의 2018년 경제활동인구 부가조사 기준 중위소득자의 하위 50% 소득근로자의 시간당 근로소득은 1만 1513원으로 집계되었다. 이를 2018년 최저임금인 7,530원과 비교하면 중위소득 대비 최저임금의 비율은 65.4%로 나타난다. (한국노동사회연구원은 2017년 데이터를 기준으로 발표한 보고서로 52.8%라고 발표했다) 특히 2017년 56.2%에 비해 1년 만에 9.2% 급상승했다. 2014년에서 2017년까지 3년간 5.3% 오른 것에 비해 가파른 상승이다.

'사전 분배'라는 개념을 바탕으로 오바마케어의 초안 마련 참가와 힐러리 클린턴 대선후보의 경제정책을 자문한 제이콥 해커 예일대 정치과학부 교수가 2018년 한국의 한 언론과 인터뷰한 내용에서 한국의 가파른 최저임금 인상에 대해 우려를 표하기도 했다. 해커 교수의 인터뷰에 따르면 최저임금은 중위소득의 40~50%가 적정하다고 판단하지만, 한국의 경우처럼 가파른 인상은 고용에 영향을 줄 수도 있다는 것이다. 해커 교수의 견해와 일치하는 통계자료는 거의 분기별로 나오는 실정이다. 최근 나온 통계자료에서는 2017년 1분기부터 2019년 1분기까지 소득 분위 10분위 별의 월평균 소득 증가분에서 1~5분위 소득은 감소한 반면, 6~10분의는 소득이 증가했다는 결과가 나오기도 했다. 특히 최하위 소득계층인 1분위 계층의 소득 감소율은 -13.6%였다. (중앙일보-추경호 의원실, 2019.07.16. 보도)

최저임금의 적정 수준에 대해서는 여전히 적정선의 기준에 대한 토론이 활발한 상황이다. 유럽의 경우 국가별로 상반된 결과가 나오기도 했다. 미국의 경우도 점진적인 최저임금 인상으로 임금 근로자의 소득이 증대되었다는 연구결과도 있다. 대부분의 의견을 종합해볼 때, 중위소득 대비 50%를 적정선으로 보는 의견이 가장 많다. 한국은 사실상 이미 적정선을 넘어 위험선에 도달한 상태이고, 부작용이 크다는 점을 이제야 정부도 어느 정도 인지한 것으로 보인다. 소득주도성장론은 예견된 실패였다. 질 줄 알아도 싸워야 할 때가 있다는 말처럼, 명분만 내세운 탓에 피해는 고스란히 보통 사람들이 감내해야 했다.

'쉬운 일자리 파괴'의 주범

가파른 임금 상승과 일자리 증가 수는 반비례한다. 이 추론은 학식의 깊이를 따질 필요 없이 누구나 할 수 있는 우려였다. 하지만 이런 우려조차도, 철저하게 배제되곤 했다. 과거 정부의 탓이나, 재벌 기득권을 탓하면서 기다리면 된다고 했다. 2년이 지난 2019년, 소득주도성장이 옳다고 굳건히 외치는 사람들은 어디로 숨은 것 마냥 조용하다. 최저임금위원회가 결정한 내년 최저임금의 인상률은 역대 세 번째로 낮았다. 역대 두 차례의 2%대 인상률은 세계를 강타한 금융위기를 타개하기 위한 고육지책이었다. 하지만 이번 인상안은 여러모로 시사하는 바가 크다. 소득주도성장론의 2년 동안 한국 경제의 지각변동은 상상 이상이었다. 특히 상대적으로 고도의 숙련기술이나 지식을 요하지 않는 쉬운 일자리가 직격탄을 맞았다. 시간제 근로(아르바이트), 음식숙박업, 제조 생산직, 건설이나 물류·유통 노무직 등이 대표적이다.

아르바이트도 경력직을 구하는 일은 이제 일상이 되었고, 숱한 아르바이트 근로자들이 최저임금 인상 때문에 임금이 오르는 행복을 느끼기도 전에 해고를 통보받는 일이 다반사가 되었다. 최저임금의 인상은 단순히 인건비의 문제가 아니라, 인건비에 따른 원부자재, 물류비용 등의 증가를 수반하기 마련이다. 이에 따라 근로자의 근로시간을 줄이거나 해고를 택하면서 그 공백을 사업주가 대신 떠맡거나, 폐업을 택하는 사업주가 증가했다. 한국노동연구원이 올해 6월에 내놓은 '자영업자 경영 실태조사'에서 설문조사에 응답한 544곳(최저임금을 받는 근로자가 있는 사업체) 중 34.2%가 근로시간 조정을, 38.7%가 근로자 수를 조정했다고 응답했다. 이는 곧 일자리의 감소와 자영업 근로자의 소득 감소가 불가피함을 보여준다. 현재 한국의 자영업자 비중은 24.4%로 OECD 평균인 17.8%보다 6.6% 높은데, 금융감독원은 과잉 자영업자 수를 176만 명으로 추산하고 있다. 2011년 105만 명에 비하면 50% 이상 늘어나 경쟁이 아주 치열할 수밖에 없고 이는 결국 적정 수익을 기대하기 어렵다는 것을 뜻하기도 한다. 이런 와중에 법적 강제력을 동원한 임금 인상은 자영업자를 벼랑 끝에 내모는 것이고, 자구안은 근로자에게 지출되는 인건비부터 조정하는 방안 외엔 대안이 없는 것이다.

2018년과 2019년, 2년간의 가파른 최저임금 인상만으로 한국 경제가 뒤틀린 데에는 최저임금의 가파른 인상에 따른 충격이 제조업에 꽤 컸기 때문이다. 한국 제조업은 GDP의 30%, 수출의 90%를 책임지는 주력산업이다. 2018년 중소기업중앙회가 발표한 중소기업 현황에 따르면 제조업에서 중소기업이 차지하는 비중은 99.6%에 이른다. 0.4%뿐인 제조 대기업의 매출액은 절반이 넘는 65.5%를 차지하고 있다. 제조 대기업은 부가가치가 높은 제품을 생산하고 있고 이를 바탕으로 중소기업에 비해 이미 높은 임금을 지급하고 있다. 이에 반해 제조 중소기업은 여전히 부가가치가 낮고 노동집약적이며, 생산성이 높지 못한 상태다. 거기에 법적 강제력을 지닌 최저임금의 가파른 인상은 매우 큰 리스크로 느낄 수밖에 없다.

2019년 6월, 최저임금위원회가 중소기업 최저임금 영향도 조사 결과에 따르면 최저임금에 따른 경영 어려움을 호소하는 정도가 2017년 43점에서 2019년 60.3점으로 급증했다. 감내할 수 있는 최저임금의 수준을 현행(8,350원) 이하로 답한 기업의 수가 81%로 나타났다. 가파른 최저임금 인상 속도를 감당할 수 없는 것이 현재 중소기업의 현실이라는 것을 알 수 있다. 일부에서는 최저임금도 줄 여력이 안되면 사업을 접으라는 이야기를 하고는 한다. 제조업 종사자의 70%의 비중을 책임지는 중소기업의 역할을 이해하지 못한 매우 잘못된 발언이다. 최저임금제와 중소 제조업의 관계성에 대해 보다 깊은 관찰과 연구를 통해 적정 인상 속도를 파악해야 할 것이다.

최근 고용노동부의 발표에 따르면 2019년 상반기 산업별 취업자 증감에서 제조업은 10만 3천 명의 취업자 수가 감소했다. 이는 15개월 연속 감소로, 우리 제조업의 위기가 심상치 않다는 것을 보여준다. 이 시점도 최저임금 인상 이후에 크게 두드러진다는 점은 최저임금 인상이 적지 않은 영향을 주고 있다고 해도 과언이 아니다.

인력수급 불균형을 낳은 최저임금 인상

　연이은 최저임금 인상으로 중소 제조업에서는 인력수급에 대한 우려가 일파만파로 퍼졌다. 기존에는 상대적으로 자영업종 아르바이트보다 높은 임금을 지급하면서 생산직군 인력을 그런대로 수급해왔다. 하지만 최저임금의 연이은 인상으로 사실상 간극이 좁혀지면서 아르바이트에 구직자가 몰리는 현상이 생기는 조짐이 보인 것이다.

　물론 모든 산업이 적용받는 최저임금제인 만큼, 중소 제조업이 기존 아르바이트의 시장임금보다 높게 주면 된다. 하지만 그럴 여력이 충분하지 못한 것이 문제인 것이다. 특히 전문계 고교나 전문대 졸업자들이 중소기업을 갈 바에 아르바이트를 택하는 사례가 적지 않다고 한다. 이러다 보니 또 일과 학업을 병행하려는 대학생들이 아르바이트 구인시장에서 밀려나는 등 구직시장의 혼란이 적지 않다.

　중소 제조업 재직자 간에도 불만이 적지 않다. 선임들의 임금은 정체되는 가운데, 후임들의 임금은 최저임금의 적용 범위에 포함되어 오를 수밖에 없는 상황이 연출되기 때문이다. 중소기업이 가진 한정된 노무비를 따져봤을 때, 선임들의 임금까지 동시에 올릴 수 없는 것이 현실이다. 제조 중소기업의 시장임금과 인력 수요와 공급 등 다양한 요소를 고려하여 최저임금 선정을 고려했어야 했다. 제조 중소기업은 인력난을, 자영업은 비용 부담을, 청년들은 미스매치를 겪는 상황을 가파른 최저임금 상승이 한몫을 했다.

2.87%, 작살을 내고서야 인정한 결과

최저임금제도는 임금의 최저 수준을 보장하여 근로자의 생활 안정과 노동력의 질적 향상을 꾀함으로써 국민경제의 건전한 발전에 이바지하게 함을 목적으로 한다. 1986년 12월 31일 최저임금법을 제정·공표하고 1988년 1월 1일부터 실시했다. 1989년의 최저임금은 시간당 600원이었다. 2019년 현재 8,350원으로 약 13.9배 올랐다. 1인당 국민 평균 소득으로 비교해보면 1989년 5,418 달러에서 올해 3월에 발표된 2018년 평균 소득은 3만 3,1349 달러로 약 5.8배 증가했다.

30년간의 최저임금 인상 평균은 9.27%이고, 평균 인상률보다 높았던 때는 총 11 차례 있었다. 다음 연도의 최저임금 인상률이 금년도 인상률보다 낮게 책정된 사례 중 그 차가 가장 큰 때가 2019-2020년이다. 최저임금 제도를 긍정적으로 평가하는 입장에서는 임금 근로자의 최저 수준과 평균 수준 간의 격차를 좁혀주는 역할을 했다는 주장을 펼칠 수 있다. 하지만 반대 입장에서는 평균 소득의 증가율 비해 최저임금의 인상 속도가 너무 가파르다는 주장을 펼칠 수 있다.

특히 문재인 정부 출범 이후, 과격할 만큼의 최저임금 인상은 지속되는 저성장, 산업별 특수성, 법률상의 최저임금 적용 범위 등 다양한 측면을 고려하지 못했다. 목적과 반대로 하위 소득계층의 소득이 감소하고, 중상위 계층의 소득은 오히려 증가하는 결과를 초래하기도 했으며, 고용 위축과 한계기업의 확대, 사업장 해외 이전 등의 결과가 나타나기도 했다. 경제계가 우려한 최저임금의 역설이 사실화되었고 이를 정부가 인정했음을 시인한 것이 바로 2020년 최저임금 인상률 2.87%이다.

산업별 차등 적용 & 기업의 지급능력 향상

'을'들의 입장을 대변하겠다는 이번 정부에 들어서 오히려 최저임금제도의 폐지에 대한 과격한 목소리들도 심심치 않게 나오는 웃지 못할 상황을 연출했다. 어쩌면 최저임금의 룰이 이번 정권을 계기로 큰 변화를 가져다줄지도 모를 일이다. 가장 현실적인 대안으로 최저임금을 산업별로 차등 적용하자는 주장이 큰 힘을 싣고 있다.

지난해부터 이러한 골자의 법안은 총 9건이 발의되어 있다고 한다. 이는 각 산업분야의 현황과 특수성 등을 고려해 산업별로 최저임금을 별도로 지정하는 것이다. 반도체나 석유화학, 자동차 등 대규모 투자와 첨단 기술 등을 요하는 산업은 부가가치가 높아 근로자에게 높은 지급을 제공할 수 있지만, 플라스틱 사출이나 금형, 주물 등의 뿌리산업의 경우 상대적으로 개발도상국들과의 경쟁이 심하고, 노동집약적이고 중소기업의 비중이 높아 인건비가 사업에 큰 영향을 줄 수 있다. 이러한 점을 고려해 산업별 주체 간의 합의나 국회 등을 통해 최저임금을 결정하는 것이다.

지역별로도 차등 적용을 하자는 주장이 있다. 지역별로도 평균 임금과 물가 등이 다르다는 점을 이유로 들고 있다. 하지만 지역별의 임금 차이도 결국 지역별로 산업이 편중되어 있는 경향이 강하기 때문에 산업별로 최저임금을 차등 적용하는 것만으로도 충분할 것이다. 또한 오히려 지역 간의 차별이라는 인식이 팽배해져 상당한 사회적 갈등을 야기할 수 있어 현실적으로 어렵다.

산업별 최저임금 차등 적용을 통해 산업별 특성을 명확히 분석·이해하는 기회를 얻음과 동시에 법적 강제력이 아닌 시장의 자율성을 높이는 기회가 될 수 있을 것으로 보인다. 이와 동시에 정부와 국회는 시장의 임금 지급력을 어떻게 하면 높일 수 있는지를 고민해야 한다. 높이는 방법은 여러 가지를 상상해 볼 수 있을 것이다. 산업별 근로자의 다양한 통계(평균 임금, 평균 인상률, 근속연수 등)를 바탕으로 기준 이상의 지급력이 높은 기업에게 세제 혜택이나 인증 제도 등의 혜택을 주는 방법이 있다.

이와 동시에 임금 체불, 근로계약 위반 등의 근로자의 실질 소득에 해를 끼치고, 노동 시장의 질서를 깨트리는 기업에 대한 신속한 처벌이 필요하다. 산업별, 기업 간에는 최대한 자생적 시장 질서를 통한 조정이 이루어질 수 있도록 정부와 국회 그리고 관련 협회가 어젠다를 잡아준다면 산업별 차등 적용에 대한 우려를 크게 종식시킬 수 있을 것이다. 이제 중소기업의 이야기로 넘어가 보겠다.

중소기업은 절대 '善'?

우리 사회에서 중소기업에 대한 인식은 상반된 두 가지로 나뉜다. 정치권에서는 절대적 약자임과 동시에 선이라는 인식이 있고, 구직자들 사이에서는 가지 말아야 할 곳, 되도록 피해야 할 곳으로 불리면서 취업 관련 카페와 구인구직 사이트에서 매일같이 비난과 호소의 글이 올라온다.

특히 386 정치권은 중소기업을 보살핌의 대상, 착하지만 약해서 피해를 보는 존재쯤으로 바라본다. 이러한 시선은 문제의 본질을 살피려는 시도조차 제한하고는 한다. 그저 늘 그렇게 부족하더라고, 잘못하더라도, 어설프더라도 맹목적인 지원의 대상으로 관례화된 지 오래다. 정치권에서 중소기업의 존재는 곧, 재벌을 비롯한 대기업 규제의 명분이 되고 정부의 시장경제 개입이 타당함을 입증해주며, 자본주의 그 자체가 문제라는 주장을 뒷받침해주는 근거가 되고 있다.

한국 중소기업을 보통 9988로 부르기도 한다. 기업 수의 99%가 중소기업이며, 근로자의 88%가 중소기업에 재직한다. 매출액은 2016년 기준 42.8%를 중소기업이, 57.2%를 대기업(중소기업 범위 초과 기업)이 차지하고 있어 대기업과 중소기업 간의 간격 차가 매우 크다. 수출 비중은 2019년 2분기 기준 중소기업은 510억 달러(18.8%)를 기록했다.

통계청이 발표한 '12-17년 임금근로 일자리별 소득 결과'에 의하면 대기업 근로자의 월평균 소득은 488만 원, 중소기업 근로자는 223만 원으로 나타났다. 약 2.19배 차이를 보였다. 전 산업별로 중소기업의 비중은 90%를 넘는다.

전체 중소기업 중 가장 많은 소재지는 경기도로, 중소기업의 21.8%가 경기도에 위치해 있다. 2위는 서울로 21%, 3위는 부산 (7.2%), 4위는 경남(6.8%)이다. 산업별로 대기업, 중소기업, 소기업, 소상공인의 기준을 상세히 구분하여 구분하고 있다. 근로자에 있어 가장 중요한 것이 바로 임금과 안전보건이다. 이 부분에서 중소기업은 어떠할까? 첫 번째로 산업재해 부분을 알아보자.

안전보건공단이 2019년 5월에 발표한 산업재해 발생 현황에 따르면 2018년 재해자 수는 총 102,305명이며, 50인 미만의 비중은 80,122명으로 약 78.3%를 차지한다. 300인 이상 사업장의 재해자 수는 7850명으로, 7.7%를 차지한다. 사망자의 경우에도 거의 흡사한 형태를 보이는 데, 총 사망자 2,142명 중 50인 미만 사업장의 비중은 1,285명으로 약 60%를 차지했다. 300인 이상의 사업장의 경우, 392명으로 약 18%를 차지했다. 대기업의 경우, 재해자의 비중 50인 미만 사업장에서는 62.3명당 1명꼴로 사망자가 발생했고, 300인 이상 사업장에서는 20명 당 1명꼴로 사망자가 발생했다. 건설, 조선, 석유화학 등 중공업 분야를 운영하는 경향이 많은 300인 이상 사업장의 특성상 재해 대비 사망사고 비중이 높은 것으로 보인다. 총 량과 비중으로 보면 50인 미만의 사업장이 절대적으로 높다는 것을 알 수 있다.

임금체불의 경우, 고용노동부가 운영하는 'e-현장행정실'의 통계자료에 따르면 2019년 상반기의 임금체불 총 금액은 8,459억 원이며, 30인 미만 사업장이 차지하는 비율은 약 71%인 6,011억 원으로 나타났다. 300인 이상 기업의 임금체불 비중은 약 5%인 439억에 불과했다. 30인 미만 사업장이 500인 이상 사업장보다 14배나 임금체불이 많았다.

작고 영세한 기업일수록 임금 지급이 어렵고, 안전한 사업장이기 어렵다는 것은 어쩌면 당연한 결과일 수 있다. 하지만 근로자의 약 60%가 소기업(소상공인 포함)에 종사하고 있어, 소기업의 고질적인 문제 원인과 개선방안에 대해 시급하게 고민해야 한다.

노력의 배신

　중소기업과 소상공인에 대한 정부의 노력은 어느 정부를 막연하고 수많은 예산을 투입했다. 특히 문재인 정부의 경우, 재정경제부나 산업통상자원부 외청에 속해 있던 중소기업청을 중소기업벤처부로 격상하여 중앙부처로 두었다. 2019년 예산은 총 10조 3천억 원에 이르고 2018년 대비 15.9% 인상되는 등 이번 정부의 핵심부처로 손꼽히고 있다.

　이전부터 중소기업의 존재는 곧 경제와 산업 관련 규제의 정당성을 부여하는 존재였다. 중소기업을 위한 대표적인 규제로는 1979년부터 2006년까지 시행되었던 중소기업 고유업종 제도가 있다. 2006년 폐지 이후 중소기업의 반발로 인해 2011년 중소기업 적합업종으로 부활했다. 이 제도들은 대기업의 확장으로부터 중소기업의 사업영역을 법으로 보호하려는 목적이었다. 2012년에는 유통산업발전법이 시행되어 일정 규모 이상의 유통사업장은 영업활동의 일정 제약을 받아야 했다. 2018년 6월에는 소상공인 보호를 위한 '소상공인 생계형 적합업종 지정에 관한 특별법'이 공포되기도 했다.

　이러한 규제에도 중소기업의 여건은 나아진 사례가 거의 없다. 음식료품 적합업종 14개 품목 중 3품목만 매출 증대가 있었다는 연구결과가 최근 발표되었고, 생계형 적합업종에서 음식업은 신청을 포기하고 대기업과 상생하기로 결정한 소식도 있었다. 재래시장의 경우, 2006년 24조 9천억 원이던 매출이 2016년에는 21조 8천억 원으로 줄었다. 오히려 대형마트도 성장세가 둔화되고 온라인 유통시장과 치열한 경쟁 중에 있다.

중소기업과 소상공인을 위한 정치권의 노력과 규제로 인한 대기업의 사업 제약, 그리고 소비자들의 불편함도 감수했다. 그럼에도 불구하고 도리어 시장에서 규제를 외면하거나, 취지와 반대의 결과가 나오는 결과만 초래했다. 규제에 기대어 아무런 혁신을 하지 못한 탓이 크다. 품질도, 가격경쟁력에서도 밀리는 중소기업 제품을 세계적인 테스트 베드로 손꼽히는 한국의 소비자들이 연민의 감정으로 지갑을 열 리 만무하다.

중소기업이면 다 무죄?

앞에서 서술한 바와 같이, 약 88%의 근로자가 중소기업과 소상공인으로 종사하고 있다. 절대다수의 국민의 삶이 바로 여기에 있다는 것이다. 그런데 중소기업에서 일한다는 것을 꿈꾸는 사람이 과연 있을까? 그저 주어진 환경과 능력에 따라 현실적인 방법을 택한 것이다. 88%의 삶 속에는 낭만과는 거리가 먼 고단함만이 있을 뿐이다.

정치권에서 보는 중소기업과 중소기업 근로자에 대한 시선은 어떨까?

연민이 가득 담긴 시선으로 바라봄과 동시에, 대기업을 위시한 기득권 타파의 이유가 되고, 정치권력을 통한 경제 개입의 실험대로 바라보고 있다고 판단된다. 삶에 대한 현실적인 영역 속에서 낭만을 꿈꾼다. 그 낭만이 희극으로 써질지, 비극으로 써질 것인지도 모른 채 말이다.

정치권의 구애는 끝을 모르고 그치질 않았다. 보수와 진보, 좌와 우가 구분이 거의 되지 않을 정도였다고 해도 과언이 아니다. 하지만 정치권의 다양한 시혜 정책에도 불구하고, 중소기업에게 요구되는 목표치에 항상 도달하지 못하는 실패한 정책으로 마무리되곤 했다. 왜 실패할 수밖에 없었는지, 기업과 행정 그리고 정치 중 누가 잘못했는지, 책임의 주체는 누구이며, 어떻게 그 책임을 져야 하는지 논해진 적이 거의 없었다.

중소기업계는 오로지 대기업의 피해자로 자처하면, 근로자를 위한 기본적인 임금과 안전 문제는 등한시해도 문제가 되지 않는다. 근로자들이 자신의 능력을 인정받아 더 큰 기업으로 이직을 하면 인력을 빼앗겼다고 하며 대기업만 찾는 풍토를 비난한다. 국내 청년들의 최소한의 요구에 맞추려 하기 보다 외국인 근로자나, 개성공단 재개 등의 목소리에 열을 올린다. 소위 386의 시선에서 보면 이보다 더 민중의 삶을 고달프게 만드는 주체가 어디 있을까?

공공 일자리 줄어야 중소기업이 산다

공공부문의 경우에는 상당히 인기가 좋은 일자리다. 임금이 아주 높고, 복지 또한 좋기 때문이다. 어딜 가도 떳떳하게 나의 소속을 이야기할 수 있는 얼마 안 되는 일자리다. 정부 알리오 공시에 따르면 공공기관 월 평균 임금은 무려 560만 원인 것으로 나타났다. (이에 반해 중소기업 비정규직의 평균임금은 151만 원에 불과하다) 여기에 블라인드 채용을 기준으로 내세우자 너도 나도 공기업과 공공기관 취업 준비에 뛰어들었다. 취업관련 인터넷 카페에서도 중소기업 근로자의 고민 해결책이 '퇴근 후 공기업 준비'가 거의 표준안일 지경이다.

하지만 공공부문의 일자리는 고용의 일환으로 바라봐서는 안된다. 그 것은 민간영역의 수요를 공공부문으로 대체하여 늘리는 것이 주요하다. 하지만 이번 정부는 이를 일자리 늘리기의 수단으로 활용하고 있다. 비정규직의 정규직화, 신규채용 증가 등은 눈 가리고 아웅식 정부 고용정책의 일등공신 역할을 했다. 하지만 세금으로 만드는 일자리, 지표에 집착한 포퓰리즘 정책의 결과는 우려대로 드러났다.

고용노동부가 7월 29일 '2019 공공부문 정규직 전환 사례'를 발간했는데, 부실경영 등으로 인해 적자가 많은 기관들이 비정규직의 정규직 전환의 모범사례로 뽑혀 논란이 되었다. 이 중 가장 논란인 곳은 2017년 부

채 비율이 무려 3695%에서 2018년 8764%로 배 이상 커진 한국국제협력단이다. 2018년 공공기관 경영 평가에서 최하 등급인 E 등급을 받았지만, 2019년에는 오히려 C 등급을 받은 데 이어, 이번 정규직 전환 사례에서 '모범 공공기관'으로까지 꼽혔다고 한다.

과거 보수 정권에서도 공기업을 비롯한 공공부문은 늘 밥값도 못하는 사업 추진과 일자리만 양산했다며 언론과 국민들의 지탄을 받은 바 있다. 하지만 이번 정부에서는 결핍 수준의 경제이해력과 정부 만능주의에 대한 과잉 집착이 결합되어 더욱 악화되었다. 2018년 한 해만 비정규직의 정규직 전환 정책 등으로 339개 공공기관 임직원이 3만 6000명 늘었다. 이에 2018년 25조 원가량이던 인건비 편성액이 2019년에는 28조 4346억 원으로 작년보다 3조 원 가까이 늘었다. 물론 경영실적이 이와 비례한다면 비난을 피할 수 있겠지만, 2018년 공공기관 전체 순이익은 1조 1000억 원에 불과했다. 2017년 순이익 7조 2000억과 비교했을 때, 대비 85%나 감소한 것이다. 박근혜 정부였던 2016년의 순이익 15조 4000억이었다. 무능을 넘어 반드시 심판해야 할 대목이다.

구직시장에서 중소기업이 일자리의 최후 수단으로 여겨지는 분위기부터 바로잡을 필요가 있다. 중소기업도 얼마든지 선택할 수 있는 환경이 조성되어야 한다. 하지만 공공부문 일자리에 비해 중소기업은 임금과 복지, 안정성 등 모든 부분에서 상대적으로 열악하다. 중소기업 근로자와 공공부문 근로자 간의 임금격차를 줄인다면, 중소기업을 선택하는 데에 거리낌이 없을 것이다. 이에 이번 정권은 청년채움공제 등 일종의 임금 보조 정책을 시행했지만, 기업의 참여가 저조하고 이직이 빈번한 특성상 큰 효과를 보지 못했다. 결국은 격차를 어떻게 좁히느냐의 관점으로 바라볼 때, 공공부문 일자리의 임금을 비롯한 다양한 메리트를 인위적으로 줄여가면서 중소기업과의 격차를 줄이는 방식으로 전환하는 것이 필요하다. 1차적 고용안정성은 차후에 논의하고 임금부문의 격차를 집중적으로 줄인다면 세금 낭비라는 굵직한 문제도 동시에 해결할 수 있을 것이다. 정부의 시장개입을 최소화하면서 방만한 공공부문을 손볼 수 있으며, 보다 나은 인재들이 중소기업을 선택하는 것에 거리낌이 없어질 것이다.

먹고사는 문제의 중심, 중소기업 현안에 집중해야

먹고사는 문제만큼 우리가 집중해야 할 문제는 없다. 그렇다면 먹고사는 문제에서 가장 중요한 곳은 어디인가? 바로 중소기업이다. '직장'이라는 단어에서 떠오르는 여러 가지 인식들의 대부분은 중소기업에서 기인되었다. 보통의 사람들이 일상에서 가장 오래 머무르는 곳이 직장이다. 특히 근로자의 88%가 몸담고 있는 중소기업은 먹고사는 것에 대한 인식과 현상의 발원지라고 할 수 있다.

일을 해서 돈을 버는 보통 사람들에게 중소기업은 어떤 인식을 남겨주었으며, 우리 사회에 어떤 현상이나 문제를 야기했을까? 누구도 어린 시절, 중소기업을 다니겠다는 꿈을 가진 바가 없었다. 어떤 어른들도 권한 바가 없다. 하지만 누구나 다닐 수 있고, 사실상 누구나 다니고 있는 곳이다. 그 속을 들여다보면, 위기감과 불안감 때론 절망감이 지배적이다. 공공부문과 대기업의 일자리를 뜻하는 1차 노동시장에 진입하지 못했다는 절망감, 이대로 가면 가정을 꾸리고 내 집을 장만할 수 있을까라는 위기감, 고용불안과 함께 열악한 임금과 처우에서 느껴지는 불안감. 이 세 가지 감정이 보통 사람들을 지배하고 있는 것이다. 결국 우리는 전 세계에서 가장 불행한 사람들이 되었다.

실제 중소기업 관련 데이터는 우리를 불행하게 만드는 여러 요소들을 생산하고 있다. 임금은 낮고 일은 고되며 위험할 뿐만 아니라 생산성조차 낮다. 어떠한 이념의 정치권력이든 간에 이 문제 해결을 위해 적극적이었다. 숱한 시혜 정책을 펼쳤으나, 결과는 미비했다. 해가 갈수록 중소기업의 경쟁력은 약화되고 지속되었던 높은 실업에도 구인난을 겪는 곳이 되었다. 이런 와중에 현 정부는 자본주의의 모순을 증명하고, 대기업을 압박하며, 세금으로 일자리를 만들어 매표행위를 하려는 명분을 위해 중소기업을 활용하고 있다.

방법은 하나다. 어떻게든 중소기업 일자리를 비롯한 2차 노동시장과 대기업, 공공부문 일자리에 속하는 1차 노동시장의 간격을 줄여야 한다. 현재 1차 노동시장은 왜곡과 모순의 총 집합체이다. 노조의 과도한 몽니에서 비롯된 비정상적인 고임금과 소위 양반계급의 부활이라고 불러도 손색이 없는 공공부문의 비정상적 혜택이 결국 2차 노동시장마저 왜곡과 모순을 낳고 있기 때문이다. 이를 해결하기 위해 정부가 개입한다는 방식은 이미 낡아서 쓸 수 없는 방법이다.

약자 프레임, 반자본주의 선동으로는 문제를 해결할 수 없다. 시장경쟁 체제를 중심으로 한 중소기업 정책의 새 판 짜기가 필요하다. 강력한 노동법을 입법하여 강제적으로 부담을 껴안기보다, 중소기업이 창업되고 규모를 넓히려는 욕구를 불러일으킬 수 있는 환경이 조성되어야 한다. 이는 결국 중소기업의 적극적인 구인활동을 유도할 수 있다. 이를 통해 구직자의 공급보다 기업의 구인 수요가 높아지는 상황이 연출될 수 있을 만큼 매력적인 정책을 고안해야 한다. 인재를 빼앗기지 않기 위해 기꺼이 지불할 수 있는 중소기업이 많아질 때, 먹고사는 문제에 대한 우리의 고민이 해결될 수 있을 것이다.

밀레니얼
386시대를 전복하라

밀레니얼
386시대를 전복하라

9부

386 정규직,
그들만의 노동시장

복지라는 명목으로 무언가를 자꾸 해주려고 하지 마세
요. 그게 바라는 거에요. 그냥 좀 내버려 두고, 제 능력
을 최대한 발휘할 수 있고 성취할 수 있게 조력자 역할
만 해주세요. 내 자유를 침범하지 마세요. 그리고 본인
들의 잣대로 우리의 노동 시장을 마음대로 만들려고 하
지 마세요. 이게 제가 국가에 바라는 거에요.
(2019년 8월 2000년생들과의 인터뷰 내용 중에서)

———

이윤진

9부.
386 정규직,
그들만의 노동시장

이윤진

시대별 현재를 살고 있는 '우리'

연대라는 이름으로 뭉치던 시절이 있었다. 권위주의의 지난 역사에서 복지라는 말은 복리후생, 기업에 다니는 사람들이 받는 일종의 혜택으로 여겨졌다. 내 삶이 그다지 풍족하지 못함에 대해 못난 부모 탓은 해도 국가 탓은 생각지도 못하던 시절이 있었다. 지금은 국가가 당연히 해주는 여러 가지 일을 가족이, 기업이 대신해주던 시절이었다. 그래서 '그 시대를 살던 우리'는 연대라는 이름으로 뭉치고 함께 밤을 지새우며 내 권리를 되찾기 위해 부단히도 애를 써왔다.

하지만 달라졌다. 현재를 살고 있는 우리는 함께 사는 삶을 지향하지만 내 개인의 가치와 자유가 그 무엇보다 존중되길 원한다. 물론 각 시대를 사는 사람들의 특성이 180도 달라졌다고만 볼 수 없다. 인간의 기본적 욕구의 측면에서 볼 때 인간은 이웃과 어울려 살 수밖에 없는 사회적 동물이기 때문이다. 나 자신이 기본적으로 충족하여야 할 욕구를 위해 권리를 되찾기 이전에 누군가와 함께 사는 삶을 염두에 두고 '그 안에서의 나 자신'을 생각해왔을지도 모른다.

한편, 인간의 기본적인 물질생활은 헌법에 의해 기본권으로서 보장받을 권리를 가진다. 하지만 국가에 요구하여야 하는 건지, 그리고 어느 정도까지 요구해야 하는 건지 몰랐고, 나아가 이를 국가에 요구할 수 없던 시절이 있었다. 그래서 그 시대의 우리 386은 뭉쳤고, 외쳤다. 그리고 민주화의 바람을 타고 각계각층의 분야에서 '권력'을 잡게 되었다. '우리'가 그토록 꿈꿔왔던 사회의 이상향과 본인이 권력을 쥔 뒤 전리품으로 뒤따라 온 현실적 생활과의 괴리가 생기기 시작한 시점이기도 하다. 386은 산업화 시대의 급속한 경제적 발전을 등에 업고, 대학을 졸업하면 하면 바로 기업에 취업하였다. 386은 산업화 이후 민주화운동의 성공을 맛본 후 사회를 바꾼 주역으로 등극하였다. 사회적 이상향을 실현하게 된 것이다.

'이 시대의 우리'는 경제적 발전에 뒤이어 복지에 비로소 눈을 뜨게 되었고, 최근까지 수많은 복지 관련 사회적 인프라가 제도적으로 자리 잡을 수 있도록 사회적 분위기를 형성하였다. 하지만 추구하던 이상향과 본인들이 현실적으로 누리는 삶은 많이 달랐다. 누가 듣기에도 '좋은 것'을 외치지만 본인의 삶 자체로 설명되지 않는 부분이 많아질수록 후세대에 대한 고민은 흐릿해져 가고 있었다.

집권 386 이제는 우리 사회가 향후 무얼 지향하여야 하는지, 현재를 사는 '우리'와 무엇을 나누어야 하는지에 대하여 고민할 시점이다. 모두 함께 잘 사는 복지 사회로 이행하는 과정에서 우리에게는 이제 무엇이 필요할까. 본 글에서 필자는 학술적인 글을 지향하기보다는 '세대 간 인식', 즉 '세대론'에 기초한 복지, 그중에서도 노동에 관한 소소한 이야기를 나누고자 한다.

복지인식, 386 vs 밀레니얼

복지의 정치 종속화는 단언컨대, 우리 사회가 지향하여야 할 바가 아니다. 그러나 정치적 맥락 없이는 복지 정책이 발전하기 어려운 것 또한 사실이다. 따라서 복지와 정치의 밀접한 연결고리를 바탕으로 정치적 이해관계를 달성하기 위해 국민의 삶 자체를 담보로 삼는 나쁜 습성이 자리잡게 된 것은 어찌 보면 불가피한 측면이 있었다. 하지만 아주 단순하게 볼 때, 복지라는 것은 국가가 "온정적 가부장"의 지위에서 국민에게 무언가를 무제한 베푸는 것이 아니다. 하지만 민주화 이후 우리 사회의 권력 계층을 자처하고 있는 집권 386들은 진정한 국민의 자유와 기본적 권리 보장, 복리 증진이라는 헌법적 가치를 담고 있는 '복지' 본연의 역할을 망각한 채 복지를 수단으로 정치적 입지 강화에만 몰두하고 있는 것은 아닌지 때때로 의문스럽다.

복지국가의 발달 과정을 이른바 코르피의 권력 자원 이론을 기초로 노동 계급의 역할 수행과 함께 간략히 언급하면, 민주주의 내에서 노동자들은 '단결권'을 바탕으로 노동조합을 결성하고, 시민적 권리인 참정권을 바탕으로 투표행위와 정당 조직을 통하여 자본가들이 형성한 경제 권력에 대항하면서 본인들의 이해관계를 표출하고 이해를 달성하여 온 것으로 이해되고 있다(korpi, 1983) 즉 단결권을 바탕으로 조직화된 노동자는 정치 영역에서 "응집된 유권자(표)"라는 권력 자원으로 인식되는데 복지 확대는 조직화된 노동자의 이해관계 중 핵심적인 부분으로서 선거 결과, 즉 '정치'와 밀접할 수밖에 없다는 것이다.

한편, 우리나라는 권위주의 체제하에서 급속한 경제 발전과 압축 성장을 바탕으로 복지정책의 기반이 형성되었다. 특히 이촌향도한 도시 노동자들을 대상으로, 북한과의 체제 경쟁 필요성과 비스마르크기의 온정적 복지주의적 시각을 바탕으로 복지가 확장되기 시작했다. 1963년 도입된 산업재해보험, 1977년 사업장 근로자부터 시작된 의료보험 강제가입, 수출산업단지였던 구로공단에 설립된 부녀복지관 기숙사 등이 대표적이다.

집권 386의 정치적 발판이 된 1987년 6월 민주화운동 이후 우리는 큰 변화의 물결을 맞이하였다. 6월 민주화운동에 뒤이은 "노동자 대투쟁"은 노동조합 설립 운동을 거쳐 전노협 결성으로 이어지면서 훗날 민주노총을 근거지로 한 노동자 계급의 권력 자원 결집, 나아가 진보 정당 건설이라는 정치 세력화 가능성의 토대가 되었다. 또한 대규모 사업장 중심으로 근로조건 향상을 위한 극렬한 투쟁과 전통적으로 보수 정권이 관심을 가졌던 '근로 복지' 영역에 대한 자원 투입이 확대되면서 경제활동 인구 대부분인 임금 노동자의 복지 수급 역시 상당 부분 개선되었다. 그리고 이러한 보수 정권의 복지 확대의 수혜를 소득활동을 시작하면서부터 받기 시작한 세대가 바로 386세대이다.

한편, 386세대와 밀레니얼 세대의 복지 인식이 달라지게 된 지점은 여러 가지가 있을 것이다. 먼저 1998년 이후 민주노총 중심으로 한 노동과 사회제세력들이 사회복지 문제를 정치적으로 풀려는 시도들을 두드러지게 하기 시작했다. 사회 문제 해결에 있어 노동 계급이 주체가 된 것이다. 이는 복지가 집권 386의 정치적 무기로 자리 잡으면서 지지층을 결집해 그들의 정치적 이해관계를 달성할 수 있는 최고의 영역으로 자리 잡게 된 것이다. 하지만 386세대가 정치적 무기로 여겼던 복지라는 것은 좌와 우 혹은 보수와 진보의 대립이 아닌 국민의 삶의 질을 결정짓는 국가적 사안임을 기억하여야 할 것이다. 그리고 밀레니얼 세대에게 이제는 복지라는 것이 그 무엇보다 세대 간-세대 내의 문제로 자리 잡게 되었다는 점을 상기하여야 한다. 복지의 속성상 여전히 정치적으로 이슈화될 수 있으나 과거의 구도와는 달리 정책을 형성하고 제도로 자리 잡는 양상이 상당히 달라졌음을 받아들여야 한다.

다음으로, 386세대는 국가로부터의 자유를 부단히 외침과 동시에 국가를 통해 자유를 얻을 수 있는 여러 방안 중의 하나로 국민이 국가에 요구할 수 있는 것이 '복지의 확대'라고 인식하고 있다는 사실을 들 수 있다. 이는 반드시 386세대만의 복지에 대한 인식이 아닌 복지의 확대 과정에서 오는 당연한 결과라고 할 수도 있으나 이때 분명한 것은 386세대와 현재의 밀레니얼 세대는 '국가에 대한 요구 정도와 수준, 그리고 내용'이 다르다는 것이다. 이는 밀레니얼 세대는 이미 민주화 이후의 시대에 살고 있는 자들이라는 특성을 반영한 결과이다. 밀레니얼 세대는 치열한 산업화와 민주화의 과정을 겪지 않았고, 경제적 풍요로움과 국가의 국제적 위상이 높아진 그 이후에 태어나 이 사회에 정착한 특성을 가진다는 것을 주목하여야 한다. 정의와 공정의 중요성을 그 무엇보다 최우선의 가치로 삼고 나 자신과의 싸움, 세상과의 싸움으로 하루하루를 치열하게 살고 있는 세대라고 할 수 있다. 이들은 그 무엇보다 '개인의 자유'를 중시 여기고 '개인주의'와 '자유주의'가 체화되어 있다. 본인에 대해 공정하지 못하거나 정의롭지 못한 여타의 제한과 한계는 용납이 되지 않는다. 또한 자유를 최우선의 가치를 삼는 것이 당연시되어 있기에 이는 국가가 해주는 복지도 386세대와는 다르게 인식할 수밖에 없다. 밀레니얼 세대와의 인터뷰 결과 많은 이들은 이렇게 외쳤다.

"국가가 무언가를 해주는 것보다 그냥 무언가를 할 수 있게 내버려 두는 게 더 중요해요. 복지한다고 하고 현금, 이런 거 막 주는 거 별로에요. 받을 때만 일시적으로 좋지 결국 내가 내는 세금이잖아요. 그런다고 내 삶이 얼마나 나아지는지 모르겠어요. 그냥 '일할 수 있는 유연한 환경을 만들어주고, 내 자유를 보장'해주는 게 더 좋아요."(2019년 8월 2000년 생들과의 인터뷰 내용 중에서)

"사회적 연대"에 대한 인식도 세대별로 상이한 것이 사실이다.

"연금 개혁이요? 지금 내가 일하면서 내는 돈을 나이 들어서 받는 건 맞아요? 신뢰할 수 없어요. 이미 386은 연금 받는 사람들이 생겨나고 있 잖아요. 우리는 지금같이 경제도 안 좋은데 돈 내는 거 받을 수 있을까 요?"(2019년 8월 2000년생들과의 인터뷰 내용 중에서)

마지막으로, 노동자 중심의 복지 확대는 궁극적으로 한국의 현시대에 살고 있는 우리들의 삶의 질을 결정지어 온 것이 사실이나, 그 과정을 직 접 경험하거나 목격한 386과 달리 현재 한국 사회 복지제도의 대강이 완 성된 이후의 시기(4대 보험을 기준으로 하면 고용보험이 도입된 1995년 으로 제도적 기반이 완성되는데 이때가 김영삼 정부이다.)에 살고 있는 밀레니얼은 생각의 지점과 높이가 상이할 수밖에 없다는 사실도 염두에 두어야 한다. 또한 세대 간 인식의 차이가 어떠하건 복지의 영역이 정치 에 종속되어 여러 가지 사회적 이슈를 결정하게 되는 상황은 결국 그 어 떠한 헌법적 가치도 달성할 수 없다는 것을 기억하여야 한다. 따라서 어 떠한 복지 정책을 결정하는 과정에 있어 (예를 들면: 근로시간, 유연한 일 자리, 무상보육의 소득 계층 범위 등) 투표자의 욕구를 충족시켜 표를 얻기 위한 복지 정책만을 시대별 흐름에 맞게 제시한다면, 이는 결국 집권 세력이 정치적 수명 연장의 수단으로서만 복지제도를 악용하는 매표행위가 될 뿐이다. 일정한 틀에 매몰된 사고방식을 가진 특정 세대 내지는 특정한 정치적 지향을 갖는 집단이 정치권력을 획득할 수 있느냐, 득표에 얼마나 기여할 수 있느냐가 궁극적으로 국민의 삶을 결정하는 데 있어 중요한 역할을 하게 된다면 그 결과는 장기적으로는 고스란히 국민의 피해로 다가올 가능성이 높다. 그리고 현시점에서 청년으로 살고 있는 밀레니얼 세대는 이 지점을 알고 명확하게 인지하고 있다. 즉, 현재 추진되고 있는 복지 정책에 대해 학문적으로 정교한 추론의 과정을 거칠 수는 없더라도 직관적으로 표를 얻기 위한 정책이 남발되고 있다는 것을 알고 있다는 것이다. 복지 확대의 매표 행위화는 이러한 점에서 역시 반드시 지양하여야 한다. 정치권력을 담지하고 있는 정치인들은 정치권력이라는 것이 국민으로부터 나오는 것임을 반드시 기억하여야 한다. 정치권력의 사용 권한은 국민으로부터 일시적으로 위임받은 것이고 국민의 권한이라는 것을 상기하여야 한다. 민주화운동의 산물인 6공화국 헌법 제1조 제2항의 "대한민국의 주권은 국민에게 있고 모든 권력은 국민으로부터 나온다"라는 준엄한 선언은 단순히 선언적 조항이 아니라 '민주공화국'이라는 정치체제의 실체를 담고 있는 것이라는 사실은 인식해야 하는 것이다. 그리고 이러한 헌법에 근거한 사고가 바탕이 될 때 모든 세대, 국민 모두의 삶을 좌우하는 복지라는 영역을 집권 세력의 정치적 이익 극대화의 수단으로 남용하지 않게 될 것이다.

두 얼굴의 노동시장 "내가 한창 일하던 시절엔 말이야"

이제 노동복지 영역으로 논의를 좁혀보고자 한다. 다른 모든 사회와 마찬가지로 한국 사회에도 여러 세대가 동시대의 시공간을 공유하며 살아가고 있고 밀레니얼 세대와 386세대의 공존 역시 그 영역이다. 세대의 차이와 무관히 생애 주기에 따라 유사한 과업을 수행할 시기가 온다. 근현대사회에서는 학업과 진학, 취업과 결혼, 노후 준비 등이라고 할 수 있는데 이는 인간이 출생하고 사망에 이르는 과정에서 오는 누구나 겪어야 하는 과정이다. 그러나 이 과정에서 객관적 사회 현상, 주어지는 기회에 대한 인식과 경험은 각 세대별로 상이하다. 이러한 상이한 인식과 경험은 바로 동시대를 살고 있는 이들의 '세대격차'로 정의할 수 있다. 그리고 이러한 "동시대를 다른 연령대로 살아가야 하는"세대 격차는 각 세대와 연령별 복지에 대한 인식 내지 경험의 차이로 이어진다.

특히 2008년에 밀어닥친 전 세계적인 금융위기와 유로 위기 이후의 시대를 살고 있는 현재 청년층에게 닥친 가장 큰 문제는 구조적으로 불황이 지속되고 있어 취업의 문턱이 점차 높아지고 있다는 것과 청년 세대 내부의 불평등이 지속적이고 불가변성을 갖기 시작했다는 것이다. 금수저 흙수저 논쟁도 이 영역에서 벗어날 수 없다. 386세대의 고착화된 권력과 계급 구조로 인하여 현재를 살아가는 청년들은 소득과 생활의 불안정성이 날로 커지고, 정규직과 비성규직에 의해 '후천적 사회적 신분'이 갈린 체 고착화된다.

일·가정 양립 내지는 균형이라는 이슈에 그다지 익숙하지 않은 386세대의 노동시장을 바라보는 이중적 인식은 이들이 밀레니얼 세대와 가장 두터운 벽을 치고 있는 부분이다. 소위 '꼰대'가 된 이들은 현재의 청년을 이해하기에 앞서 본인이 "그 나이 때" 경험을 내세우기도 한다. 이른바 '꼰대의 6하 원칙'중 하나인 when '내가 너만 할 때는'으로 시작되는 '바로 그 이야기'말이다. 그러나 현실에서 노동시장의 상위 계층은 386 남성들, 더욱이 산업화 시대 이후 민주화를 공동체적 연대의식으로 함께 이루며 위계질서를 더욱 공고히 해온 자들이라는 것을 상기해볼 때 현재의 노동시장에서 최하위에 있는 자들이 누구인지는 더욱 명확해진다. 본인들은 알지도 못하였던, 익숙하지 않았던 단어인 비정규직이라는 것을 그저 사회 현상으로 넘기고 애써 외면한 채 본인들의 정년 연장을 위해 힘을 모으고 있는 것과도 맥을 같이한다. 386의 자녀들이라고 할 수 있는 밀레니얼 세대는 그들의 부모가 만들어 놓은 이러한 공고한 구조 탓에 삶이 괴롭다. 노동시장에 진입하는 것조차 힘든 상황에서 간난신고 끝에 '하늘의 힘을 빌' 노동시장에 진입을 해도 존중받기가 너무도 힘들다. 예전과는 상황이 다름을 아무리 외쳐도 머릿속은 '쌍팔년도 그 시절에'늘 머무르고 있는 그들의 사고방식과 문화 규범을 뒤집을 길이 없다. 민주화를 이룬 이들에 대한 불신이 강화되고 있다. 이를 어떻게 해소할 것인가.

불평등의 교차로, 정규직과 비정규직

이 중 세대가 만들어낸 인위적인 계급에 주목해보고자 한다. 바로 세대 간의 불평등이 만들어 낸 지점이 있는데 정규직과 비정규직이라는 후천적 계급이다. 노동시장의 이중화로 인한 내부자와 외부자는 여러 측면에서 구분되지만 정규직과 비정규직이라는 집단 간 양극화는 계급을 형성하면서 현재의 사회를 규정하고 있다. IMF 이후 사회안전망이 제대로 갖춰지지 않은 상태에서 노동시장이 급격하게 유연화되면서 1995년에 도입된 고용보험은 1999년 이래 임금 근로자의 마지막 안전망으로서의 역할을 하고 있다. 그리고 많은 삶들이 고용보험이 1999년 무렵 도입됐다고 인식할 만큼 임금 근로자들이 보편적으로 고용 불안정성에 노출되기 시작하였다. 이때부터 대기업과 중소기업 간의 격차, 비정규직과 정규직의 격차가 확대된 시기라는 사실에 주목할 필요가 있다.

한편, 2019년 현재를 살아가는 밀레니얼 세대들에게는 이러한 신계급 사회가 형성되는 것을 자연스레 보아왔고 본인들 역시 이 계급 사회에서 어느 계급에 속할 것이냐에 대해 고군분투 중이다. 이는 집권 386이 정치권력을 장악하면서 세대 간 불평등을 만들어 낸 지점이 바로 세대 간 갈등이 심화되는 핵심 포인트라고 할 수 있다. 현재 비정규직은 정규직과 거의 동일한 비율로 노동시장을 형성하고 있고 지속적으로 증가하고 있다. 그리고 밀레니얼 세대들은 이러한 노동시장의 이중 구조에서 비정규직에 진입하는 대상이 된 지 오래다.

비정규직 규모

이를 세대별로 바라본다면, 정규직과 비정규직의 개념조차 낯설던(대학에 진학하였다면) 80년대 학번으로 사회에 진입한 세대들 중 절대다수의 인원이 노동시장에서 우위를 점하고 있으나 밀레니얼 세대들은 들어갈 자리마저 점차 좁아지고 있다. 물론 모든 밀레니얼세대들이 비정규직 사원으로 진입하면서 첫 사회생활을 경험하지는 않는다. 하지만 세대 내의 격차가 기존과 달리 눈에 띄게 늘어났다는 점을 함께 지적하고자 한다.

상대적으로 386세대보다 높은 대학 진학률에도 불구하고 금수저와 흙수저 논쟁으로 대표할 수 있는 세대 내 경쟁과 위화감을 경험하는 밀레니얼 세대는 비정규직이라는 단어에 그 누구보다 익숙하다. 하지만 이 지점에서 오는 차별을 극복하기 위해 노력하지만 고착화된 노동시장의 구조 탓에 매번 좌절을 경험하기도 한다. 따라서 그 무엇보다 공정과 정의라는 가치에 우위를 둘 수밖에 없는 삶을 살고 있는 것이다. 그 누군가는 대기업 정규직 일자리로, 그 어느 누군가는 중소기업 비정규직 일자리로 본인이 독립한 삶의 첫 페이지를 장식한다. 그리고 이때부터 사회에서의 각종 차별을 몸소 경험한다. 386세대가 청년 시절 경험하지 못했던 또 다른 상황이라 할 수 있다.

이러한 상황에서, 과연 비정규직과 정규직으로 양분화된 현재의 모습을 어떠한 해법으로 풀어나가야 할 것인가, 이에 대해 잠깐 언급하고 넘어가고자 한다. 유일한 해답이라고 할 수는 없겠지만 정규직을 중심으로 기업 내에서의 복지가 우위를 점하고, 대우에 있어 차별을 경험하고, 상대적으로 낮은 임금에 불만족을 경험하는 것에 우선 주목하여야 한다. 더군다나 중소기업에 근무하는 비정규직이라면 이러한 차별에 대한 인식은 더욱 뚜렷하리라는 것은 자명한 사실이다. 이러한 상황에서 '해고는 살인', '비정규직의 100% 정규직화'와 같은 비현실적인 해법 제시는 현상을 해결하는 데 전혀 도움이 되지 않는다. 근본적인 세대 간의 차별이 전제되어 있는 노동시장의 구조적 문제를 해결하지 않는 한 사회의 발전에 더더군다나 아무런 도움이 되지 않는다고 할 수 있다. 결국 노동개혁의 문제로 귀결된다.

정규직, 386의 카르텔

한편, 임금을 중심으로 하는 사회보험 체제는 정규직과 비정규직, 임금근로자와 노동시장에서 탈락한 영세 자영업자의 양극화 현상을 여실히 보여 준다. 사회보험제도는 임금근로자를 중심으로 설계되었고, 특히 정규직인 임금근로자가 혜택을 받는데 가장 기여를 하고 있는 제도이기 때문이다. 국민연금, 고용보험, 산업재해보상보험, 국민건강보험으로 대표되는 4대 사회보험, 노인장기요양보험까지 합하면 5대 사회보험은 우리가 최소한의 삶을 살 수 있는 사회적 안전망의 역할을 하고 공공부조라는 1차적 안전망으로 추락하는 것을 방지할 수 있는 완충 기제이기도 하다. 이것이 현재의 우리가 그토록 정규직 근로자로, 대기업의 정규직 근로자로 취업하고 싶어 하는 주된 이유이기도 하다.

또한 대기업과 중소기업 간의 임금격차, 복지혜택 격차는 우리가 그토록 대기업에 취업하고 싶어 하는 이유이다. 기업 복지라고 하는 것은, 앞에서 언급한 사회보험이나 퇴직금 혹은 퇴직연금 이외에 근로자의 만족도를 높이기 위하여 시행되고 있는 기업 내의 각종 복리후생 제도를 모두 일컫는다. 단체 보험이나 주택자금 대출, 기업 내 복지시설 설치, 선택적 복지제도 등 그 종류도 매우 다양하다. 이 중에서 선택적 복지제도란,

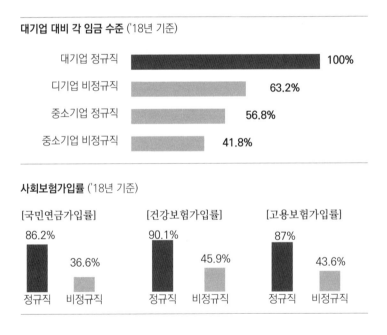

대기업 대비 각 임금 수준 ('18년 기준)

대기업 정규직	100%
디기업 비정규직	63.2%
중소기업 정규직	56.8%
중소기업 비정규직	41.8%

사회보험가입률 ('18년 기준)

[국민연금가입률]		[건강보험가입률]		[고용보험가입률]	
86.2%	36.6%	90.1%	45.9%	87%	43.6%
정규직	비정규직	정규직	비정규직	정규직	비정규직

근로자가 여러 가지 복지항목 중에서 자신의 선호와 필요에 따라 자율적으로 선택하여 복지혜택을 받는 제도를 말한다(근로복지기본법 제81조). 그리고 이 제도는 사업주에 따라 임의로 실시할 수 있도록 규정되어 있다. 경쟁력이 큰 기업일수록 해당 복지의 혜택이 활성화되어 있기도 하다. 이러한 기업 복지는 근로자에게 사실상 임금과 같은 효과를 가진다. 기업 복지가 잘 마련되어 있을 때 업무 효율성이 증진한다는 연구가 다수이며 이는 기업의 경쟁력을 확보하는 데에도 도움을 준다.

하지만 대기업과 중소기업이 동일한 수준의 기업 복지를 제공할 수 없는 것이 현실이다. 또한 수혜 대상자가 정규직인 경우가 대부분이다. 즉, 대기업 정규직 근로자에 비하여 중소기업 비정규직이 수혜하는 복지의 수준은 상대적으로 낮을 수밖에 없다. 하지만 정작 이러한 기업 복지가 필요한 것은 임금 수준이 상대적으로 낮은 중소기업 비정규직 근로자라고 할 수 있다.

이렇게 불평등한 설계는 왜 이렇게 고착되었을까. 기존 제도의 설계가 정규직 중심으로 이루어졌고 노동시장의 상위계층을 점하고 있는 386들이 이러한 격차를 몸소 느끼지 못하면서 노동시장에 우르르 진입한 세대였기 때문이 아닐까? 그리고 이러한 현상이 고착됨에 따라 온전히 피해를 보는 밀레니얼 세대를 누가 위로하여야 한단 말인가. 대기업 정규직으로 취직해야 비소로 '제대로 된 취업'이 되었다고 안도할 수 있는 이 상황을 누가 만들었으며 어떻게 바꾸어 가야 할 것인가.

〈임금 격차보다 심각한 대기업-중소기업 복지 격차〉

대기업과 중소기업의 임금·복지 격차가 여전히 큰 것으로 나타났다. 중소기업 임금은 대기업의 70% 수준을 따라가며 격차를 다소 줄였지만 복리후생비는 대기업의 절반에도 미치지 못하는 것으로 조사됐다.

23일 고용노동부가 밝힌 2017년 회계연도 기업체 노동비용 조사 결과에 따르면 지난해 사용 노동자 10인 이상 기업의 1인당 월평균 노동비용은 2016년(493만 4천 원)보다 8만 9천 원(1.8%) 증가한 502만 3천 원으로 집계됐다. 정액·초과급여와 상여·성과급 같은 현금성 직접노동비용은 399만 5천 원으로 2016년(393만 8천 원)보다 1.4% 증가했다.

퇴직급여·법정복리비·법정 외 복리비·교육훈련비 등 간접노동비용은 같은 기간 99만 6천 원에서 102만 9천 원으로 3만 3천 원(3.2%) 늘었다. 간접노동비용은 전체적으로 증가했는데 교육훈련 비용(8.1%)·법정 외 복지 비용(6.8%)·채용 관련 비용(5.9%) 순으로 증가폭이 컸다.

기업 규모별로는 300인 미만 기업의 노동비용은 407만 9천 원으로 300인 이상 기업(622만 2천 원)의 65.6% 수준이었다. 2016년(63%)보다 격차가 2.6% 포인트 줄었다. 직접노동비용은 300인 미만 기업이 338만 원으로 300인 이상 기업(477만 5천 원)의 70.8% 수준이었다. 2016년 300인 미만 기업(327만 3천 원)의 직접노동비용은 300인 이상 기업(481만 9천 원)의 67.9% 수준이었다.

간접노동비용은 중소기업이 대기업의 절반에도 미치지 못했다. 300인 미만 기업의 간접고용비용은 69만 9천 원으로 300인 이상 기업(144만 7천 원)의 48.3% 수준에 불과했다. 간접노동비용 중에서도 규모 간 격차가 가장 큰 항목은 교육훈련비로 300인 미만 기업(6만 원)이 300인 이상 기업(44만 1천 원)의 13.6% 수준이었다.

산업별로는 전기·가스·증기 및 수도사업의 1인당 노동비용이 878만 7천 원으로 가장 높았고, 금융·보험업이 866만 9천 원으로 뒤를 이었다. 사업시설관리 및 사업 지원 서비스업 노동비용은 236만 4천 원으로 가장 적었다.
– 매일노동뉴스 2018년 8월 24일

이하의 세 케이스는 취업에 있어 과거와 현재의 어려움의 차별점, 이러한 취업이 노후 생활에 주는 영향 등을 세대별로 구분해서 보여준다.

1961년생 K 씨는 수재 소리를 들을 정도로 어릴 때부터 성적이 뛰어났으나 넉넉하지 못한 집안 형편 덕에 공고에 취업하였다. 졸업 후 고등학교 때 배운 기술을 바탕으로 관련 기술을 취급하는 공장에 취업하여 열심히 일한 후 강남에 30평대 집을 마련하여 아이들을 강남에서 교육하고 키웠다. 정규직인지 비정규직인지 그 개념조차 모호한 시절이었다. 공장에서 수십 년 경력을 쌓은 것을 바탕으로 본인 회사를 창업하였다. 딸 셋을 서울의 명문대에 입학시키고, 이제는 안정된 노후를 준비 중이다.

1975년생 I 씨는 명문대 경영학과를 졸업하고 졸업을 할 때쯤 IMF를 맞이하여 모 대기업에 정규직으로 취업하였다가 해고를 당했다. 대학원에 갈까 생각했었지만 취업난에 대학원 시험마저도 탈락하였다. 간신히 재취업에 성공하여 사회에서 그나마 성공한 회사원으로 살아가고 있지만 아직 초등학생인 두 아들을 생각하면 본인의 노후도, 두 아들의 경제적 안정도 불안하기만 하고 중압감에 어깨가 무겁다.

1992년생 J 씨는 특성화고에 진행하여, 취업하고 하루빨리 취직하여 사회에 진출하고자 하였다. 어렸을 때부터 교사인 어머니와 중소기업에 다니는 아버지 덕에 안정적인 생활을 하였으나 공부가 체질에 맞지는 않았다. 따라서 남들보다 더 빨리 돈을 벌고 싶은 욕심에 특성화고에 진학하였고 공부를 마쳤으나 비정규직 사원으로 기업에 입사하여 안정된 삶이 보장되지는 않았다. 학력에 따른 차별, 내가 하는 노동에 대한 인식 때문에 다시 대학에 진학하여 화이트 칼라의 삶을 꿈꾼다. 하지만 취업을 과연 할 수 있을까, 정규직으로 어떻게 하면 취업을 할까는 여전히 미지수이다.

위 사례들을 살펴보면 IMF 구제금융위기라는 큰 사건 이전에 이미 사회에서 굳건히 자리를 잡은 386세대는 사회보험의 도입 과정에서 첫 혜택을 온전히 누린 사람들일 뿐만 아니라 비정규직과 정규직의 차이라는 말조차 생소함을 알 수 있다. 젊은 날 회사를 다니면서 현재의 사회보험 체제를 정비할 필요성조차 느끼지 못했던 세대라고 할 수 있다. 한편 IMF로 인해 취업에 직격탄을 맞은 X세대는 앞선 세대들이 정비해 놓은 제도하에 어느 정도 그럭저럭 생활하고 있지만 본인들의 노후에 대한 책임은 국가가 대신해줄 수 없다는 강박감에 살아간다. 국민연금을 납부하고 있으면서도 이에 대한 엄청난 확신을 가지고 있지는 못하다. 마지막으로 밀레니얼 세대를 살펴보자. 이들은 IMF 세대와는 또 다른 사회경제적 배경을 가진다. 이들 집단에는 386세대의 자녀도 일부 포함된다. 대학을 졸업하거나, 대학을 졸업하지 않았어도 노동시장 진입에서 상대적으로 어려움을 덜 겪은 부모님을 배경으로 사교육이라는 엄청난 전쟁을 치르며 공부한 세대이다.

하지만 밀레니얼 세대의 학교 밖 세상은 수많은 편견과 어려움으로 가득 차있다. 취업을 했다는 말 뒤에는 단순히 사회인으로서의 출발에 대한 축하가 따라오지 않는다. 4대 보험 가입되는 직장이야? 비정규직이야, 정규직이야?"라는 질문이 반드시 뒤따른다. 취업을 하는 것에서 나아가 어떠한 근로 형태인지에 따라 사회보험 가입 여부가 좌우되기 때문이다. 취업도 힘든데 복지 영역에서의 차별, 나아가 사회보험 가입 여부는 직장을 고르는데 더욱 신중해질 수밖에 없는 요인이 된다. 비정규직 일자리를 기피할 수밖에 없는 요인이 되는 것이다. 물론 이러한 것들은 단순히 세대별 차이가 아닌 모든 정규직과 비정규직 근로자의 이해관계가 갈리는 지점으로 볼 수도 있다. 하지만 '진입'자체에서 어려움을 겪는 밀레니얼 세대의 고충을 부각하고자 한다.

이들은 개인의 자유를 바탕으로, 자유로운 기업 간 이동을 바란다. 한번 직장이 평생직장이라는 용어도 없어진 지 오래이다. 노량진에 공무원시험으로 청년들이 몰린다는 기사가 이를 반박할 것인가? 아니다. 자유를 중시하는 밀레니얼 세대의 속성을 살펴보면 답이 나온다. 불안정함을 경험하고 싶지 않고, 이직 자체가 매우 힘이 든 상황을 인지하기에, 정규직과 비정규직이라는 격차가 삶의 격차로 다가오는 세대이기에 어쩔 수 없이 꿈과 희망보다는 공시족을 택하게 되는 것이 아닐까.

현재 밀레니얼 세대가 처한 노동시장의 상황을 살펴보면 정규직이라는 말 자체가 기존의 386세대들의 카르텔을 위해 악용한 것이라는 느낌을 지울 수 없다. 공식적으로 어느 국가든 근로 형태에 따라 정규직과 비정규직은 존재한다. 비정규직의 고용 지위 불안정이라는 것도 세계 어느 나라나 공통적이다. 하지만 오늘날의 한국에서 '해고는 살인, 비정규직 100프로 정규직 전환'이 아닌, 이동이 자유로운 노동시장 상황 형성과 더불어 이직 시 안정된 사회보장체계를 갖춘 국가적 시스템을 공고히 하고 이러한 상황하에 자신의 자아를 실현할 수 있도록 청년들을, 나아가 모든 사회 구성원 들을 격려하는 것이 그 무엇보다 우선 되어야 한다. 경제적 욕구를 충족하는 일자리가 늘어나도록 그 환경을 조성하고 노동자들의 노동 환경을 개선하여야 한다. 그게 미래가 불안정한 현재의 청년들에게 가장 든든한 말일 것이다. 노동 유연성과 안정성을 포괄하고 있는 이 방법은 '유연안정성'(frexcurity)을 추구하여야 하는 우리에게 그 어떤 세대보다 청년의 취업과 삶의 질 안정에 있어 최우선적인 과제이어야 한다. 미봉책으로 주는 수당 정책만으로는 밀레니얼 세대와 공존할 수 없다. 386세대가 이러한 보장 없이도 노동시장에서 본인의 위치를 점하는 세월을 보내 왔다면 이제는 그 부채로, 후세대에 대한 책임감으로 앞장서서 이러한 제도 개선에 동참하여야 한다. 진보 보수의 문제가 아니다. 이제는 세대의 문제이다. 노동개혁은 세대 간 격차를 해소하기 위해 반드시 필요한 과제임을 상기하여야 한다.

386 최후의 책무

마지막으로 노동의 유연화는 그에 조응할 수 있는 사회적 안전망을 전제로 함을 다시 한번 강조하고자 한다. 이를 뒤로 한 채 '비정규직 제로'라는 말은 현실적이지 않을 뿐만 아니라 집권 386이 마련한 허황된 정치적 미사어구라고 감히 말하고 싶다. 지금 현재의 우리들은 취업을 한 이후에도 정규직인지 비정규직인지에 따라 임금격차, 사회적 시선, 복지 격차 등을 경험한다. 386세대가 20대 사회 초년생 일 때는 경험하지 못한 '사회에서 그저 주어진 차별'이 밀레니얼 세대에게 있어서는 '자연스러운 일상화된 삶'이다. 이러한 부채를 갚지 않은 채 고스란히 밀레니얼 세대에게 이 사회의 병폐를 물려준다는 '고의의 침묵'은 '양심의 정도, 깊이, 유무'에서 나아가 '사회적 책무'를 다하지 않은 386세대의 오만함이다.

이에 대한 대책으로 내세운, 비정규직을 온전히 정규직화하겠다는 정치적 발언은 현실적이지도, 환상적이지도 않다. 여러 가지 사회적 비용에서 우선 투자하여야 할 부분이 어디인지, 말뿐인 정치적 수사는 국민의 복지 향상에 전혀 도움이 되지 않는다. 정규직 여부에 따라 기업 복지의 수준이 나뉘는 현상 역시 타파의 대상이지만 정규직이든 비정규직이든 사회복지의 혜택을 동일하게 받되, 정규직과 비정규직이라는 것이 취업에 있어, 본인의 삶에 있어 그다지 중요치 않은 시대가 와야 한다. '내가 일하고자 하는 내 꿈을 실현할 수 있는 작업장'에 취업한 것이고, '이직과 전직 자유롭되 그 기간 동안의 생활이 두렵지 않은 복지 제도'가 뒷받침되어야 한다. 사회보험이 임금근로자 중심으로 개편된 기본적인 속성에서 탈피하여야 하는 것과도 맥을 같이 한다고 할 수 있다. 무엇보다 노동 유연화에 대응하는 직업 훈련과 고용 기회, 사회 안전망을 강화하여야 한다. 이제는 정규직과 비정규직이라는 사회를 양극화로 몰고 가는 고용 '신분' 용어는, 감히 말하건대, 사라져야 할 시점인지도 모르겠다.

정규직, 대기업 386 노동자들은 밀레니얼 세대의 고용을 위해 본인들이 그동안 독식하였던 그들만의 특권을 포기하여야 한다. 사회적 계급이 386세대와 밀레니얼 세대 간의 대립으로 점차 고착화되고 있다. 이러한 시점에서는 오래 일한 정규직 노동자가 본인의 특권을 내려놓고 고통을 분담하는 것이 청년 고용에 있어 훨씬 현실적으로 긍정적인 기재로 작용하게 된다. 공무원 연금 개혁과 임금피크제의 안착도 동일한 맥락이다. 노동조합의 개혁 또한 필요하다.

또한 "해고는 살인"이라는 말이 사라져야 한다. 이를 위해서는 해고 시 고용 보호 수준을 향상하는 것만이 답이다. 해고 방지를 위해 총력을 기울일 것이 아니라, 모든 비정규직을 정규직으로 전환하는 정책이 아니라, 실질적으로 노동의 유연화에 대응할 수 있는 공고한 사회안전망을 하루빨리 만들어야 한다. 청년에게 취업을 지원하기 위해 무조건적으로 수당이라는 이름으로 현금을 살포하는 것보다는 고용보험제도를 정비하고, 실업에 대비한 사회안전망으로서의 복지가 더욱 강화되어야 한다.

무엇보다 정규직과 비정규직의 격차 자체가 사라져야 한다. 386세대의 큰 희생이 필요한 부분이다. 노동시장의 이중화 과정에서 적극적 노동시장 정책이 반드시 강화되어야 하는 이유이기도 하다. 노동시장에 쉽게 진입할 수 있어야 하고, 이직이 자유롭고 쉬워야 한다. 현재의 집권 386이 반드시 해야 할 일이다. 국가가 주도하여 민과 연계하여 이를 알선하고 기업이 자유롭게 활동할 수 있도록 강력하게 지원하여야 한다. 이런 것이 복지다. 즉, 복지 예산은 이런 데 쓰여야 하는 것이다. 실업급여 기간을 그저 최소한의 생계를 유지하는 기간으로 보내면 안 된다. 노동시장에 진입할 수 있도록 국가는 민과 협력하여 강력한 고용 훈련 제도를 제공하여야 하고 직업 훈련을 철저히 실시하여야 한다. 국가만 주체가 되어야 할 것이 아니라 기업과 노조가 이에 동참하여야 한다. 근로자의 일할 권리는 이렇게 보장되어야만 한다. 이를 국가가 보장하고 기업을 지원하며 노동시장에서 여러 가지의 기회를 제공할 때 청년들은 스타트업이건, 노동시장 진입이건 자유로워질 것이다. 그리고 기업은 움직일 것이다. 국가 경제가 활성화될 것이다. 정규직과 비정규직은 신분이 아닐뿐더러 본인만이 독점하는 계급은 더더욱 아니다.

산업화 이후 민주화 세대인 386세대는 일자리 자체로 사회에서 복지를 보장받았다. 하지만 이제 이들은 밀레니얼 세대들에게 차별과 계급 사회만을 물려주고 있다. 우리는 어떠한 대한민국의 미래를 꿈꾸어야 하는가. 다양성과 개인주의, 본인의 선택권을 그 무엇보다 중시하는 가치관은 밀레니얼 세대의 상징과도 같다. 개인의 다양성이 우위에 있으되, 이러한 가치의 보장을 위해 사회안전망을 더욱 두텁게 마련하여야 한다. 복지가 확대되어야 하는 방향성에 대한 이야기를 진지하게 나누어야 할 것이다.

노동시장 내에서의 지위가 곧 사회적 지위를 점하고 이러한 것이 고착화되어 난제가 거듭되는 사회를 더 이상 후세대에게 빚으로 넘기면 안 된다. 고용형태가 비정규직인지 정규직인지에 따라 '신분'이 갈리는 사회를 싹 바꿀 책무가 386에게는 있다. 중소기업에 근무하는지, 대기업에 근무하는시에 따라 본인의 사회적 지위'가 달라지는 사회를 철저하게 바꾸어야 한다. 비정규직 중소기업 노동자는 불안정한 삶을 사는 것이 일상화된 세대, 저출산으로 경쟁자들의 수는 줄었지만 경쟁 자체는 심화된 세대, 하지만 가슴 한편에 공정성에 민감한 밀레니얼 세대의 시선으로 노동시장 구조를 바라보아야 할 것이다. 정치와 경제에서의 권력을 모두 장악한 집권 386은 큰 책임을 지고 이 상황을 개선하여야만 한다.

부연하여, 현재 같은 상황에서 애 안 낳는 젊은 층에 대해 누가 탓을 한단 말인가. 불안한 노동시장, 낮은 소득은 밀레니얼 세대에게 출산을 포기하게 한다. 청년 세대에게 기회를 돌려줄 시점이다. 이미 늦었는지도 모르지만 그때가 가장 빠른 시점이라는 고전적 명제를 기억하자.

밀레니얼

386시대를 전복하라

10부

386 자사고 폐지?
사람이 먼저다!

정부와 교육 당국은 어떻게 하면 '하나고를 일반고로 만들 수 있을까'가 아닌 '일반고를 하나고로 만들 수 있을까'를 고민해야 한다. 학생들이 사교육에 의존하지 않고 학교 정규교육을 통해 전인격적 인재로 성장하는 것이야말로 '사람이 먼저'라는 현 정부가 가장 추구하는 방향 아닌가? 그렇다면 누구보다 앞장서서 자사고 폐지에 반대해야 하는 것이 바로 현재의 정부 아닌가?

———
임승호

10부
386 자사고 폐지?
사람이 먼저다!

임승호

"너 귀족학교 출신이라며?"

필자는 소위 '귀족학교'라고 불리는 하나고등학교를 졸업했다. 필자는 하나고등학교 1기 학생으로 새롭게 개교한 학교를 교사들과 함께 만들어 나갔다. 졸업 이후 대학교에서 필자가 하나고등학교 출신임을 밝혔을 때 돌아오는 반응은 "귀족학교 출신이구나" "집에 돈이 많나 보네" 따위의 부러움과 비아냥이 섞인 것들이었다. "부모님 등골 빨아먹었구나" "돈으로 대학 입학 자격 산 것 아냐?"와 같은 험담들은 '귀족학교' 출신인 필자가 감당해야 하는 몫이었다.

자사고(자율형 사립고) 출신의 학생들은 대개 필자와 같은 경험을 했을 것이다. 부정적인 색안경이 두려워 출신 고등학교를 숨겨야만 했던 학생들도 있을 것이다. 김해영 더불어민주당 의원이 2019년 2월 '사교육걱정 없는 세상'과 함께 발표한 '전국 단위 자사고 10개교 학부모 부담금'에 따르면 하나고 학생 한 명당 학부모가 연간 부담해야 하는 금액은 약 1280여만 원이다. 1년에 1280만 원이라니. 부유하지 않은 환경의 학생들은 감히 도전하지 못할 학교인 것처럼 보인다는 사실을 부정하기 힘들다.

해당 자료에 따르면 가장 등록금이 비싼 학교는 민족사관고등학교로 2589만여 원이다. 그 뒤를 하나고, 용인 한국외대 부설고(1177만여 원), 인천 하늘고(1122만여 원)가 잇는다. 일반고와 비교하였을 때 이는 분명히 압도적으로 비싼 액수이다. 그러나 해당 금액을 좀 더 자세히 살펴본다면 과연 자사고 학생들이 '귀족'이라 불릴 정도로 자사고가 일반고 학생들과의 교육 격차를 만들어 내는 악의 근원인지에 대한 의문이 생길 것이다.

필자가 졸업한 하나 고등학교의 경우 한 달에 한 번의 외출만 가능했다. 모든 학생들은 학교 바로 옆에 거주하더라도 기숙사 생활을 해야만 했다. 이는 학교 정규 수업 및 방과 후 수업을 제외한 모든 사교육을 원천 차단하기 위한 규정이다. 따라서 1200만 원의 등록금에는 식비, 거주비, 생활비 등 학생 한 명을 위한 모든 비용이 포함되어 있는 것이다. 그러나 일반고의 등록금에는 이러한 것들이 포함되어 있지 않다. 학생들이 학교에서 수업을 받는 교육비만 포함되어 있다.

실제로 하나고가 있는 은평구 소재의 일반 고등학교 3학년에 재학 중인 자녀를 둔 학부모의 사례를 살펴보자. 해당 학부모는 이 글을 집필하고 있는 2019년 9월 기준으로 벌써 1000만 원이 넘는 금액을 자녀 교육비로 지출하였다고 한다. 이 학부모뿐만 아니라 대부분의 일반고 학부모들이 자녀 교육비로 연간 1000만 원 이상의 금액을 지출하여야 할 것이다. 월 50만 원의 학원만 다니더라도 1년 동안 600만 원의 교육비가 필요하고, 여기에 학교 등록금, 식비 등을 포함하면 1000만 원은 쉽게 넘기기 때문이다. 이처럼 일반고에 재학 중인 자녀에게 지출되는 교육비를 고려하였을 때, 자사고의 등록금이 터무니없이 비싸다고 말하기는 힘들다.

또한, 자사고의 경우 다양한 장학제도를 운용하고 있다. 하나 고등학교의 경우에도 교내 생활장학금, 외부 장학금 등의 장학제도를 통해 차상위계층 학생들을 비롯한 경제 사정이 여유롭지 못한 학생들을 적극적으로 지원하고 있다. 방과 후 프로그램의 경우에도 외부의 사교육에 비하면 매우 저렴한 편이다. 그렇다고 교육의 질이 결코 떨어지는 것이 아니다. 하나고등학교를 비롯한 자사고의 교사진들은 외부에서 화려한 경력을 쌓은 교사들이 대거 포진해 있다. 이러한 교사들이 방과 후 수업을 운영하기에 학생들은 저렴한 비용으로 좋은 교육을 받을 수 있다. 또한, 교사진이 부족할 경우 외부의 강사들과 계약을 맺어 학생들에게 필요한 교육을 적절히 제공해 주고 있다.

필자 또한 저렴한 비용의 수강료로 제공되는 고품질 수업의 혜택을 톡

톡히 받았다. 필자는 논술전형을 통해 대학에 입학하였다. 그러나 필자는 단 한 번도 논술 과외나 논술학원을 다닌 경험이 없다. 수능이 끝난 이후 하나 고등학교에서는 외부의 우수한 논술 강사들을 방과 후 프로그램 교사진으로 섭외하였다. 그 결과 필자는 수십만 원을 뛰어넘는 사교육 시장의 논술 강의들을 저렴한 가격에 수강할 수 있었다.

집권 386의 '자사고 죽이기'

그런데 최근 자사고에 대한 본격적인 공격이 진행되고 있다. 처음 책을 집필하기 시작하였을 때는 자사고를 축소시킬 것이라는 '분위기' 정도만 흐르고 있었다. 그러나 본격적으로 책을 집필하기 시작한 뒤, 문재인 정부와 교육부는 자사고에 대한 본격적인 공격을 시작했다. 2019년 8월 2일 부산 해운대고, 서울 중앙고, 서울 경희고, 서울 배재고 등 10개의 자사고에 대해 교육부가 지정 취소 결정을 내린 것이다.

필자가 졸업한 하나고등학교는 간신히 기준 점수를 넘겨 살아남았지만, 오랜 전통을 자랑하는 자사고인 전주 상산고가 지정 취소 직전까지 가며 사회적으로 큰 논란을 낳았다. 교육부가 상산고의 자사고 지정 취소에 부동의하며 상산고는 화를 면했지만, 앞으로의 운명은 알 수 없다. 2020 총선을 앞두고 전북 지역의 표심을 의식한 교육부가 급하게 상산고에 대한 태도를 바꾸었다는 분석이 많기 때문이다. 따라서 총선 이후 상산고의 운명이 어떻게 될지 가늠하기 힘들다.

문재인 정부와 교육부는 자사고 지정 취소 결정에 대해 '기준을 충족시키지 못하는 자사고들을 지정 취소하는 것일 뿐'이라는 태도를 유지하고 있다. 그러나 상산고의 경우 자사고의 대표 격인 학교임에도 불구하고, 전북교육청은 다른 자사고들보다 높은 기준 점수를 적용하면서까지 지정 취소를 시도했다. 필자가 졸업한 하나고등학교 또한 올해 탈락할 가능성이 크다는 언론 보도들에 직면해야 했다. 그렇다면 문재인 정부를 비롯한 집권 386은 왜 이토록 자사고에 대해 부정적인 것일까?

폐지, 그 빈약한 근거

자사고 폐지론자들은 자사고가 학생들 간의 '교육 격차'를 만들어내기 때문에 자사고가 없어져야 한다고 주장한다. 우선 부유한 학생들만 갈 수 있는 학교라는 주장은 앞서 충분히 비판한 듯하다. 실제로 많은 자사고들은 '차상위 계층 전형'과 같은 별도의 전형 과정을 통해 사회적 약자들의 선발에 노력하고 있다. 또한, 자사고가 위치한 지역의 학생들을 일정 비율 이상 선발하는 것과 같은 사회적 책임을 다하려 한다.

이들은 또한 '자사고에 진학한 학생들은 대부분 SKY 대학교를 비롯한 명문 대학교에 진학할 수 있다'고 주장한다. 이로 인해 일반고 학생들에 대한 상대적 박탈감을 유발한다고 비판한다. 즉, 자사고에 진학한 학생들은 명문대 진학에 있어 굉장히 유리하다는 것이다. 그런데 과연 이들의 주장과 같이 자사고 학생들은 명문대 진학에 압도적인 우위를 차지하고 있을까? 자사고에 진학한 많은 학생이 소위 말하는 명문대에 진학한다는 사실은 부정할 수 없다. 그러나 그들이 명문대에 진학한 이유가 '자사고라는 타이틀이 있기 때문'인지 '자사고에서 우수한 학생으로 성장해서'인지는 분명히 구분할 필요가 있다.

필자가 졸업한 하나 고등학교의 경우 대학교 수강신청 시스템을 도입하여 학생들이 직접 자신의 시간표를 짠다. 따라서 선생님이 교실을 찾아다니는 것이 아니라 학생들이 자신의 시간표에 맞추어 대학처럼 강의실을 찾아다닌다. 한 학년 정원은 약 200명인데 수업은 매우 다양하게 열린다. 일반고에서 수강 가능한 기초 과목들뿐만 아니라 토론 수업, AP 수업, 논문 작성 수업 등 다양한 강의들이 열린다. 따라서 몇몇 과목들은 수강생이 10명도 되지 않는 경우가 많다. 1등급의 성적을 받기 위해서는 수강생 전원의 4% 안에 들어야 하는데, 수강생이 10명 안팎인 수업들에서는 1등을 해도 1등급을 받을 수 없다. 수강생이 매우 적은 수업은 만점을 받아도 3등급을 받는 웃지 못할 상황이 벌어지기도 한다.

이러한 상황이니 자사고에 진학한 학생들의 내신 성적은 일반고의 우등생과 비교하였을 때 처참한 수준이다. 학교에서 전교 1등을 한다 하더라도 내신 성적은 1점대 후반이다. 따라서 1점대 초반의 성적을 기록하는 일반고 전교 1등과 내신으로 경쟁하기에는 턱없이 부족하다. 따라서 자사고 학생이 '학생부 교과전형'을 통해서 명문대에 들어간다는 것은 불가능에 가까운 일이다. 하나고등학교 학생 중에도 일반고에 진학해서 좋은 내신 성적으로 명문대에 입학하는 것이 낫겠다는 생각에 전학을 결정하는 학생들이 꽤 있었다.

'학생부 종합 전형'의 경우 자사고 학생들에게 유리한 측면이 있을 수 있다. 학생부 종합 전형에서 자사고 출신들이 우대받아 자사고 졸업생들은 명문대를 쉽게 갈 수 있지 않냐는 비판은 어느 정도 일리가 있다. 그러나 학생부 종합 전형 하나만을 염두에 두고 자사고에 진학하는 것은 굉장히 어리석은 선택이다. 필자가 졸업한 하나 고등학교에서도 많은 학생이 학생부 종합 전형을 준비하였고, 교사들도 학생들이 학생부 종합 전형을 통해 대학에 진학할 수 있게 노력을 기울였다. 학생 정원도 일반고와 비교하였을 때 상대적으로 적은 편이기에 교사 한 명이 학생의 생활기록부에 쏟을 수 있는 시간은 더 크다. 그러나 많은 하나고등학교 학생들이 학생부 종합 전형에 도전한 만큼 불합격한 학생들도 많았다. 필자 또한 모든 학생부 종합 전형에서 보기 좋게 탈락하고 논술 전형을 통해 간신히 대학에 진학할 수 있었다.

선택의 이유

필자의 동기인 하나고등학교 1기 졸업생들은 절반에 가까운 학생들이 SKY 대학에 진학하며 여러 언론의 조명을 받았다. 해당 언론 보도들만 보면 하나고등학교를 비롯한 자사고가 명문대 진학의 지름길처럼 보일 수 있다. 그러나 언론이 조명하지 않는 것은 SKY 대학에 진학하지 못한 나머지 절반의 학생들이다. SKY 대학이라는 화려한 타이틀을 강조하는 언론들이 외면한 나머지 절반의 하나고 학생들은 재수, 삼수를 해야만 했다, 그럼에도 불구하고 끝내 원하는 대학교에 진학하지 못한 졸업생들도 있다. 필자보다 훨씬 뛰어나다고 생각하는 동기들이 자사고 특성상 낮은 내신 성적으로 인해 발목이 잡히는 케이스도 매우 많았다.

그런데도 왜 이 학생들은 하나고등학교를 선택했을까? 이들은 왜 졸업생도, 선배도 없는 상황에서 하나고등학교 '1기'라는 위험한 도전을 택했을까? 명문대에 진학할 수 있을 것이라는 기대감이 없었다고 하면 거짓말일 것이다. 그러나 그 이유가 유일한 것이었다면 차라리 훌륭한 진학 실적을 자랑하는 다른 자사고에 지원하는 것이 더욱 합리적이었을 것이다.

필자를 비롯한 하나고등학교 1기 학생들이 하나고를 택한 이유는 '다양한 교육과정'때문이다. 앞서 언급하였듯이 하나고등학교는 일반고에서 수강할 수 있는 기초과목뿐만 아니라 '토론과 논술', '논리적 글쓰기',

'퍼블릭 스피킹과 프레젠테이션'등 다양한 특수 과목 및 심화 과목을 운영하고 있다. 자사고 학생들이 학생부 종합 전형에 강세를 보이는 이유도 단순히 '자사고 졸업생 타이틀'을 갖고 있어서가 아니라 다양한 강의를 수강하여 일반고 학생들과 차별화할 수 있는 점을 스스로 만들어 낼 수 있기 때문이다.

또한, 하나고 학생들은 필수적으로 방과 후 '1인 2기'수업을 수강해야 한다. 1인 2기 수업이란 방과 후 학생들이 1개의 체육 과목과 1개의 음악/미술 과목을 수강해야 함을 의미한다. 학생들은 축구, 농구, 바이올린과 같은 과목뿐만 아니라 성악, 색소폰, 캘리그래피 등 쉽게 접할 수 없는 과목들도 수강할 수 있다. 물론 그 비용도 학교 외부에서 수강하는 것보다 훨씬 저렴하게 제공된다. 하나고와 유사한 교육과정을 운영하는 민족사관고등학교의 경우에도 학생들의 미술, 체육, 음악 활동을 적극적으로 장려한다. 그렇다면 이러한 자사고들은 왜 학생들의 예체능 활동을 적극적으로 권장할까? 입시 위주의 학생들을 양성하기보다는 '지덕체'를 갖춘 전인적인 인간으로 학생들을 성장시키기 위한 것이다.

고리타분한 말이라고 생각할 수도 있지만 실제로 학생들의 1인 2기 제도에 대한 만족도는 매우 높은 편이다. 처음 1인 2기 제도를 운용한다고 발표했을 때 학교는 학부모들의 거센 항의에 부딪히기도 했다. '외부 학생들은 그 시간에 학원을 가고, 과외를 받는데 예체능에 쏟을 시간이

어딨냐'는 것이다. 하지만 1인 2기 제도에 대한 학교 설립자의 의지는 매우 강했고 학생들도 매우 큰 만족도를 표하자 학부모들의 항의도 사그라들었다. 심지어 입시로 정신없는 고3 시절에도 1인 2기 시스템만큼은 유지되었다. 학생들은 학업 스트레스가 쌓이면 누가 시키지 않아도 체력단련실이나 축구장, 체육관으로 향해 땀을 흘리며 스트레스를 풀었다. 악기를 연습할 수 있는 개인 공간도 제공되어 악기 연주, 밴드 활동을 통해 스트레스를 풀기도 했다.

한 학기에 한 번 교내 아트센터에서 학생들의 1인 2기 성과를 학부모와 외부인들에게 뽐내는 1인 2기 발표회'도 있다. 학업으로 바쁜 와중에도 학생들은 1인 2기 발표회만큼은 성실히 준비했다. 정기적인 발표회 이외에도 학생들이 자발적으로 팀을 꾸려 기숙사 앞마당에서 저녁 시간을 활용해 밴드, 랩, 노래 등 다양한 비정기적 발표회를 하기도 했다. 또한, 학생들은 농구, 배드민턴 등 다양한 종목에서 자사고 연합 경기에서 우승을 차지하고, 서울시 대회에서도 플로어볼 우승을 차지했다. 몇몇 학생들은 전국체육대회 본선까지 참가하기도 하였다. 이는 하나 고등학교의 1인 2기 시스템이 결코 보여주기식 전시 행정이 아니라는 것을 증명한다.

언론과 자사고 폐지론자들이 집중하지 않는 자사고의 이면에서는 위와 같은 '교육 혁신'이 끊임없이 진행되고 있다. 명문대에 진학하기 위해 학생들이 자사고를 선택하는 것이 거짓말은 아니다. 그러나 단순히 그 이유 하나만으로 자사고를 선택하기에는 위험성이 매우 크다.

자사고는 현실적인 문제로 전국에 있는 모든 학생에게 위와 같은 혜택을 제공할 수는 없지만, 선별 과정을 통과한 소수의 학생을 학교가 추구하는 인재로 양성해내고 있다. 국영수 중심의 입시 괴물이 아닌 덕성과 지성을 고루 갖춘 인재를 양성하는 것이야말로 현 정부와 386 운동권 정치인들이 바라는 교육의 모습 아닌가? 그렇다면 하나 고등학교와 같은 자사고를 누구보다 찬성해야 할 사람들이 바로 집권 386 정치인들 아닌가?

폐지의 이중성

자사고 폐지를 주장하는 집권 386 정치인들에게 던지고 싶은 질문이 있다. '자사고 폐지 이후의 대안이 있냐'는 것이다. 현재 무너져가는 공교육의 최선의 대안이 자사고가 아닐 수는 있다. 그러나 자사고가 교육 격차를 벌리고 공교육의 붕괴를 촉진하는 원인은 아니라는 것이다. 자사고는 비록 소수의 학생이지만 학생들에게 다양한 교육을 받을 수 있는 기회를 제공한다. 그것은 공교육의 바람직한 이상향이다.

자사고를 폐지한 후 일반고를 혁신하여 공교육을 살릴 방안이 있다면,

또 그것이 충분한 공감을 얻는다면 얼마든지 자사고 폐지에 찬성할 수 있다. 그러나 현재 문재인 정부 하의 교육부에서 진행되는 '자사고 죽이기' 정책은 아무런 대안이 보이지 않는다. 자사고 폐지를 통해 자사고에 진학할 수 있었던 아이들을 일반고에 몰아넣으면 현존하는 교육 격차가 마법같이 사라질까? 전혀 아니다. 오히려 일반고 내에서의 교육 격차가 더욱 더 벌어질 것이다. 현재도 일반고 내에서 '우등반', 'SKY반'과 같이 성적이 우수한 학생들과 그렇지 못한 학생들을 분리 교육하는 것은 공공연히 알려진 사실이다. 자사고를 폐지하게 되면 이와 같은 일반고 내의 분리교육이 더욱 심해지지 않을까?

정부와 교육 당국은 어떻게 하면 '하나고를 일반고로 만들 수 있을까'가 아닌 '일반고를 하나고로 만들 수 있을까'를 고민해야 한다. 학생들이 사교육에 의존하지 않고 학교 정규교육을 통해 전인격적 인재로 성장하는 것이야말로 '사람이 먼저'라는 현 정부가 가장 추구하는 방향 아닌가? 그렇다면 누구보다 앞장서서 자사고 폐지에 반대해야 하는 것이 바로 현재의 정부 아닌가?

사실 자사고 폐지론자들은 대안 없는 자사고 폐지가 위험하다는 것을 그 누구보다 잘 알고 있다. 자사고를 비롯한 특목고 폐지를 강력하게 주장하는 많은 집권 386의 자녀가 특목고에 재학 중이라는 사실은 이제 놀랍지 않다. 2019년 7월 기준으로 문재인 정부 하의 현직 장관 18명 중

12명이 자사고, 외고, 유학을 보냈다는 사실이 알려지며 학부모들은 분노하였다. 박양우 문화체육관광부 장관의 차녀는 자사고로 지정되기 이전에 자사고에 다녔다는 사실이 밝혀졌지만, 그러나 현직 장관 3명 중 2명꼴로 자녀가 자사고, 특목고 등을 택한 것이다.

김 교육감은 상산고 학부모들과 정치권 일각에게 비판을 받고 있다. 상산고 학부모들은 "김 교육감의 아들도 사교육 도움을 받아서 영국 케임브리지대학교에 입학하지 않았느냐. 케임브리지대학교의 한 학기 학비는 1300만 원인데 여기야말로 귀족학교 아닌가"라고 비판했다. 이는 김 교육감이 '상산고는 귀족 학교다. 타 지역 아이들이 오는 입시 학교로 변질됐다'고 주장한 데 대한 반발이다.

김 교육감은 "부모 입장에서 '(아들이) 케임브리지 가고 싶다'며 거기 가려면 이런 절차를 거쳐야 한다. (절차를 거쳐서) 합격했다' 그러면 '거기 귀족학교다'라고 말하는 게 정상적인 부모인가"라고 반문했다.
그는 '서울에서 전주 상산고에 가고 싶다는 아이를 상산고에 보낸 게 유학과 뭐가 다른가'라는 질문에 대해서는 '지방 대학 및 지역 균형 인재 육성에 관한 법률'을 들어 반박했다.
김 교육감은 "(해당 법률은) 지역 인재를 우선하는 것"이라며 "진정한 의미의 지역 인재가 뭐냐. 전북을 발판으로 삼고 뛰는 그런 아이들을 위한 조항"이라고 말했다. 그러면서 "(국내 고교 진학과 해외 유학은)비교 대상이 아닌 것을 갖다 붙여서 드리는 말씀"이라고 덧붙였다.

−「김승환 전북교육감 "케임브리지 합격한 아들, 그럼 말리나"」
(중앙일보 2019.07.30.)

자사고 지정 취소 논의가 한창 뜨겁던 2019년 7월, 상산고의 자사고 지정 취소를 강력하게 추진하는 김승환 전북교육감의 아들이 한 학기 학비가 1300만 원에 달하는 케임브리지 대학교에 진학한 사실이 밝혀지자 김 교육감이 보인 반응이다. 이러한 김 교육감의 반응이 알려지자 많은 네티즌들은 "자기 자식은 안 말리면서 다른 사람들 아들은 왜 말리냐"라며 거센 반발을 표했다.

　　김 교육감의 말이 옳다. 자기 자식이 케임브리지 대학에 가겠다는 의지가 있고 그러한 실력이 있다면 어떤 부모가 말리겠나. 김 교육감이 스스로 말했듯이 학비가 비싸든 싸 든, 학교가 해외에 있든 국내에 있든, 그 학교가 귀족학교라 불리든 그렇지 않든, 학생들에게는 자신이 원하는 교육을 받을 권리가 있다. 그렇기에 케임브리지 대학에 진학하려는 김 교육감 자녀의 권리도, 상산고등학교에 진학하려는 다른 학생들의 권리도 동등하게 보장받아야 한다는 것이다.

　　김 교육감은 여론의 거센 비판에 '상산고는 다른 지역 아이들이 오는 입시 학교로 변질됐다'며 자신의 아들과 상산고는 다른 사례라고 주장했다. 상산고에 다른 지역 아이들이 많이 오는 것이 불만이었다면 상산고와 협의를 통해 지역 인재를 활용하는 시스템을 갖추면 되는 것이다. 다른 지역 아이들이 많이 온다는 사실은 '상산고의 입시 요강을 개선해야 할 근거'는 될 수 있지만, '상산고 자체를 일반고로 전환해야 하는 근거'는 아니다. 오히려 상산고를 폐지함으로써 양질의 교육을 받고 있던 전북 지역 내의 인재들마저 그러한 교육을 받을 권리가 박탈당하게 되는 것이다.

또한, 김 교육감은 상산고가 '입시 학교'로 변질되었기에 폐지되어야 한다고 주장한다. 다양한 인재를 길러낸다는 본래의 취지에 어긋나게 학교가 운영되고 있다는 것이다. 그런데 자사고에 의해 다양하게 길러진 학생들이 명문대에 몰린다면 그것이 '입시 학교'로 변질된 것인가? 상산고 졸업생의 76%가 의대에 진학한다는 사실이 상산고가 '입시 학교'로 변질되었다는 근거인가? 자사고가 학생들을 '입시 괴물'이 아닌 '전인격적 학생'으로 양성하는 것과 그 학생들이 명문대에 몰리는 것은 별개의 문제다. 상산고 졸업생의 76%가 의대를 선택한다는 사실은 상산고가 폐지되어야 할 근거가 아니라 우리나라의 대학 서열화와 대학 교육 시스템을 수정하여야 할 근거이다.

사회적으로 좋은 평판을 받는 대학에 진학해야 자신의 재능을 펼칠 기회가 더 많아지는 것은 슬프지만 분명한 사실이다. 이과 학생들에게 의대라는 것은 '의학을 배울 수 있는 곳'임과 동시에 '이과 학생으로서 도전할 수 있는 가장 높은 곳'이다. 그렇기에 졸업 이후 의대를 선택한 76%의 상산고 졸업생들은 의대라는 곳이 '자신의 실력으로 도전할 수 있는 가장 높은 곳'이기에 그 선택지를 고른 것이다. 대부분의 상산고 졸업생들이 의대로 진학하는 현실을 바꾸고 싶다면, 상산고를 없앨 것이 아니라 의대가 '이과생으로서 갈 수 있는 가장 높은 곳'이라는 인식이 바뀌어야 한다.

이는 대학 서열화를 해소함과 동시에 의사라는 직업이 사회적으로 선망받을 수밖에 없는 사회적 구조를 개선해야 하기에 매우 어려움이 분명하다. 그러나 이 방법이 어렵다고 상산고 자체를 폐지해 버린다면, 상산고에서 의대에 가려 했던 학생들이 일반고에서 의대에 도전하는 결과만 낳을 뿐이다.

자사고 졸업생들이 명문대에 많이 진학하기에 입시 전문학교로 전락했다는 비판 또한 마찬가지이다. 그렇다면 자사고 졸업생들이 명문대가 아닌 다른 학교들을 선택해야 자사고의 본래 취지를 잘 실현하는 것인가? 자사고 학생들이 명문대만 바라보는 것이 싫다면 대학 서열화를 타파해야 할 일이다. 자사고뿐만 아니라 모든 학교의 학생들은 가능하다면 명문대에 진학하려 한다. '자사고의 취지를 잘 살리는 것'과 '명문대로 졸업생들이 몰리는 것'은 서로 상관관계가 없다는 것이다. 고등학교가 '입시 학교'로 전락하는 것은 일반고와 자사고 양쪽 모두의 문제인 것이다.

자사고 폐지, 강남 집값 상승?

서울 전셋값 오름세가 심상치 않다.
자율형사립고(자사고) 폐지로 인한 강남권 학군 수요와 정비 사업 이주 수요가 늘며 서울의 아파트 전셋값이 계속 오를 것으로 예상되고 있다.
이미 서울 전셋값은 올 초부터 하락폭이 줄어들다 상승세로 돌아섰다.

9일 KB부동산 리브온에 따르면 올해 2월 서울의 전셋값은 0.17% 떨어졌고 이후 3월(-0.14%), 4월(-0.08%), 5월(-0.01%)까지 하락세는 지속됐지만 하락폭은 완화됐다. 6월에는 0.03% 하락했지만 지난달 0.02%를 기록하며 상승세로 전환했다.

특히 강남권의 전셋값 상승률이 눈에 띈다.

한국감정원의 '8월 1주 주간 아파트 가격 동향'를 보면 서울의 전셋값 상승률은 0.04%로 집계됐다. 그중 서초구는 0.19%, 강남구는 0.08%를 기록하며 서울 평균을 훨씬 웃도는 것으로 나타났다.

감정원은 자사고 폐지에 따른 학군 수요와 재건축 이주 수요 등이 강남권 아파트의 전셋값 상승의 요인이라고 지목했다.

우선 지난달 서울교육청이 서울 자사고 13곳 중 8곳에 대해 지정 취소 결정을 내리면서 학부모들이 학군이 잘 갖춰진 강남으로 눈을 돌리며 자연스럽게 전셋값이 올랐다는 분석이 나온다.

강남구 대치동 인근의 한 부동산 중개업자는 "전세와 매매 모두 찾는 사람이 늘고 있다"라며 "자사고 폐지에 대한 영향이 있다"라고 말했다. 이어 "수요자들이 10월까지 주소 이전을 마쳐야 안전하게 학군을 배정받을 수 있는 생각을 하고 있는 것 같다"라며 "휴가철이 지나면 본격적으로 전세 수요가 늘고 전셋값은 보합 상태 이상일 것"이라고 설명했다.

「자사고 폐지·재건축 이주 수요에 서울 전셋값 상승…오름세 언제까지?」

(머니투데이 방송 2019.08.09)

위의 기사에서 볼 수 있듯이 자사고 폐지와 동시에 강남권 아파트 가격이 요동치기 시작했다. 정부의 자사고 폐지 움직임이 본격화되기 시작하자 학부모들이 '강남 8학군'으로 다시 이동하기 시작한 것이다. 자사고 폐지 이후 학부모들이 대거 강남 8학군으로 이동하여 경기고, 휘문고 등의 일반고가 명문고의 지위를 되찾는 것이 현 정부가 추구하는 자사고 의 대안인 것인가?

문재인 정부의 자사고 폐지 정책이 본격화되기 이전부터 많은 전문가 들은 자사고 폐지는 강남 8학군의 부활로 이어질 것으로 예측했다. 그리 고 정부의 자사고 폐지가 시작됨과 동시에 학부모들의 강남권 이주가 본 격화되기 시작했다. 민사고, 상산고 등의 전통적인 자사고들은 살아남았 음에도 불구하고 강남권 학군 수요가 이토록 급증하는데, 자사고 폐지 정 책이 전통적 자사고들에까지 옮겨간다면 이 현상은 더욱 가속화될 것이 다. 결국, 교육격차를 해소하겠다며 시작한 자사고 죽이기 정책의 본래 의도는 달성하지 못하고 자사고의 혜택을 받던 기존 학생들의 권리만 박 탈하는 결과를 낳는 것이다.

비뚤어진 시선

사실 자사고에 대한 집권 386의 부정적인 시선은 비단 자사고에만 국 한되지 않는다. 그들은 자사고뿐만 아니라 특목고, 국제학교 등 모든 '수 월성 교육'에 부정적인 견해를 표한다. 성적 또는 능력이 우수한 학생들 을 별도로 선별하여 이들을 지원하고 육성하는 것에 불편함을 느끼는 것이다. 반면 이들은 모든 학생들을 한데 묶어놓고 동일한 교육을 제공하는 '평준화 교육'을 선호한다. 학생들의 소득 수준, 개인 능력과 무관하게 학생들을 한군데 모아놓고 동일한 교육을 제공하는 것이 평등이라고 생각하는 것이다. 그들은 '수월성 교육'을 불평등, 차별, 기득권의 형성 등과 동일하게 생각하는 듯하다.

그렇다면 현존하는 자사고, 특목고, 국제 학교 등을 모두 없애고 이들을 일반고로 전환한다면 그들이 그토록 원하는 '평등'이 찾아올까? 앞서 언급하였듯이 이러한 정책은 일반고 내에서의 수월성 교육의 심화, 강남 8학군의 부활이라는 '기형화된' 수월성 교육을 낳을 뿐이다. 겉으로는 모든 학생들이 동일한 교육을 제공받는 평등한 제도인 것처럼 보이지만, 일반고 내에서는 더욱더 많은 '명문대반', 'SKY반', '우등반'들이 생겨나고 학부모들은 자발적으로 강남 8학군으로 몰려들어 그들만의 요새를 형성할 것이다. 정부에서 평준화 교육을 밀어붙여도 자기 자식을 조금이라도 좋은 환경에서 공부시키고 싶은 학부모들은 어떻게든 수월성 교육 시스템을 만들어 낸다.

386이 학창시절을 보낸 산업화 시대에는 평준화 교육이 유효했을지도 모른다. 당시에는 국가 산업화에 필요한 '표준 노동자', '표준 시민'을 대량으로 양성해야 했기 때문이다. 따라서 모든 학생들에게 동일 교육을 제공하여 대량의 노동자들을 효율적으로 양성하는 평준화 교육이 필요했다. 그러나 현대의 정보화시대는 우리에게 다양성과 창의성을 지닌 학생을 요구한다. 그럼에도 집권 386은 평등주의적 사고에 과도하게 집착하여 정보화시대에 맞지 않는 교육 방식을 주장하고 있다.

심지어 극단적인 '기계적 평등'을 추구하는 북한에도 수월성 교육은 존재한다. 북한은 겉으로는 평등 교육을 내세우지만 '김일성종합대학', '평양외국어학원' 등 이름만 다른 북한식 과학고, 외고들이 존재한다. 북한의 무시무시한 공포 정치조차 자기 자식에게 특별한 교육을 제공하고 싶은 학부모들의 마음은 꺾을 수 없는 것이다. 하물며 자유민주주의를 추구하는 우리나라에서는 오죽하겠는가? 정치적으로는 평준화 교육을 주장하지만, 자신의 자녀만큼은 특목고에 보내는 386 운동권 정치인들의 마음이 대한민국 학부모 모두의 마음인 것이다.

필자 또한 현존하는 자사고들이 문제가 전혀 없음을 주장하고 싶지는 않다. 올해 자사고 취소 결정을 받은 자사고들이 국영수 중심으로 운영되는 '입시 전문학교'라는 비판이 전혀 틀린 것도 아니다. 그러나 그 해결책은 서열화된 대학 구조와 80%가 넘는 인구가 대학에 진학해야만 하는 현실에서 찾아야 한다. 만약 대학에 가지 않아도 자신의 능력을 발휘할 수 있는 사회라면 학부모들이 자녀들을 자사고에 보내려고 줄을 설까? 대학 서열화와 기형적인 대학 진학률이 개선된다면 정부가 나서지 않더라도 부실한 자사고들은 스스로 무너지지 않을까? 즉, 현 정부와 386 정치인들이 지적하는 자사고의 문제점은 자사고를 때려서 해결될 문제가 아니라는 것이다.

필자가 하나고등학교에서 생활하면서 가장 기억에 남는 일들은 기숙사에서 친구들과 몰래 군것질한 것, 정규 수업 종료 이후 밴드 활동을 하며 스트레스를 푼 것, 1인 2기 수업에서 갈고닦은 실력으로 외부 연주회까지 나갔던 것, 마음 맞는 친구들과 밴드를 결성해 기숙사 앞 작은 무대에서 공연했던 것들이다. 과연 필자가 하나고라는 자사고에 진학하지 않았다면 이런 추억들을 만들 수 있었을까?

필자는 대한민국의 모든 학생들이 이런 추억을 가질 수 있는 날이 오기를 진심으로 바란다. 그렇기에 자사고를 폐지하기보다는 하나고와 같은 자사고들을 롤 모델로 삼아 이러한 시스템이 일반고에 정착되는 방향으로 고민해야 한다는 것이다. 모든 일반고가 하나고, 민사고, 상산고 등과 같은 시스템을 갖추는 날이 올 때, 자사고는 굳이 정부에서 나서지 않더라도 자연스레 없어지게 될 것이다.

밀레니얼
386시대를 전복하라

밀레니얼
386시대를 전복하라

11부

386 문화독재,
자유의 힘

프랑스의 정치철학자 알렉시 드 토크빌은 다수 인민의 목소리가 곧 법이라고 하는 원리에는 정치와 경제의 한계를 넘어 사적인 취향의 영역과 종교적 확신, 그리고 인간 진보에 대한 우리의 신념에까지 침투하려고 하는 자연스러운 경향이 있다고 하였다. 그래서 민주주의 사회에서 이것이 악용될 경우, 개인은 여론과 타인의 의견에 저항할 수 있는 힘을 잃게 된다. 우리가 다시 정신을 차렸을 때는, 이미 정치체제가 사기꾼들과 대중조작자들의 손아귀에 떨어져 있음을 깨닫게 될 것이고, 그것을 다시 정상 궤도로 돌려놓는 것은 굉장히 어려울 것이다. '386 전체주의'에 대해 널리 알려, 이런 불미스러운 일을 예방하고자 이 글을 쓰게 되었다.

———
박도현

11부.
386 문화독재,
자유의 힘

박도현

그림자의 엄습

21세기 대한민국의 밀레니얼 세대, 우리의 문화와 정체성은 과연 자유롭고 독자적일까? 우리의 문화와 정체성이 온전히 보장받고 있는 이상적인 상황이더라도, 위협적인 독선 세력이 감히 그것을 해치지 못하도록 끊임없이 견제해야 할 것이다. 하물며 우리 세대의 문화와 정체성이 공공연하게 짓밟히고 있는 지금, 무엇이 우리를 억압하고 핍박하는지 알아내어 마땅히 저항해야 해야 하지 않을까? 우리 밀레니얼 세대를 덮친 '전체주의'의 그림자가 짙어지는 지금, 동시대를 살아가는 여러분과 그것의 위험성을 공유하여 불미스러운 일을 예방하고자 한다.

'독재'를 문자 그대로 풀이해보면 '홀로 재단한다'라는 뜻을 가진다. 엄숙한 얼굴을 한 누군가가 많은 사람을 모아놓고, 카레 가루를 뒤집어씌운 토종닭을 가리켜 전설 속의 동물, 봉황이라 주장한다고 가정해 보자.

이성을 가진, 일반적인 인간에게 객관적 판단을 요구한다면 아무도 그 닭이 봉황이라는 것을 시인하지도, 믿지도 않을 것이다. 하지만 모여있는 사람 중에서 가장 목소리가 크고 권위 있는 사람, 혹은 그 무리가 태연하게 입을 모아 그 닭을 가리켜 봉황이라고 한다면, 다른 소시민적 사람들이 나서서 그것이 봉황이 아닌 닭이라고 교정하기 쉽지 않을 것이다. 이상한 사람인 것처럼 취급당하고, 목소리 크고 힘센 사람들에 의해 유감스러운 일을 당할지도 모른다는 불안감이, 조직이나 사회에서 소외당할지도 모른다는 공포가 이성적인 시민들이 토종닭을 두고도 봉황이라 칭하게 만든다는 것이다. 이것이, 전체주의의 가장 친한 친구, '독재'이다.

우리 밀레니얼 세대가 '독재'혹은 '전체주의'와 다소 거리가 있는 성장 배경을 가진 탓인지, 현대 민주주의 국가에서 일어날 수 없는 일이라고 쉽게 생각할 수 있다. 그래서 중국 고사의 '지록위마(指鹿爲馬)'라는 말을 살펴볼 필요가 있는데, 이것이 현재 대한민국의 상황을 연상케 한다. 중국의 진시황이 죽자 환관이었던 '조고'가 어린 '호해'를 황제로 내세우면서 조정의 실권을 장악했다. '조고'는 자신의 권세를 믿고 '호해'를 농락하고, 진실을 말하는 무리를 처단하고자 하는 목적으로, '호해'에게 예쁜 사슴 한 마리를 바친다. 그러면서 좋은 말 한 마리를 바치노라 황제에게 고하는데, '호해'가 어찌 사슴을 가리켜 말이라고 하냐며 의아해하자 신하들에게 자신이 데리고 온 짐승이 말인가 사슴인가 질문하였다. 그리고 이때 사슴을 두고 사슴이라 바른말을 한 사람들을 하나하나

기억해두었다가 죄를 뒤집어씌우고 가차 없이 죽여버렸다고 하는 내용의 이야기이다.

남들이 다 아니라는 것을 큰 목소리와 사회적 지위, 그리고 기득권과 권위를 이용해 모든 것을 입맛대로 재단해버리는 것, 안타깝게도 이런 일들이 21세기 대한민국에서는 버젓이 일어나고 있다.

지금의 대한민국에서 386 운동권 세대는 과거 중국의 '조고'와 같이 강력한 기득권으로 성장하였다. 그들의 입맛대로 좌지우지할 수 있는 고집 세고 무능한 정권을 창출하여 그 뒤에 숨었다. 그러면서 정권에 그들의 무리한 요구를 강행하도록 압박하고, 일반 국민이 그들이 창출한 정권을 공격하지 못하도록 안간힘을 쓰고 있다. 386 운동권, 그들이 달려나가고자 하는 트랙에 방해가 되지 않도록, 바른말을 하는 사람들을 겁박하고 프레임을 뒤집어 씌우며 폭풍처럼 휘몰아치고 있다. 그 과정의 일부로, 독선적인 386 운동권은 그들이 가지고 있는 힘과 권위를 휘둘러 다음 세대인 우리 밀레니얼 세대에게, 그들이 정해놓은 것 이외의 독자적인 정체성이나 문화를 전혀 허락하지 않고 있다. 그리고 나는 이것을 '전체주의'라고 명명하였다.

> 개별성을 파괴하는 깃은, 어떤 것이라도, 어떤 이름으로 불릴지라도 독재다.
> −《자유론》, 존 스튜어트 밀, 1859
> 하나의 국민, 하나의 제국, 하나의 총통 − 독일 나치당 표어

토탈리타리오(전체주의)는 국가 안에 모두가 있고, 국가 밖에는 아무도 존재하지 않으며, 국가에 반대하는 그 누구도 존재하지 않는 것.

– 베니토 무솔리니

우리는 개별성을 파괴하는 것의 위험성을 많은 학자로부터 경고받아 왔고, 가치 판단을 통제한 국가가 벌인 일을 역사를 통해 잘 알고 있다. 그렇기에 우리는 성숙한 세계 시민으로서 386 운동권 세대의 타 세대에 대한 문화 침략을 기반으로 하는 정치 행위를 '전체주의'로 정의하고 그것의 원리를 정확히 파악하여, 그들이 드리운 검은 그림자에서 벗어나는 노력을 감행해야 한다.

M 세대, 못 배워먹은 비정상?

이제 내 말을 들려주려 한다. 요컨대 "너희처럼 처신하면 밥 되기 딱 좋다"라는 말이다. 자, 들어보라. 이명박은 너희에게 일말의 부채의식이 없다. "누가 찍으래?" 이런 입장일 것이다. 너희의 등록금 걱정, 취업 고민에 대해, 공감이라도 해줄 것 같나. 천만에. 그러니 등록금 반값 공약을 일말의 거리낌 없이 부도냈다. 아, 이런 대안은 제시했더군. "열심히 공부해서 장학금 받으면 되겠네"라는. (중략) 누굴 탓하겠나. 너희가 만만하게 보여서다. 앞서 얘기한 대로 지금의 너희 자리에 1980년대 군부독재 권력에 온몸으로 항거했던 386 선배들이 있었다면 그래서 권력의 골칫거리가 됐다면, 과연 이명박이 지금과 같이 무덤덤한 태도를 보였을까.

– 김OO, 충남대 학보 기고 글 〈너희에겐 희망이 없다〉(2009) 중

'군부독재 타도'와 '대한민국 민주화'의 공이 전부 386 운동권 세대에게 있는 것처럼 그들을 우상화하고, 그것에서 기인하는 권위로 다른 세대를 채권자라도 되는 냥, 비난하고 있는 글이다. 〈나는 꼼수다〉라는 시사 팟캐스트에서 이름을 알린 김OO이 작성한 것으로, 흔히 20대 개새끼론'으로 불리면서 지금은 30대가 되었을, 당시 20대에게 강력한 반발을 샀다. 이 책이 쓰인 시점을 기준으로, 밀레니얼 세대 대부분은, 학창시절이 인생의 대부분을 차지하고 있거나 아직 학창시절을 보내고 있을 것이다. 사회를 알아가고 있는 단계에 있으며, 다양한 모습으로 성장하여 장차 우리 사회의 가장 핵심적인 원동력이 될 꿈 많은 미래 세대, 밀레니얼 세대를 386 운동권 세대는 언제든지 정치적으로 움직일 수 있도록 길들이고 조련하고 싶어 해왔다. 그래서 386 운동권 세대와 그를 찬동하는 자들이, 일말의 망설임조차 없이 밀레니얼 세대에게 삶의 절반 이상, 혹은 삶 전체를 부정하는 말을 함부로 내뱉어 기를 꺾으려는 것은 어제오늘의 일이 아니다.

> "젠더 갈등 충돌도 작용했을 수 있고 기본적으로 교육의 문제도 있다 (…) 이분(20대)들이 학교 교육을 받았을 때가 10년 전부터 집권 세력들, 이명박·박근혜 정부 시절이었다. 그때 제대로 된 교육이 됐을까 이런 생각을 먼저 한다 (…) 지금 20대를 놓고 보면 그런 교육이 제대로 됐나 하는 의문은 있다."
>
> – 설OO 더불어민주당 최고위원, '폴리 뉴스'와의 인터뷰에서

아니나 다를까, 문재인 대통령과 더불어민주당 지지율이 20대 남성층

에서 여성보다 더 낮은 이유가 무엇이냐는 질문에, 386운동권과 같은 운동권 세대로 분류되는 더불어민주당의 설00 최고위원은 인터넷 매체 '폴리 뉴스'와의 인터뷰에서 위와 같은 답변을 내놓았다.

그리고, "박정희 같은 경우 민주주의와 전혀 상관없이 자라온 사람 아니냐"라던 그는, "저를 되돌아보면 저는 민주주의 교육을 잘 받은 세대였다고 본다. 민주주의가 중요한 우리 가치고 민주주의로 대한민국이 앞으로 가야 한다는 교육을 정확히 받았다. 그게 교육의 힘이었다."라고 자랑스럽게 말했다. 객관적으로 판단해봤을 때, '민주주의와 전혀 상관없이 자라온 사람'의 치하에서 정확한 민주주의 교육을 받았다는 것은 상식에서 벗어나는 이야기이다. 밀레니얼 세대, 특히 남성이 교육을 제대로 받지 못해 이상한 문화를 가지고 있다는 비논리적 주장을 펼친다.

이것을 통해 운동권 세대가 가진 무서운 사고방식을 알아볼 수 있다. 먼저, 이들은 기본적으로 그들의 경험, 그들의 가치가 절대적인 정의라는 전제를 두고 사고하고 있다. 그리고 그들의 만들어내는 가치에 동의하지 않는 사람들이 있으면, 못 배우고 무식해서 동의하지 못하는 것이라고 우긴다. 그러니까 운동권 세대가 말하는 것이 틀렸다고 생각되면, 맞다 생각될 때까지 다시 공부하고 배워야 한다는 것이다. 괴상한 선민의식을 가지고 세상을 바라보며 그들만의 사견을 절대적인 '진리'로 만들어버리고, 이것이 바로 386 전체주의의 첫 번째 기술, '우상화'이다.

386 인터넷 검열로 통제되는 사회

　다음은 지난 2월 12일 대한민국 방송통신위원회가 발표한 보도자료의 첫 부분이다.

　　방송통신위원회(위원장 이효성)는 불법 음란물 및 불법 도박 등 불법정보를 보안접속(https) 및 우회 접속 방식으로 유통하는 해외 인터넷 사이트에 대한 접속 차단 기능을 고도화하고, 2월 11일 방송통신심의위원회의 통신심의 결과(불법 해외 사이트 차단 결정 895선)부터 이를 적용한다.
　　－ 방송통신위원회 보도자료에서

　2월 초부터 몇몇 해외 사이트에 접속 오류가 발생하고 접근이 차단되던 것이, 2월 11일부터 대한민국 정부의 요청에 따라 전면 차단이 시작된 것으로 확인되어 기사화가 되었다. 이후 공론화가 되기 시작하고서야 방송통신위원회가 입장을 낸 것인데, 요약하자면 전 세계의 인터넷 사이트를 대상으로 하여, 방송통신위원회가 불법이라고 규정한 사이트는 차단하겠다는 내용이다.

　최근에 몰카 관련 성범죄가 사회적 이슈로 떠오르면서, 정부가 시의적절하게 제시한 정책이다. 말이 어려워, 나와 같은 일반 국민은 이 발표를 보면 '불법 음란물은 나쁘다, 불법 도박도 나쁘다, 나쁜 것은 막아야 한다, 그러니까 보안접속 및 우회 접속 방식으로 유통하는 해외 인터넷 사이트에 대한 접속 차단은 정당하다.'라고 생각하기 쉽다. 하지만, 이 정책은 좀 더 깊게 들여다볼 필요가 있다.

　이미 유명한 비유이지만, 이번에 방송통신위원회가 실시하는 정책은 편지를 주고받는 과정으로 이해해볼 수 있다. 이용자 간에 주고받는 편지의 내용을 뜯어보지는 않겠지만, 그 편지를 수거해서 편지 봉투에 쓰인 수신인과 발신인을 확인하고, 만약 그것이 차단의 대상이라면 그 편지를 소각하겠다는 정책이기 때문이다. 만약 편지 봉투를 뜯어 내용까지 확인하게 된다면 명백한 개인의 사생활을 침해하는 정책이겠지만, 수신인과 발신인만 확인할 것이기 때문에 전혀 문제가 없는 정책이라고 정부는 주장하고 있다. 그러나 우리 국민은 언제 어떻게 사생활을 감청당할지 모른다는 걱정에 불안한 마음으로 삶을 살아야 할 것이다.

　또 실효성에 대해 의문을 제기하는 목소리도 있다. 해외 사이트에 불법 음란물이 올라와 있고, 이것을 사람들이 보면서 피해자의 인격권이 침해되는 것이 문제라는 것이 이 정책을 옹호하는 386 운동권 세대, 그들의 주장이다. 그들의 말에서 알 수 있듯이 불법 음란물이 게시되어 있는 것은 해외 사이트이고, 이것을 사람들이 보면서 피해자의 인격권이 침해되는 것이 문제인데, 그 게시물을 대한민국 국민만 보지 못하게 한다고 해서 피해자들의 인격권이 침해되지 않는 것은 아니다. 그 영상은 한국뿐만 아니라 세계를 떠돌고 있기 때문이다. 그나마 국내에서라도 효과가 있으면 모르겠는데, 이미 대중에 상용화된 https 차단 우회 방법이 많아서 국내에서 큰 효과를 기대하기도 힘든 상황이다.

엎친 데 덮친 격으로, 최근에 여성가족부가 제시한 방송 검열은, 그들의 검열이 인터넷 검열로 끝나지 않을 것이라는 선전포고와 마찬가지였다. 여성가족부가 각 방송사에 배포한 '성 평등 방송 프로그램 제작 안내서'에 나와 있는 '방송 프로그램의 다양한 외모 재현을 위한 가이드라인'이 논란의 중심이 되었다. 여기에는 '비슷한 외모의 출연자가 과도한 비율로 출연하지 않도록 한다'는 내용이 담겨 있는데, 외모에는 객관적 기준이 없음에도 불구하고 여성가족부의 일방적인 잣대를 들이대서 방송 출연자의 외모까지 간섭하려고 시도한 것이다. 이는 과거 군사독재 시절 두발 단속과 스커트 단속을 연상케 하여 엄청난 비판을 받았다.

이런 검열 정책들을 펼치는 정부와 그 검열 정책을 옹호하는 386 운동권 세대가, 어떤 숨은 의도를 가지고 이런 일말의 실효성도 없는 정책을 추진하고 감싸고도는지까지 내가 알 수는 없지만, 하나는 확실히 알 수 있었다. 우리 국민의 사생활이 검열될 확률이 매우 높아졌다는 것이다. 386 전체주의 기술 그 세 번째는 '검열 강화'이다.

386이 두려워하는 M 세대의 문화

　지금까지 '전체주의'의 원리에 대해 알아보며 암울해진 마음을, 그것의 파훼법에 대해 알아보면서 달래 보면 좋겠다. 386 운동권 세대가 다양한 전술과 전략으로 기교를 펼치며 '전체주의'를 강행하고 있지만, 그것을 격파할 수 있는 무기는 멀리 있지 않다고 생각한다. 조금 싱거울 수도 있겠지만, 386 운동권 세대가 가장 무서워하고 경계하는 것은 '밀레니얼 세대의 본질' 그 자체이다.

　현재 우리나라의 상황을 보면, 386 운동권 세대는 4050 세대에게는 전반적인 지지를 얻고 있으나 밀레니얼 세대에게는 정치적으로 큰 호응을 받지 못하고 있다. 이는 386 운동권 세대가 강요하는 문화가 밀레니얼 세대가 만들어가고 있는 문화를 전면에서 부정하고 있기 때문이다. 하지만, 태양을 손으로 가릴 수는 없다고 하였던가. '전체주의'가 휘두르는 강력한 무기들의 힘에 쉽게 무너지지 않고 있는 밀레니얼 세대의 특성들은 아래의 2가지 정도로 요약해볼 수 있다.

　첫째, 밀레니얼 세대는 개인의 가치와 행복을 굉장히 중요하게 여긴다고 평가받고 있다. 우리는 국가의 주권이 국민에게 있고 국민이 권력을 스스로 행사하며 국민을 위하여 정치를 행하게 되는 원리의 현대 민주주의 국가에서 살아가고 있고, 우리의 이 특성은 현대 민주주의의 국민이 가져야 할 다양성에 대한 존중의 한 표본으로 해석되곤 한다. 수많은 386 운동권 세대가 정치적 이득을 위해 거짓된 가면을 쓰고 약자를 위한 목소리를 내는 것과 동급으로 놓는다면 그것은 큰 오산이다. 비주류 문화에 대한 존중과 관심이 꾸준히 증가하는 분위기나, 소수자에 대한 존중을 중요시하고 그들을 배려하는 것을 당연하게 여기는 분위기가 밀레니얼 세대 사이에서 점차 확장되는 것은 사례를 통해 확인해볼 수 있다. 대한민국에서 확실히 비주류 음악 문화였던 힙합은 밀레니얼 세대의 폭발적인 관심을 받으면서 성장하게 되었다. 힙합을 즐기는 밀레니얼 세대에게 왜 힙합을 즐기냐고 물어보면 '힙합은 비주류 문화라 우리 사회에서 소외당하고 있고, 사회적 약자의 문화로 분류되기 때문에 우리는 그것을 즐기면서 힙합의 가치를 위해 투쟁한다'라는, 주로 386 운동권 세대가 본인들의 정치적 행동을 정당화하기 위해 대던 핑계 느낌의 대답은 찾아보기가 힘들다. 그들이 힙합을 즐기는 이유는 '그냥'이고, 그들이 힙합을 즐기는 사람들을 존중하는 이유도 '그냥'이다. 기호의 다름을 인정하는 것에 거창한 미사여구를 붙이지도 않고, 타인의 기호를 존중하면서 원하는 대가는 본인의 기호를 존중받는 것뿐인 세대가 밀레니얼 세대이다. 그러니 밀레니얼 세대는 386 운동권 세대가 정치적 이익을 위해 사회의 비주류나 약자를 이용하는 것에 쉽게 동하지 않고, 잠시 흔들렸다가도 비교적 금방 제자리를 찾는다. '스스로 기준을 세우고 따르는 세대'를 마음대로 쥐고 흔드는 데 386 운동권 세대는 꽤 많이 애를 먹고 있으며, 앞으로도 노력한 만큼의 효과는 기대하기 힘들 것이다.

둘째, 밀레니얼 세대는 자신의 소신을 거리낌 없이 표현한다. 이것은 최근에 있었던 '조국 사태'를 통해서 다시 한번 확인할 수 있었다. 평소에 문재인 정권이나 여당에 우호적인 생각을 하던 사람들부터 그들을 강력하게 지지하던 사람들까지, 수많은 밀레니얼 세대가 '조국은 잘못한 것이 하나도 없고, 근거 없는 모략에 공격당하고 있으며, 반드시 지켜내어 법무부 장관의 자리에 앉히고 사법개혁을 밀어붙여야 한다'는 386 운동권 세대의 말에 '왜?'라는 질문을 던졌다. 설사 사법개혁이 필요하다는 마지막 부분에는 동의하면서도, 논리적이지도 않고 받아들일 수 없는 앞부분의 '조국 옹호론'에는 당당하게 반대했다. 맹목적인 당론에 매몰되지 않고, 일부는 수용하더라고 정의롭지 못하고 소신에 어긋나는 부분이 있으면 정확히 짚어내는 밀레니얼 세대가 본인들이 생각하는 것처럼 쉽게 다룰 수 없는 세대라는 것을 이번 기회를 통해 386 운동권 세대는 톡톡히 깨달을 수 있었을 것이다.

M 세대의 숙제, 문화주권

세계가 놀랄 정도의 엄청난 발전을 주도하였지만, 그 공이 무색해질 만큼 무서운 군부독재로 국민을 공포와 억압에 몰아넣은 정권이 과거 대한민국에 존재했다는 것은 부정할 수 없는 사실이다. 그리고 그 정권을 타도하고 무너뜨리는 데 가장 크게 일조한 것이 통칭 '386 운동권 세대'

라고 불리는 세력이라는 것 또한 명백한 사실이다. 하지만 과거의 영광은 이미 그 빛을 잃었고, 이제 '386 운동권 세대'는 '386 전체주의'를 통해, 밀레니얼 세대의 문화와 정체성을 억압하는 등 대한민국의 민주주의와 발전을 가로막는 역할을 하고 있다.

우리는 이제 '386 운동권 세대가'가 '386 전체주의'를 전개하는 방법도 알고 있고, 그것의 위험성에 대해서도 충분히 인지하고 있으며, 그것을 막을 힘이 우리에게 있다는 사실까지 확인하였다. 그래서 나는 386 운동권 세대로부터의 '문화 주권 쟁취'를 이 시대가 밀레니얼 세대에 속한 우리에게 우리의 가치와 행복, 그리고 소신을 지키기 위해 부여한 시대적 사명이 아닐까 생각한다. 그리고 이것에 동의하여 나와 함께 이 사명을 행동으로 옮기고자 하는 동료들과 다음 문구를 보고 약속하고 싶은 것이 있다.

> 괴물과 싸우는 사람은 그 싸움 속에서 스스로 괴물이 되지 않도록 조심해야 한다. 우리가 그 심연을 오랫동안 들여다본다면, 심연 또한 우리를 들여다보게 될 것이다.
> – 니체, 선악의 저편: 미래 철학의 전주곡 중에

독일의 문헌학자이자 철학자, 프리드리히 빌헬름 니체의 저서 「선악의 저편: 미래 철학의 전주곡」에 나오는 유명한 구절이다. 이 구절은 우리 밀레니얼 세대에게 두 가지의 메시지를 던지고 있다.

첫째, 우리는 실력을 길러야 한다. 386 운동권 세대가 군부독재 정권을 타도하는 것이 가능했던 것은 그들이 희생을 감수하며 군부독재 정권 이상의 힘을 보여주었고 싸워서 이겼기 때문이다. 386 운동권 세대가 우리 사회에 미치는 부정적인 영향을 교정하기 위해서는 우리가 군부독재를 이긴 문화 독재, 그 이상의 힘이 필요하다는 것이다.

둘째, 우리는 386세대를 바로잡기 위해 386세대와 같은 방법을 써서는 안 된다. 군부독재를 타도하는 과정에서 '독재'의 방법을 그대로 답습한 것이 바로 386 운동권 세대이다. 절대로 우리가 386세대의 악습을 답습하는 일이 발생해서는 안 될 것이다.

우리 밀레니얼 세대는 스스로 결정하는 세대, 다양한 취향을 반영할 줄 아는 세대, 일상에서 소신을 표현할 줄 아는 세대라는 세간의 평가를 받는다. 이것은 '386 전체주의'를 크게 위협하는 요소들이고 우리는 이미 이것들을 실천하고 있다. 따라서, 우리가 '386 전체주의'라는 사회 문제를 해소할 가능성은 충분하다고 본다. 다만, 우리가 해소해야 할 사회 문제가 군부독재라는 사회 문제를 해소하다가 스스로 괴물이 되어버린 386 운동권 세대의 '386 전체주의'인 만큼, 우리 밀레니얼 세대는 문화 독재를 해소해 나가는 과정에 있어서 386 운동권 세대와 같은 괴물로 우리 다음 세대에게 평가받지 않도록 경계했으면 한다.

밀레니얼
386시대를 전복하라

12부

달팽이가 부러운
우리들의 이야기

집은 보통의 사람들이 생애 가장 많은 비용을 들여 구매하는 재화이다. 부동산 시장에 사람들이 촉각을 곤두세우는 이유가 여기에서 비롯된다. 하지만 현 정부는 부동산 시장을 자신들의 통제 아래에 두고자 한다. 그 결과 주거 정책은 사는(buying) 것에 집중되고 있다. 집은 '사는(buying) 것'에서 '사는(living) 곳'으로 전환되어야 한다. 주거 정책도 거주민들의 삶의 질 향상에 집중되어야 한다. 시민이 시장이다. 시민들이 원하는 주거형태를 제공하고 부담 가능한 주택을 공급하는 것이 현재 대한민국에 가장 필요한 주거 정책일 것이다.

———
이준형

12부.
달팽이가 부러운
우리들의 이야기

이준형

장막을 세우는 사람들

역사 속에서 많은 나라들이 외세의 침략에 대비하기 위해 커다란 성을 쌓았다. 성벽은 지역을 보호하기 위한 수단이기도 하였지만, 특정 지역의 특권을 유지하기 위한 수단이기도 하였고 다양한 '구분'을 위한 건축물이었다. 지금 복원이 진행되고 있는 한양도성이 과거 조선의 수도 한양과 그 외의 지역을 구분하기 위한 목적이 있었듯 말이다.

지금 현재 대한민국에서도 커다란 성벽이 지어지고 있다. 누구나 살고 싶어 하는 지역에 누군가는 큰 성벽을 쌓아 올리고 있다. 그 장막의 목적도 누군가를 보호한다는 명분으로 지어지고 있지만, 현실은 장막 밖에 있는 사람들의 진입 기회를 막는 장애물로 기능하고 있다. 특히 그 성벽을 넘어 성안으로 진입하려는 미래세대의 사다리를 철저히 걷어차고 있다.

집권 386이 만들고 있는 각종 주거정책의 단면이 이러하다. 아무도 모르게 그리고 아무도 느끼지 못하게 아주 조심히 이러한 작업들이 진행되고 있다. 이 장에서는 집권 386들의 도시와 주거에 대한 문제의식을 철저하게 비판하고자 한다. 그리고 기회가 된다면 대안을 제시하기도 할 것이다. 내 집 마련이 꿈인 많은 국민들의 시선에서 말이다.

'사는(buying) 것'에서 '사는(living) 곳'으로

문재인 정부의 초대 국토교통부장관으로 임명된 김현미 장관은 3선 국회의원 출신의 노련한 정치인이다. 김현미 장관은 장관 지명 이후 LTV나 DTI 등의 금융 규제를 지속적으로 주장했고, 종합부동산세 인상, 재건축 초과이익 환수제 등 각종 부동산 규제정책을 주장했다. 그리고 취임 이후 이를 시행하기 위해 다양한 부동산 종합 대책들을 발표하였다.

현 정부의 대표적 부동산 정책은 크게 2017년 8월 2일 발표된 '8·2 부동산대책'과 2018년 9월 13일 발표된 '9.13 부동산 종합 대책'이다. 두 대책을 보면 강도 높은 규제정책으로 강남 집값을 때려잡겠다는 정부의 의지가 보인다. 하지만 강남 집값, 과연 잡혔다고 볼 수 있을까. 하지만 강남 집값, 과연 잡혔다고 볼 수 있을까. 낭만적인 부동산 정책은 결국 부동산 거래를 둔화시키는 결과를 초래하였다. 그리고 대책의 발표 과정에서 강남 집값은 오히려 폭등하기도 했다. 이는 정부의 부동산에 대한 이해, 그리고 경제에 대한 이해가 너무나도 잘못되어서 초래한 결과가 아닐까 싶다.

왜 강남의 집값이 다른 지역보다 높게 형성되어있나? 이 질문에 대한 대답을 잘 고민해보면 해답을 찾을 수 있다. 강남 지역은 누구나 살고 싶어 하는 매력적인 곳이다. 우선 도심과 교통이 아주 가깝고 편리하다. 아니 지금은 도심보다 더 서울의 중심이 되어버렸다. 그리고 양질의 교육을 자녀들에게 제공할 수 있다. 어느 국가보다 교육열이 강한 대한민국에서 지갑이 열릴만한 매력 포인트이다. 그리고 문화생활을 즐길 환경도 대한민국에서 가장 좋은 편에 속한다. 무엇보다 고소득 직업군의 출퇴근 환경을 최상으로 유지할 수 있는 최고의 입지조건이다. 이러한 지역에 누구라도 살고 싶은 것은 당연하다.

이러한 강남의 특성을 고려한다면 우리는 주거 및 부동산 문제에 올바르게 접근할 수 있다. 주거하는 사람을 위한 정책을 펴겠다는 현 정부의 국토교통부가 내놓고 있는 정책들은 가격을 통제하고 부동산시장을 억제하는 데 그치고 있다. 이제는 새로운 사고가 필요하다. 최근 다양한 커뮤니티에서 20대 청년들을 만나보면 이들은 집을 대하는 태도가 기존 세대와 아주 다르다. 기존에는 집 한 채를 소유해야만 한다는 생각이 강했다. 하지만 지금의 젊은 세대는 집을 군이 소유해야만 하느냐는 생각과 더불어 집을 소유하지 않더라도 좋은 주거환경을 누릴 수 있다고 생각한다. 물론 이러한 젊은 세대가 가정을 꾸리면 안정적 주거환경을 위해 집을 구매하려는 의지가 생길 수 있다. 이렇듯 다양한 관점으로 주거를 바라보고 부동산시장에 접근하는 국민들의 니즈를 채우기 위해서는 뒤이어 제시할 대안인 주거공급의 유연화가 그 어느 때보다 절실하다.

지금 이 정권의 집값 때려잡기가 실패하는 것은 당연하다. 경제는 계획되고 통제될 수 없다는 것이 지난 20세기의 교훈이 아니던가. 가격은 두더지 게임의 두더지같이 때려잡는다고 때려 잡히는 대상이 아니다. 하나의 두더지를 잡으려고 내리쳤을 때 다른 두더지가 올라오는 것을 청와대와 정부는 보았을 것이다. 가격은 잡힐 수 없다. 그리고 가격은 잡히지 않아야 사회가 건강해지는 것이다. 부동산 정책, 이제 근본적인 인식부터 바뀌어야 한다. 집(주택)이라는 개념을 '사는(buying) 것'에서 '사는(living) 곳'으로 초점 자체부터 전환해야 한다. 주택은 개인이 삶에서 가장 많은 시간 동안 생활하는 공간이다. 그러므로 대다수 사람이 일생에서 가장 많은 투자를 하여 구매하는 재화이기도 하다. 주거의 수준에 따라 개인의 삶의 질은 매우 높아질 수도 떨어질 수도 있다. 집을 '사는(living) 곳'으로 이해한다면 정책의 방향은 거주자의 삶의 질로 자연스럽게 옮겨질 것이다. 지금부터는 두 가지 사례를 들어 집권 386이 장악한 정책들을 살펴보고 비판으로 이어나갈 것이다. 이 사례들의 공통점은 주택을 '사는(buying) 것'으로만 이해하여 나타난 결과라고 파악할 수 있을 것이다.

3기 신도시 지정 논란

2018년 12월 19일 국토교통부에서 〈2차 수도권 주택 공급 계획 및 수도권 광역 교통망 개선방안〉을 발표하였다. 이 발표에서 100만㎡ 이상 대규모 택지지구 4곳이 지정되었다. 또한, 100만㎡ 이하 6곳, 10만 ㎡ 31곳도 함께 발표되었다. 이후 2019년 5월 7일 2곳에 3기 신도시를 짓기로 발표하면서 남양주 왕숙 신도시, 하남 교산 신도시, 인천 계양 신도시, 고양 창릉 신도시, 부천 대장 신도시 등의 3기 신도시 지정이 현실화되었다.

신도시 지정에 대한 논의를 이어가기 이전에 잘못된 편견 하나를 바로 잡고 가겠다. 우리는 흔히 주택보급률을 보면서 주택이 이미 과잉이라고 생각한다. 2017년 통계청에서 발표한 주택보급률을 봐도 전국 103.3%의 수치로 과잉공급이라고 여겨진다. 여기서 '주택보급률'이란 '특정 지역의 주택이 그곳에 거주하고 있는 가구들에 비해 얼마나 부족한지 또는 여유가 있는지 보여주는 지표'이다. 즉 대한민국의 상황은 1000가구가 있는데 1033개의 주택이 보급된 상황이다. 따라서 과잉공급처럼 보이지만 지역별로 나누어 보면 상황은 달라진다. 서울과 수도권은 96.3%, 98.3%로 거주 가구보다 주택 보급이 부족하다는 결과가 나온다. 지금까지 집이 남아돈다는 것은 사실 비수도권 지역의 이야기인 것이며 서울과 수도권은 아직 부족한 상태이다.

이러한 서울과 수도권의 주택 부족 문제 해결을 통해 집값 안정과 주택난을 해결하겠다는 목적으로 지난 1989년 노태우 정권 때 처음 1기 신도시 5곳이 지정된 이후 2003년 2기 신도시 12곳(수도권 10곳, 충청권 2곳)과 2019년 3기 신도시 5곳이 지정되었다. 1기 신도시 정책의 결과는 매우 긍정적이었다. 92년에 입주가 완료된 1기 신도시는 주택보급률을 69.8%(1985년)에서 74.2%(1991년)까지 끌어올리는 견인차 역할을 하였다. 2기 신도시는 2007년 보수정권으로의 정권교체 이후 다른 주거정책에 밀려 상대적으로 부침(浮沈)을 거듭하기도 하였지만 지금도 계속 인프라를 건설하고 있으며 입주를 진행하고 있다. 이러한 상황에서 3기 신도시가 추가로 발표된 것이다.

이제 다시 신도시 문제에 대한 논의로 돌아와서 지금 이 시점에 3기 신도시를 발표한 정부 정책은 주택시장을 제대로 이해하지 못한 데서 비롯된 것이 아닐까 싶다. 지금 3기 신도시 정책은 우리 사회의 뜨거운 이슈 중 하나이다. 앞서 이야기한 바와 같이 수요자들의 선호도는 그 지역 혹은 주택이 자신의 삶의 질을 얼마나 높여줄 수 있는가에 있다. 신도시에서 가장 중요한 부분은 바로 '서울과의 접근성'이다. 자신의 직장과 집의 거리가 가까우면서 출퇴근이 용이한 곳, 혹은 교육·문화적 인프라가 풍부한 도심권과의 접근성이 주택 선호에서 아주 중요한 부분이다. 이번에 새롭게 지정된 3기 신도시는 기존에 지정된 1기, 2기 신도시와 비교해봤을 때 상대적으로 서울과 근접한 거리에 위치해 있다. 2기 신도시는 아직

입주가 완료되지도 않은 상황에다가 곧 있으면 1기 신도시는 재건축 연한이 다가오고 있다. 이런 여건에서 3기 신도시를 이 시기에 지정한 것은 2기 신도시 입주에도, 1기 신도시 재건축 논의에도 큰 혼란만 줄 것이다.

부동산은 국가가 직접 건물을 짓고 그 건물을 분양하는 것만 있는 것이 아니다. 더 많은 양의 주택은 민간기업에서 건설하여 분양하는 형태로 주택 공급이 이뤄지고 있다. 강남 집값 때려잡겠다는 일념 하나로 규제 일변도의 정책을 계속 내놓다가 집값이 계속 상승하니까 신규 신도시 지정으로 이를 무마해보려는 것이라면 번지수를 잘못 찾은 것이 아닌가 싶다. 더군다나 앞으로 1기 신도시 재건축뿐만 아니라 서울 도심에도 재건축이 이어질 곳이 너무나도 많다.

주택을 '사는(living) 곳'이 아닌 '사는(buying) 것'으로 이해하고 내놓은 정책들이 발생시킬 문제들을 정부가 어떻게 대처할지 심히 우려된다. 돈을 계속 찍어낸다고 우리 모두가 부자가 되는 것이 아닌 것처럼, 단순히 집을 많이 지으면 집값이 내려가리라는 것은 착각이다. 이러한 착각에 따른 고통은 결국 주거 수요자가 이후에 지게 된다는 것을 깨달아야 한다. 수요자의 니즈에 따른 시장의 움직임을 명확하게 파악하지도 않은 채 무분별하게 건물을 짓는 것은 결국 환경을 극도로 파괴할 것이며 도시는 슬럼화될 것이다. 이 피해는 미래세대가 짊어져야 하는 문제이기에 더욱 중요하다고 생각된다.

도시재생은 선이고 재건축은 악?

　작년 여름낮 기온이 38°까지 올라갔던 때에 박원순 시장은 아내와 함께 강북구 삼양동에 위치한 옥탑에 거주하는 체험을 했다. 수십억짜리 번듯한 관사를 놔두고 그 더운 시기에 일시적이지만 옥탑으로 주거를 옮긴 이유는 어디에 있을까? 박원순 시장이 약 한 달간 거주한 삼양동 옥탑은 입주 15년 차에 접어든 길음 뉴타운 아파트를 좁은 길 하나로 마주하고 있는 곳에 있다. 옥탑에 서면 마주 보이는 뉴타운 아파트들과 대조를 이루는 풍경을 가진 곳이다. 여기서 약 한 달간 생활했던 박원순 시장은 과연 어떤 생각을 했을까? 가족들과 함께 삼양동으로 거처를 옮기고 싶어 했을까? 스티로폼으로 만든 이상한 물체를 에어컨 대용이라고 하면서 함박웃음을 짓던 시장님의 표정은 아직도 영상으로 남아있다. 그 순수함이 정말 국민의 주거환경을 향상시킬 수 있을지 의문이다. 그리고 여전히 그 달동네 옥탑방에서 살고 싶으실지 역시 의문이다.

　집권 386들은 대부분 개발을 악으로 규정하는 듯하다. 물론 박원순 시장은 386이라고 표현하기는 어렵겠지만 오세훈 시장의 뉴타운 정책사업에 선정된 창신·숭인동은 박원순 시장이 당선되자마자 재개발 지정 취소를 당한 지역이다. 그리고 이 지역을 포함하여 다수의 지역에 지정된 재개발 지정이 취소되었다. 그 결과는 '참담하다'는 표현이 정확할 것이다. 세상은 빠르게 변하는데 주거환경은 낙후된 상태 그대로이다. 재건축은 토목사업이고 토목사업은 악이라고 외쳐왔던 낡은 신념의 결과는 결국 주민들의 삶의 질 저하로 나타나게 되었다. 386들은 왜 그렇게 개발을 싫어하는가? 과거 최루탄을 던져가며 투쟁하던 도시의 배경이 바뀌는 게 두려운 것인가? 재개발이라고 하면 개발자본의 이익을 위해 정겹게 살아온 주민들을 내쫓는 이미지로 만들어 버린다.

　서울 도심으로 들어가 보자. 우리가 추억이라고 하면서 들르는 도심의 예쁜 골목들. 관광객으로 그 거리를 보면 참 예쁘고 아름답게 느껴지고 혹자는 자신의 어릴 적이 생각나며 추억을 회상하기도 한다. 하지만 다른 관점에서 보면 그 골목은 자동차 한 대 들어가기 어려운 곳이다. 만약 그 골목 안에 응급한 환자가 있다고 가정해보자. 구조 응급차 한 대가 들어갈 수조차 없는 그 길에서 누가 그 환자의 생명을 보장할 수 있겠는가. 잠시 지나가는 행인에게는 추억이고 아름다움이겠지만, 누구에게는 삶의 터전이고 생사가 걸려있는 공간이다. 특히나 그러한 골목에 사는 사람들은 대다수가 연로한 노인이거나 도심에 살고 싶지만 주거비용을 감당할 수 없어 저렴한 주택으로 이사를 온 신혼부부, 혹은 지방에서 서울로 공부하러 올라온 대학생들이 있다. 도심이라고 해서 무조건 가진 자들이 아니라는 것이다. 그리고 개발이 필요한 지역의 주택들은 어느 한 지점에서 불씨가 떨어지면 순식간에 동네 전체가 타버릴 수 있을 정도로 가연성이 높은 소재로 만들어져 있다. 폭우나 폭설에 지붕이 주저앉아 인명피해가 발생했다는 뉴스도 장마철이나 눈이 오는 시기면 꼭 들려오는 소식이다.

서울 한복판에서 아직도 이런 주거환경의 지역이 존재한다.

　다시 한번 묻고 싶다. 재건축이 악인가? 아니면 이러한 주민들의 주거환경을 방치하는 것이 악인가? 집권 386들은 도시재생을 재건축의 대안으로 제시하고 도시재생은 선이라는 프레임을 씌우고 있다. 우리가 도시재생을 평가할 때에도 기준이 있어야 한다. 도시재생으로서 해결할 수 없는 문제들을 가진 지역이 분명히 존재한다. 그 기준은 바로 도시의 기능이며, 도시의 기능은 바로 '주민들의 안전을 책임질 수 있는가'에 달려있다. 앞서 말했던 좁은 골목길의 주택들이나 가연성 높은 소재의 주택들은 도시재생으로 도시의 기능을 회복할 수 없는 경우들이 많다. 이런 곳은 불가피하게 재건축이 필요하고, 그 시기도 되도록 빠르게 재건축이 이뤄질 수 있게끔 해야 한다.
　'도시재생은 선이고 재건축은 악'이라는 이분법적 태도는 집권 386들의 위선적이고 시대착오적인 생각과 잘못된 이념이 절묘하게 결합해낸 촌극이다. 결국, 재건축을 통한 주거환경의 향상이라는 긍정적인 부분을 보아야 한다. 정책이라는 것은 무조건적인 선도 무조건적인 악도 없다. 그 정책을 어떻게 활용하고 그 결과로서 정책수요자들에게 어떠한 영향을 주었는가를 가지고 평가를 해야 한다.

　'도시재생은 선이고 재건축은 악'이라고 생각하는 것과 비슷한 사고가 또 있다. 바로 아파트를 악으로 생각한다는 것이다. 재건축·재개발 이

▲ 2018년 여름 박원순 시장이
거주했던 옥탑방

▲ 박원순 시장의 옥탑방에서
바라본 삼양동 주택가와 길음뉴타운

▲ 강북구 삼양동 미개발지역과 길음뉴타운

야기에 빠지지 않는 것이 바로 아파트에 관한 이야기다. 아파트가 성냥 갑처럼 도시에 즐비하게 되고 도시의 개성을 죽인다는 뻔하디뻔한 레퍼 토리다. 그런데 그들은 아파트에 살고 있고, 열심히 아파트를 사고 있다. 자신을 희생해서 아파트라는 '악'을 없애려는 것이거나 '악'이라고 선전 해서 자기가 선점하려는 것이다. 그도 아니면 심각한 자기분열이자 위선 일 테다.

아무튼, 왜 많은 수요자가 일반 주택보다 아파트를 더 선호할까? 지 금 우리가 살고 싶어 하는 아파트는 2019년 대한민국 국민의 삶의 형태 에 가장 적합한 주거환경을 가지고 있다. 넓은 주차공간과 운동시설, 공 공 라운지, 자녀들의 학습을 위한 학습 공간 등이 공용공간으로 갖춰져 있다. 층간 소음이 거의 없을 정도의 단음 기능이 있고 쓰레기 처리도 매 우 청결하게 된다. 보안 시스템도 훌륭해 외부인이 건물 내부로 함부로 들어올 수 없을 정도다. 물론 모든 아파트가 이러한 기능들을 다 가지고 있다고 볼 수는 없지만, 가격이 비싸면 비쌀수록 부가기능들이 많아진 다. 같은 지역이라도 메이커 아파트를 선호하는 사람들이 많은 것이 바 로 이 때문이다.

하지만 일반 단독주택들은 개인적으로 이러한 기능들을 각각 갖추지 않으면 누리기 어려운 것이 사실이다. 연립주택의 규모에서도 갖추기 어 려운 것들이 많다. 외형적으로는 성냥갑처럼 똑같이 생긴 것 같은 아파트지만, 최근에 공급되는 아파트들은 개개인의 삶을 더욱더 윤택하게 만들어주고 있다. 겉으로 보면 멀쩡한 아파트들도 일정한 시기가 지나면 현대인들의 주거기준과 맞지 않는 것들이 발견되기도 한다. 이러한 노후주택들은 분명 삶의 질을 저하시키기 마련이다. 지금까지 아파트 주택 건설을 통해 수평적 도시개발을 피하고 수직적 도시개발을 해낼 수 있었다. 이로 인해 환경 보존적 측면에서도 더욱 긍정적인 결과를 낼 수 있었다. '아파트는 악이고 일반 주택은 선'이라는 인식은 집권 386들이 반(反) 개발 구호에 심취하여 주장하는 시대착오적이고 반문명적인 생각임이 틀림없다. 그러한 편견을 깨고 바라봐야 주민들의 삶의 질을 높이면서도 현대인들이 살고 싶어 하는 주거형태를 온전히 공급할 수 있다.

21세기 촌락공동체? SMART한 도시?

이번 정부의 부동산 정책 그리고 이와 궤를 같이하고 있는 서울시장의 모습은 조금 더 근본적인 문제를 바라보게 한다. 386들의 시대착오가 도시·부동산·주거문제에 고스란히 나타나고 있다. 이들은 문명의 발전을 그 자체로 인정하지 않고 편협한 사고와 이념적 잣대를 통해 바라보고 있다. 박원순 시장 체제가 들어선 이후 마을공동체라는 표현이 매우 많아졌다. 950만 시민이 거주하는 도시의 행정책임자가 마을공동체를 이상으로 삼는다는 것은 옳지 않다. 옆집 사람이 누군지 무슨 일을 하는지 구성원이 얼마나 있는지 아는 것이 미덕인 사회라고 생각하는 것도 대단히 시대착오적이다.

지금의 대한민국은 굳이 옆집에 누가 살고 가족의 구성원이 어떻게 구성되어있으며 어떤 일을 하는지 알지 못해도 충분히 인적 네트워크를 구축하며 살 수 있다. 스마트폰 하나로 자신과 관심사가 같거나, 같은 정치 성향을 가지고 있거나, 같은 취미생활 혹은 종교를 가진 사람들을 만날 수 있다. 개인은 보다 넓고 쉽게 네트워크를 구성할 수 있으며, 그 네트워크는 비단 가까이 사는 사람들뿐만 아니라 지구 반대편까지도 연결해주는 초연결 사회가 현대사회이다. 이런 사회에서 주거공간은 어쩌면 사(私) 적인 생활을 보장하는 유일의 공간이 될 것이다. 정숙한 삶을 보장받고 주변 사람들과의 적당한 거리를 유지할 수 있는 유일한 공간이기도 하다. 이것이 변화된 우리 삶의 모습이며 주거공간의 역할이기도 하다.

이러한 문명의 진화에 따른 주거공간 역할의 변화를 제대로 이해한다면, 우리의 도시는 보다 Smart 하고 Compact 해지는 데 집중해야 한다. 이러한 Smart & Compact는 결국 도시의 경쟁력을 갖추는 핵심적인 요소이다. 도시가 지성의 공간이 되고 그 지성의 사람들이 한곳에 모였을 때 창출되는 가치들은 무궁무진하다. 그리고 그 모이는 정도에 따라서 가치창출은 기하급수적으로 상승하게 된다. 이게 바로 현대 도시의 이상이다.

국어 교과서에 실린 시 중에서 〈성북동 비둘기〉라는 것이 있다. 산이 파괴되어가는 성북동의 모습을 표현한 다음 삶의 터전을 잃은 비둘기의 상황을 보여주는 시이다. 이 시는 대표적으로 반(反) 개발·반(反) 도시화를 주장한다. 안타깝지만 주거 개발이 지속된다면 '성북동 비둘기'에게 남겨줄 촌락은 더 서울에 없을 것이다. 하지만 서울의 Smart & Compact 발전은 대한민국 전체로 보면 비둘기에게 더욱 좋은 삶의 터전을 지켜줄 수 있을 것이다. 이제 도시는 비둘기를 위한 공간이 아니라 더욱더 인간과 환경친화적인 공간으로 거듭나야 한다. 그리고 우리는 도시를 시대에 맞는 발전으로 미래 세대에게 물려주어야 한다. 경쟁력 있는 도시를 통해 대한민국의 자랑스러운 발전과 한강의 기적이 계속될 것이다.

주거사다리

지금까지 386 그리고 그들이 장악한 현 정부의 도시·부동산·주거에 대한 생각과 정책들을 비판해보았다. 지금부터는 빠르게 변화하는 현대에 맞는 주거 정책의 대안들을 함께 고민해보려 한다. 대한민국의 많은 청년은 '내 집 마련'이 꿈이라고 이야기를 한다. 하지만 운동권 정치인들의 잘못된 진단과 처방으로 인해 '내 집 마련'이라는 꿈은 멀어져 가고 있다. 대표적으로 특정 지역의 집값 때려잡기 정책은 부동산 거래를 둔화시키는 결과로 이어지고 있다. 그리고 서울 도심재개발에 대한 소극적 대처는 서울 안에서 살고 싶어 하는 신규 수요자의 니즈를 제대로 채워주지 못하고 있다. 그리고 무분별한 신도시 계획은 부동산 시장을 혼란하게 만들어 주택 구매를 주저하게 만들기도 한다. 그동안 집권 386이 보여줬던 지나친 평등주의에 입각한 이념 정책들이 부동산 정책에 고스란히 담겨 있었고 그 결과 수요자들이 필요로 하는 주택이 제대로 공급되지 못했다는 문제점을 다시 한번 제기한다.

이 문제의 해결은 주택 수요자들이 원하는 주택을 제대로 공급하는 방법으로만 가능하다. 수요자들이 원하는 주택은 어떠한 주택인가? 그것은 정부도 정치인도 함부로 판단할 수는 없다. 사람마다 원하는 주거형태는 다양할 수밖에 없기 때문이다. 혹자는 생활권의 반경이 좁게 되는 것을 원하여 직장과 거주지가 가까운 주거형태를 원하는 경우가 있다. 다른 혹자는 부담 가능한 가격이면서 주거환경의 질이 높은 주거형태를 갖추는 것을 우선적으로 원할 수도 있다. 또 최근에는 주택을 구입하여 거주하는 것이 아니라 일정 기간 임대를 통해 사는 주거형태를 선호하는 수요자가 증가하는 추세이기도 하다. 그리고 1인 가구의 증가로 인해 작은 규모의 실용성 있는 주택의 선호도가 증가하는 경향도 나타난다. 즉, 이러한 니즈에 대한 판단은 시장의 동향으로 파악하고 그에 맞는 공급이 자율적으로 이뤄질 수 있게끔 하는 것이 바람직하다고 본다. 하지만 지금 우리의 부동산 시장은 촘촘한 규제로 인하여 주택 공급이 너무나도 까다롭게 되고 있다. 특히나 주택임대업의 경우에는 그 정도가 심하여 소수의 임대업자만이 임대업에 참여할 수 있게끔 되어있다. 지금 이 시대에 어울리지 않는 방법이다.

그리하여 필자가 대안으로 제시하고 싶은 것이 바로 '주택 공급의 유연화'이다. 현재 대한민국에서 1인 가구가 빠른 속도로 증가하고 있다. 1인 가구뿐만 아니라 저출산 경향으로 인해 부부로 구성된 2인 가구도 증가하고 있다. 이에 따라 소규모 가구에 맞는 작은 규모의 주택을 늘려야한다는 주장이 제기되고 있다. 하지만 한 가지 고민해봐야 하는 것이 있다. 우리보다 일찍 소규모 가구의 증가를 경험했던 일본의 경우에는 경제가 호황일 때 작은 규모의 주택들을 대거 짓기 시작했다. 하지만 경제의 거품이 빠지자마자 대거 공급했던 성냥갑 같은 협소주택들 다수가 공실이 되고, 도시들이 슬럼화되는 현상이 나타나기도 했다. 주택과 같은 고비용의 인프라는 단기간에 대규모로 확충하는 데에 한계가 있다.

우리는 이러한 일본의 경험을 보아 조금 더 슬기롭게 이 문제를 해결해가야 한다. 대안으로 기존의 주거 인프라를 활용한다면 현실적으로 빠른 시간에 적은 비용으로 주택 공급을 확장할 수 있을 것이다. 다만 그러기 위해서는 기존에 정형화되어있는 주택 공급의 방법을 유연화시키는 것이 선행되어야 한다. 대표적으로 예를 들 수 있는 것이 셰어하우스이다. 셰어하우스 용도로 신축하여 공급할 수도 있지만, 과거 큰 규모의 주택을 선호했던 시기 지어졌던 인프라를 활용하는 방법으로 공급할 수도 있다. 그뿐만 아니라 코하우징이나 다양한 공유경제를 활용하여 주거공급을 활용하면 주거환경의 질도 높이고 가격도 부담 가능한 주택들을 다양하게 공급할 수 있는 방법이 마련되리라고 본다.

또 다른 주거형태로 언급될 수 있는 것이 바로 '임대주택'이다. 임대주택의 경우 부정적 인식이 너무나도 커서 그 부정적 인식부터 우선적으로 해결해야 한다. 이러한 부정적 인식의 주된 요인에는 임대주택 정책에 대한 지금까지의 잘못된 태도에서 비롯된다. 지금까지 임대주택은 국가나 지자체가 자체적으로 짓는 공공 임대주택이 대부분이었다. 하지만 막대한 인프라 구축 예산이 소요되는 임대주택 사업에 국가나 지자체만 공급 주체로 참여하는 것은 분명 한계가 있다. 따라서 민간이 공급 주체로 참여하는 준 공공형 임대주택을 건설하려 하고 있지만, 까다로운 조건으로 인해 민간의 참여를 제대로 끌어내지 못하고 있다. 대표적인 예가 바로 서울시에서 추진하고 있는 역세권 청년 주택이다. 역사와 350m 이내에 건물이 있어야 한다는 조건과 의무거주 기간을 부과하여 공급주체에게 많은 부담을 주고 있다. 민간 주체가 다양한 방법으로 임대주택을 공급할 수 있도록 하기 위해서는 추가적인 유입 동기를 마련해주거나 조건을 완화해줄 필요가 있다.

그리고 지금까지 임대주택의 경우 주거 취약계층의 주거형태로 활용됐던 것이 사실이다. 그러한 정책 방향이 임대주택에 대한 부정적 인식을 높여왔다고 본다. 부정적 인식을 극복하기 위해서는 임대주택을 비롯하여 앞서 언급한 다양한 주택들이 주거사다리 역할을 하도록 정책의 방향이 수정되어야 한다. 일정 기간 부담할 수 있고 살만한 주택을 공급받아 살고, 그 주택에서 자본을 축적해 자가를 구매하는 방향으로 정책들이 세워져야 한다. 즉, 주거 향상의 시기에 부담할 수 있고 거주할만한 주택을 일정 기간 공급받을 기회를 제공하는 방향이 되어야만 한다. 시간은 오래 걸릴 수 있지만, 이 과정에서 임대주택에 대한 부정적 인식을 극복하고 현재 제대로 구축되어있지 않은 주거 사다리를 튼튼히 세울 수 있을 것이다.

시장은 국민이다

개인이 각자의 삶의 계획할 때 주거문제를 중요하게 생각하는 이유가 있다. 그것은 바로 주택이라는 물건 자체가 보통의 사람들이 삶 전체 가운데 가장 많은 지출을 통해 마련하는 재화이기 때문이다. 그리고 가장 많은 시간 생활하는 터전이고 삶의 질에 가장 큰 영향을 주기에 주거문제는 개인에게 중요한 문제이다. 직장과 주거공간의 거리에 따라 운용할 수 있는 개인 시간의 차이도 상당히 크고 생활비의 지출 차이도 크게 된다. 이러한 이유들로 인해 보다 안정적인 주택을 소유하는 것이 꿈이라고 말하는 청년들이 정말 많다. 주거뿐만 아니라 주거문제와 뗄 수 없는 도시 정책과 부동산 정책들은 국가의 미래와 미래세대의 삶에 큰 영향을 끼친다. 이 장을 통해 개인의 주거문제부터 부동산 문제 도시문제까지 폭넓게 다뤄본 이유도 바로 거기에 있다.

지금 청와대와 정부 그리고 국회와 지자체까지 장악한 집권 386들은 아직까지도 시대착오적인 생각으로 도시·부동산·주거정책을 펴고 있다. 그 결과 막대한 예산을 투입해도 주거생활 수준이 나아지지 않고 있다. 과도한 도덕주의와 그에 따른 규제는 부동산 거래자들을 투기꾼으로 몰기만 할 뿐 그들이 목표로 하는 부동산 가격의 하락은 이행되지 않는 것이 현실이다. 이제 정책방향을 전환할 시기이다. 주거정책은 주거 수요자를 기준으로 해야 한다. 그들이 어떤 곳에서 살고 싶어 하는지 시장의 수요를 보면서 고민한다면 강북과 강남의 격차, 서울과 수도권의 격차, 수도권과 지방의 격차를 제대로 이해할 수 있고, 문제의 해결 방법이 도출될 것이다. 시장을 무시하고, 정부가 시장을 이길 수 있다는 오만한 태도로는 절대로 정책이 성공할 수 없다. 시장은 제3의 존재가 아니라 그 시장을 구성하고 있는 국민과 같다. '시장을 제대로 파악하는 것'은 '국민을 제대로 이해하는 것'과 같다. 지금 대한민국에 가장 필요한 부동산 정책은 시장을 존중하며 국민의 주거의 질 향상이라는 명확한 목적을 가지는 정책이라는 점을 강조하며 이번 장을 마친다.

밀레니얼
386시대를 전복하라

에필로그

희망이 온다

원희룡(제주 도지사)

조롱

그들은 국민을 배신했다. 그리고 386의 약속을 조롱했다. 그들이 말하는 '균등 공정 정의 연대' 그 아름다운 가치들은 이제 '위선'의 다른 말이 되었다. 그들은 진보의 가치를 능멸함으로써 진보를 죽였고, 진보의 시대에 마침표를 찍었다. 80년대로부터 30년이 훌쩍 넘은 시간이 흐르는 동안 수많은 부침이 있었고 나뉨이 일어났다. 하지만 그가 진보라고 불리든 개혁보수라고 불리든 386은 크게 한 덩어리로 이야기되었다. 그것은 나와 그들이 가진 공통의 가치 때문이었다. 대한민국 '공동체의 자유와 사랑'이라는 가치. 나와 그들에게 그 가치는 저 푸른 생명의 소나무였다. 괴테가 파우스트를 통해 남긴 그 말, "친구여, 모든 이론은 회색이고 오직 푸른 것은 황금가지의 생명력이라네"라는 이 원문이 '모든 이론은 회색이고 오직 푸른 것은 생명의 나무'라는 언명으로 되어 우리와 동행해 왔다. 손가락을 건 것은 아니었으나 분명 그 말은 서로가 서로의 가슴에 남긴 약속이었다.

그렇게 나는 믿었다. 그러나 그들은 괴테를 버렸다. 그들은 소득주도 성장이라는 해괴한 이론으로 사회적 약자를 낭떠러지로 밀어 넣었다. 우리 경제의 근간에 치명타를 가하고 우리 미래에 짙은 먹구름을 드리웠다. 그때만 해도 나는 그들을 믿었다. 그래서 나는 공공연하게 때로는 마음속으로 호소해 왔다. '친구여! 지옥으로 가는 길은 선의로 포장되어 있다 부디 정신 차리고 현실을 보자 실사구시 하자 회색의 이론에서 벗어나 저 푸른 생명의 나무들, 우리가 눈물로 맹세한 그이들의 삶을 직시하자'고. 그러나 나의 호소는 철부지 어린아이의 앳된 소망으로 전락되었다. 나는 깊은 실연을 당했다. 그들의 선의만은 믿었던 다수의 386들도 절망에 빠졌다. 'J 씨의 PC 반출은 증거인멸이 아니라 증거 보존'이라는 전무후무한 궤변들 앞에서 나와 우리는 할 말을 잃었다. 그들은 메피스토펠레스에게 영혼을 팔아버린 괴물 파우스트가 되어버린 것일까?

변질

집권 386, 그들은 왜 변질했을까? 그 길에 접어들지 않을 세 번의 기회가 있었다. 회색의 이론을 꺼내어 저 푸른 생명의 나무에 비춰볼 수 있었던 그 소중한 계기들, 그들은 그 시간들을 이상한 이분법으로 탕진해 버렸다. 스스로 성찰의 계기를 걷어차 버렸다.

1990년을 전후한 시기에 사회주의 국가들은 처참한 몰골을 드러내며 역사에서 사라졌다. 그때 우리는 진솔하게 살폈어야 했다. 우리가 80년대에 길어 올렸던 사회주의 혁명론의 적나라한 모습을 재탐구했어야 했다. 우리 공동체를 행복으로 안내할 것이라 굳게 믿었던 그 이론이 실상은 어려운 이웃을 가장 처절한 고통 속에 빠뜨렸다는 사실을, 그로 인해 붕괴되었다는 사실을 고통스럽지만 받아들여야 했다.

수백만 명에 달했다는 북한 동포들의 가공할 고통과 죽음이 전 세계인에게 충격을 안겨주던 그때에, 북한 위정자가 핵 무장에 올인하며 인민들의 목숨을 오뉴월 강아지처럼 취급하던 그때에 그들은 인권의 보편성이라는 인류의, 그리고 386의 근본적 가치 앞에 자신들을 세웠어야 했다. 사회주의 국가에서는 더더욱 용납되지 않았던 3대 세습이 펼쳐지던 때에라도 '우리 민족끼리'라는 망상을 깨뜨렸어야 했다.

광우병이라는 희대의 사기극이 대한민국을 100일 동안 휩쓸고 지나갔을 때 그들의 얼굴에는 '회심의 미소'가 아니라 진실을 농락한 '통한의 반성'이 어렸어야 했다. 그들은 역사가 진통 속에서 마련한 그 기회에 모두 눈을 감고 귀를 막아버렸다.

그렇다면 그들은 그때의 회색 이론을 여전히 품고 있을까? 그렇지는 않아 보인다. 만일 그들이 사회주의자이거나 그런 경향이라도 남아 있다면 어떻게 민노총의 위선과 타협하고 있겠는가? 다수의 비정규직 노동자와 청년실업자들, 좌절하는 영세 자영업자들을 극단의 고통으로 몰아넣고 있겠는가? 조직된 상층 노동자들과 압도적 다수의 일하는 사람들 사이의 격차를 가속시키고 있겠는가? 그들은 또한 진정한 민족주의자들도 아니다. 이미 그들은 세계인이 분노한 북한 동포들의 고통을 싸늘하게 외면했었다. 북한 인민들을 뺀 우리 민족끼리의 그 민족은 도대체 누구란 말인가? 그리고 그들이 80년대의 푸르렀던 초심에서 너무 멀리 가버렸다는 뚜렷한 증거들이 연일 차고 넘친다. 만일 80년대의 생각을 간직하고 있다면 어떻게 지금 진보의 가치를 시궁창에 처박는 일을 태연하게 하고 있을 것인가? 그들은 그저 변질된 것일 뿐이며 꺼내어 들 회색 이론도 없다.

이유

왜 그랬을까? 왜 그들은 영혼도 없이 그저 권력이나 탐하며 기괴한 논리나 지어내는 가련한 사람들의 길에 접어든 것처럼 보일까? 지적 능력에 문제가 있어서는 아닐 것이다. 바보도 아니고 그 거대한 진실들을 두고도 그걸 해석할 지적 능력이 없었다면 지금 이 요설들을 만들어 내지도 못할 것이다. 그들은 다만 용기가 없었던 것이 아닐까 생각한다. 껍질을 깨뜨릴 그 용기가 부재했던 것이 아닐까 하는 그런 생각이다. 인간에게 가장 힘든 일은 자신이 옳다고 믿었던 것을 성찰하고 넘어서는 일이다. 생을 두고 길어 올렸던 생각을 진실 앞에 세우고 살핀다는 것은 어지간한 용기가 아니면 힘든 일이다. 인지부조화라는 심리학의 용어도 다 인간의 이와 같은 어려움을 설명해준다. 대부분의 사람들은 자신의 생각과 현실이 부조화할 경우 자신의 생각을 바꾸는 대신 현실을 자신의 생각으로 재단한다. 특히나 자신의 생각을 공론의 장에서 토론할 경우 여지없이 배신

자 취급당하는 분위기에서 외로움을 선택하기란 쉽지 않은 일이다. 90년
대 당시 80년대의 이론을 공론의 장에서 성찰하며 앞으로 나가자고 했던
사람들은 여지없이 변절자로 몰렸다. 황당한 일이 지속적으로 벌어졌다.
그래서 진화의 확산은 중단되었다. 과거의 이념은 현실에서 생명을 다했
고 새로운 진화의 모색은 중단되었다. 이제 과거의 추억을 간직한 사람들
이 강력한 네트워크를 구축하고 공통의 이해관계를 추구하는 일만이 앙
상하게 남게 되었다. 이 이익의 네트워크에 명분을 부여한 것은 어처구니
없게도 '보수'였다. 보수(補修) 하지 못하는 보수(保守), 박정희 향수와 반
공 권위주의에 기대 시대 변화에 적응은커녕 퇴행적인 모습만 보여주는
보수는 오히려 집권 386 네트워크에 디딤돌이 되어버렸다. 현 386의 집
권 과정은 이 비극을 간명하게 드러내었다. 그들의 꿈이, 그리고 그들이
실력이 국민들에게 평가되어 집권한 것이 아니었다. 보수의 붕괴와 궤멸
이 그들에게 권력을 안긴 것이다.

그들에게 보수는 친일파이고 토착 왜구여야 한다. 그들에게 보수는 독
재세력이어야 하고 끊임없이 독재로 회귀하려는 집단이어야 한다. 그들
에게 보수는 추악한 이기주의자여야 한다. 그래야 보수에 반대하는 그들
의 네트워크가 명분을 얻는다. 그리고 그들은 그 유일한 명분으로 권력을
쟁취하고 향유해 갈 수 있기 때문이다. 과거 '권위주의 보수'가 자신의 대
항자들을 '빨갱이'로 몰아 손쉽게 제압하던 비열한 수법이 그대로 집권
386의 무기가 되었다. 보수는 스스로 개혁하지 못해 자멸했고 집권 386
의 시대착오적 이분법에 포획되어 질식되었다. 그리고 그것은 부메랑이

되어 집권 386의 눈을 가려버렸다. 비극이다.

　대한민국을 위해 합리적인 보수와 진보가 모두 필요하다. 나와 몇몇의 386들은 그래서 보수 개혁의 길을 선택했다. 힘은 부쳤지만 우리가 보수의 혁신에 의미 있게 기여했다면 혹시 지금 대한민국의 보수와 진보는 혁신의 경쟁을 하고 있지 않았을까? 우리는 이 길에 온몸을 던졌던가? 이 질문 앞에 나와 개혁보수 386들의 책임을 살피며 참으로 송구하다.

여명

　어둠이 깊다. 자연의 시간은 우리에게 기다리라 하나 대한민국의 시간은 우리에게 부디 혁신하라 한다. 386이 혁신해야 한다. 386은 대한민국의 자산이다. 그들의 헌신은 20대의 어느 시기 전설에 가두어 두어서는 안 된다. 푸르렀던 386의 약속으로 집권 386의 변질을 강타해야 한다. 생활 속에서 묵묵하게 사랑과 연대의 가치를 쌓아온 생활 386들, 그 자체로 푸른 생명의 나무인 그들이 혁신의 원천이다. 그리고 보수가 혁신해야 한다. 보수가 혁신하면 그때야 참된 진보가 탄생한다. 그 길만이 우리 공동체를 위한 유일한 길이다. 그렇게 믿었고 나의 짐을 기꺼이 지고자 했다. 그런데. 저 어둠의 끝에서 함성이 들려온다. 미약하나 그것은 분명 함성이다. 밀레니얼들이다. 2000년생, 이제 갓 스물의 청년에서부터 81년생 무르익은 청년까지 십여 명이 펜과 스마트폰을 들고 나섰다.

그들이 386시대를 전복하겠다고 한다. 당돌하고 용감하게 각자의 공간에서 길어낸 자기의 이야기를 토해내고 있다. 역사 정치 경제 사회문화 과학기술 노동복지 교육 주거, 그들의 이야기는 그들의 삶이며 자신들의 미래에 대한 치열한 모색이고, 그리고 우리 공동체에 대한 빛나는 사랑이다. 그들의 이야기는 각자이면서도 하나의 맥락을 갖는다. 그들은 자유주의자다. 대한민국은 이제 이념이 아닌 실존으로 존재하는 자유주의자를 보게 되었다. 우리 헌법은 꿈에서만 그리워했던 진정으로 자유로운 국민들의 삶을 이들을 통해 보게 될 듯하다. 현실 공산주의와 빈곤으로 국가의 존립 자체가 의심스러웠던 시기에 '반공 권위주의'와 '돌진적 산업화'는 불가피했다. 그에 저항하며 민주화를 성취해냈던 그 과정에서 불가피하게 조직문화에 익숙해야만 했던 386세대의 집단주의도 피하기 어려웠다. 이런 이유로 앞선 두 세대가 결코 체화할 수 없었던 자유주의, 그 자유주의를 밀레니얼들은 자신의 삶으로 온전하게 담아내고 있다.

자유주의는 다양성과 관용을 생명으로 한다. 386시대를 전복하라는 그들의 말은 강렬하나 자유주의는 산업화시대와 민주화시대에 대한 존중을 태생적으로 안고 있다. 그래서 그들의 전복은 유쾌할 것이다.

줄탁동시, 함께 껍질을 깨고 넓은 미래로 날아오르자. 집권 386의 변질을 가슴 아파하는 나와 우리는 나름대로 안에서 열심히 껍질을 두드려 깨나갈 것이다. 밀레니얼, 유쾌한 자유주의자들은 저 광야에서부터 씩씩하게 진군해 올 것이다. 타락의 껍질은 사라질 것이고 대한민국은 미래로 나아갈 것이다. 첫술에 배부를 리 없다. 이제 시작이다.

밀레니얼
386시대를 전복하라

[부록] _ 설문조사 문항지

2019 사회 인식
서울지역 대학생 설문조사

▶ 조사 기간 : 2019년 10월 1일(화) ~ 10월 6일(일)
▶ 조사 방법 : ① 서울지역 10개 대학 무작위
           ② 대학별 50명씩 총 500명
           ③ 대면 설문지 직접 기입방식
▶ 조사 주체 : 『플랫폼 밀레니얼』

Chapter Ⅰ. 인구통계

0. 귀하의 성별은 무엇입니까?
 ① 남성 ② 여성

1. 귀하의 연령대는 어디에 속하십니까? (만 나이가 아닌 한국 나이)
 ① 20 ~ 24세 ② 25 ~ 29세 ③ 30세 이상

2. 귀하는 몇 학번이십니까?
 ① 19학번 ② 18학번 ③ 17학번 ④ 16학번 ⑤ 15학번 ⑥ 기타 (   )

Chapter Ⅱ. 대학생 정치인식 조사

3. 귀하가 2017년 대통령 선거 당시 지지했거나, 호감을 느꼈던 후보는 누구입니까?
※ 당시 기호순으로 나열했습니다.
 ① 문재인 ② 홍준표 ③ 안철수 ④ 유승민 ⑤ 심상정 ⑥ 기타 후보 ⑦ 없다

4. 귀하의 성향은 어디에 가까우신가요?
 ① 보수 ② 중도 ③ 진보

5. 귀하는 현재 문재인 대통령에 대해 어떻게 생각하고 계십니까?
 ① 매우 긍정적으로 생각한다.
 ② 대체로 긍정적으로 생각한다
 ③ 대체로 부정적으로 생각한다
 ④ 매우 부정적으로 생각한다.

6. (5번 문항에 대한) 그 이유는 무엇입니까?

7. 귀하는 386 세대에 대해 어떻게 생각하고 계십니까?

** 386이라는 개념은 80년대에 대학을 다닌 60년대 출생자들이 사회에 진출하던 30대에 붙여진 이름이었습니다. 이들은 지금 50대가 되어 586이라고 하기도 합니다. 386 세대는 2019년 현재 우리나라의 의사결정층에 분포되어 있습니다.

① 매우 긍정적으로 생각한다.
② 대체로 긍정적으로 생각한다
③ 대체로 부정적으로 생각한다
④ 매우 부정적으로 생각한다.

8. '386' 하면 떠오르는 단어는 무엇입니까? 최소 1개, 최대 3개를 적어주십시오. (아래 예시를 참조해주시면 됩니다)

* 긍정성 예시
* 민주화 * 소통 * 기회균등·공정·정의 * 약자의 편 * 개혁
* 미래지향적 * 평화 * 인권 옹호 * 환경 중시 * 일자리 창출 * 소득격차 해소
* 유능함 * 독재에 저항·투쟁

* 부정성 예시
* 내로남불 * 자기들만 정의·선 * 꼰대 * 불공정 * 특권·불평등 * 과거지향적 * 권위적
* 무능력 * 다른 세대 무시 * 일자리를 오히려 없애고 있다
* 교육 기회 불균등

9. 귀하는 최근 '조국 법무장관을 둘러싼 사태'를 바라보며 어떠한 감정을 느끼셨습니까? 최소 1개, 최대 3개를 적어주십시오. (예. 분노, 안타까움 등)

10. 귀하는 한국 사회 문제 중 가장 우선적으로 해결되어야 할 문제가 무엇이라고 생각하십니까?
① 노력해도 극복되지 않는 사회적 격차(부모 자산 대물림 등)
② 정의롭지 않고 불공정한 사회 구조(교육 기회, 입시/취업 특혜 등)
③ 기본적인 상식과 도덕이 지켜지지 않는 사회(지도층의 편법/범법행위 등)
④ 자유롭지 못하고 권위적인 위계구조(갑질, 직장 문화 등)
⑤ 특정 세대, 계층의 권력 독점 현상(386세대, 엘리트주의)

밀레니얼
386시대를 전복하라

초판 1쇄 인쇄 2019년 10월 30일
초판 1쇄 발행 2019년 11월 8일
저자 백경훈 외 10인
발행 홍기표
디자인 조근형
등록 2011년 4월 4일 (제319-2011-18호)
전화 02-780-1135
팩스 02-780-1136
페이스북 http://www.facebook.com/Geultong
이메일 geultong@daum.net
ISBN 979-11-85032-40-5
정가 15,000원